Margarete Fabriciu
Sabine Bergha
Kristine Sudhö..ᵢ

Juristinnen

Berichte, Fakten, Interviews

EP 88
ELEFANTEN PRESS

© ELEFANTEN PRESS VERLAG GMBH 1982
und Margarete Fabricius-Brand, Sabine Berghahn
und Kristine Sudhölter für die Publikation;
für die Beiträge und Abbildungen bei den
Urheberrechtsinhaberinnen. Alle Nachdrucke,
sowie die Verwendung in Funk und Fernsehen
und sonstige Verwertung sind honorarpflichtig.
Alle Rechte vorbehalten.

Satz: satz-studio irma grininger, berlin
Layout: Jürgen Holtfreter
Lithografie: Rink & Silbermann
Druck: Plambeck & Co, Neuss
ISBN 3-88520-088-0
EP 88
2. Auflage, Berlin (West) 1986
Printed in the Federal Republic of Germany

ELEFANTEN PRESS VERLAG
Postfach 30 30 80, 1000 Berlin 30

ELEFANTEN PRESS GALERIE
Zossener Str. 32, 1000 Berlin 61

Berichtigung:
Auf S. 125 in der 5. Zeile muß es heißen:
..... daß sie innerlich *nicht* sympathisierten."

CIP-Kurztitelaufnahme der Deutschen Bibliothek

Juristinnen: Berichte, Fakten, Interviews / Margarete
Fabricius-Brand ... – Berlin-West: Elefanten-Press-
Verlag, 1982.

(EP 88)
ISBN 3-88520-088-0

NE: Fabricius-Brand, Margarete [Hrsg.]; GT

Inhalt

Einleitung

Im Jahre 1922 erhielten Juristinnen unter dem damaligen Justizminister Gustav Radbruch erstmalig die „Befähigung zum Richteramt" und konnten damit auch als Rechtsanwältinnen zugelassen werden. Was hat sich für die „Töchter Justitias" seitdem verändert, was haben sie selbst bewirkt? Hat Justitia „ihre Töchter" bereits in die Normalität entlassen, oder haftet der Juristin immer noch ein Hauch von Exotik an?
Die Herausgeberinnen dieses Buches, selbst als Juristinnen tätig, sind diesen Fragen nachgegangen. Wie die meisten Autorinnen stellen wir uns den Leserinnen und Lesern zunächst einmal vor:

Margarete Fabricius-Brand,

geb. 1949; seit 1973 die erste, seit 1977 die zweite juristische Staatsprüfung, seit Mai 1978 Rechtsanwalts- sozietät in Berlin- Kreuzberg, seit Januar 1982 in Hannover-Linden; seit 1979 Diplom- Psychologin, verheiratet, eine Tochter.

Sabine Berghahn,

geb. 1952, seit 1977 die erste, seit 1980 die zweite juristische Staatsprüfung, Mitarbeit in verschiedenen sozialwissenschaftlichen Forschungsprojekten, zur Zeit wissenschaftliche Mitarbeiterin am Fach- bereich Politische Wissen- schaft der Freien Universität Berlin.

Kristine Sudhölter,

geb. 1942; seit 1967 die erste, seit 1970 die zweite juristische Staatsprüfung; seit 1970 zunächst Rechts- anwaltssozietät mit einem Rechtsanwalt, seit 1974 Einzelpraxis.

Es ist längst Zeit, Bilanz der letzten 60 Jahre zu ziehen; das Buch soll, kann aber auch nur ein Anfang hierzu sein. Wir haben die Juristinnen der Pionier- zeit zu Wort kommen lassen und mit Respekt, nicht selten Ungläubigkeit von ihren Schwierigkeiten und deren Bewältigung gehört. Aktiv im Berufs- leben stehende Juristinnen zeigen, wie sie als Juristin und Frau Berufs- und Privatleben meistern; Berufsanfängerinnen berichten, welche Mühen sie beim Zugang zu juristischen Berufen — immer noch — erfahren und welche Mög- lichkeiten sie gefunden haben. Studentinnen, Rechtspraktikantinnen und Referendarinnen beschreiben ihre Erfahrungen in der Ausbildung und ent- wickeln Vorstellungen, Wünsche und Erwartungen an ihre juristische Tätig- keit — für die nächsten 60 Jahre?
Sind sie emanzipierter, fortschrittlicher, haben sie es leichter, wo sie doch auf der Pionierarbeit ihrer Vorgängerinnen aufbauen können? Oder sind die von

Männern geprägten Bedingungen in den juristischen Arbeitsfeldern immer noch so vorherrschend, daß den Juristinnen nur die „Lösung" bleibt, sich mit den männlichen Wertvorstellungen und Haltungen völlig zu identifizieren?

Viele Juristinnen sind in diesem Buch nicht zu Wort gekommen, die meisten nicht, was mit der Begrenztheit der Kontakte, der Zeit und der finanziellen Belastbarkeit der Herausgeberinnen, aber auch mit den engen Darstellungsmöglichkeiten eines Buches zusammenhängt.

Die Autorinnen haben als Form der Selbstdarstellung den Erfahrungsbericht oder allgemeiner gehaltene Abhandlungen gewählt; eine Autorin hat als Stilmittel den Inneren Monolog benutzt; etliche Autorinnen wurden interviewt: die im Anschluß hieran bearbeiteten Tonband- oder Gedächtnisaufzeichnungen wurden vor dem Abdruck mit den Interviewpartnerinnen abgestimmt; zwei Autorinnen haben das Gespräch mit einer Herausgeberin dazu benutzt, einen eigenen Beitrag zu schreiben.

So können Juristinnen – und auch Juristen – auf der biographischen Ebene ein Stück „Berufsgeschichte" bewahrt und aufgeschrieben sehen; sie erhalten Einblick in die verschiedenen juristischen Berufe und finden möglicherweise eigene Probleme von den Kolleginnen erörtert und vielleicht schon gelöst; Juristinnen in der Ausbildung bekommen Informationen über berufliche Betätigungsmöglichkeiten, aber auch – positive oder negative – weibliche juristische Vorbilder.

Das Buch wendet sich jedoch nicht nur an juristisch gebildete Leser. Laien werden durch das Buch mit einem nicht unwichtigen akademischen Berufszweig bekannt gemacht und lüften vielleicht ein wenig den Schleier, der für sie über der Justiz und den dort tätigen Personen liegt. Frauen, die in der Frauenbewegung arbeiten, erfahren über die Schwierigkeiten und Perspektiven, sich in einer männerbeherrschten Welt als Frau einen Platz zu erobern. Für die Kapitel 1, 2, 3 und 7 war M. Fabricius-Brand, für die Kapitel 4, 5, 6, 8 und 9 war S. Berghahn, für die Erstellung der Daten K. Sudhölter verantwortlich.

Die Herausgeberinnen   Januar 1982

Zur zweiten Auflage:

Vier Jahre später – Fortschritt oder Rückschritt?

Die interessierte Aufnahme, die die erste Auflage dieses Buches gefunden hat, hat uns sehr gefreut.

Die Erlebnisse und Erfahrungen, über die Juristinnen in diesem Buch berichten, sind immer noch aktuell, zum Teil sind sie sogar bereits Geschichte. Wir legen daher die zweite, unveränderte Auflage dieses Buches vor.

Heißt das nun aber, daß sich in den letzten vier Jahren gar nichts geändert hat, weder an den Zahlen noch an den Themen?

Quantitativ haben Juristinnen in den letzten zehn bis fünfzehn Jahren einen gewaltigen Schritt nach vorn gemacht, was erst in den letzten Jahren öffentlich beachtet wurde. So betrug etwa die Zunahme der Anwältinnenzahlen von 1974 bis 1984 272 Prozent (BRAK-Mitt. 3/1984); in absoluten Zahlen ist es allerdings nur eine Steigerung von 1289 auf 4794. Am 1.1.1986 gab es nunmehr 6133 Rechtsanwältinnen in der Bundesrepublik (einschließlich Berlin West), was gegenüber dem Vorjahr eine Steigerung um 8,5 Prozent bedeutet (BRAK-Mittl. 2/1986). Auch wenn die jährliche Zunahme mehr als doppelt so groß ist wie bei den männlichen Neuzulassungen, machen die Anwältinnen doch nur rund zwölf Prozent der gesamten „Anwaltschaft" aus. Etwas größer dürfte der Anteil von Richterinnen und Staatsanwältinnen in der gesamten Justiz (vgl. Anhang von Donnepp-Interview, Zahlen für 1981) sein, aber auch wenn die Steigerungsraten der Einstellung von Frauen hier größer sind als die von Männern, dürfen die Zahlen doch nicht darüber hinwegtäuschen, daß es bei der höchst ungleichen Verteilung über die Hierarchieebenen und über die unterschiedlichen Gerichtsbarkeiten und Gerichtsregionen (vgl. Beitrag von K. Sudhölter) noch geraume Zeit bleiben wird.

In Anbetracht gewisser Töne in der jüngsten (fach)öffentlichen Diskussion muß sogar befürchtet werden, daß das Hervorheben der weiblichen Steigerungsraten die männliche Gegenwehr mobilisieren und somit wieder zu strengen „Männerquoten" von 80 bis 90 Prozent führen soll. Wenn etwa auf einer Hauptversammlung der Bundesrechtsanwaltskammer behauptet wird, die Anwaltsschwemme sei in Wirklichkeit eine „Anwältinnenschwemme" (BRAK-Mitt. 3/1984), und wenn durch die – falsch oder richtig zitierte – Äußerung eines Gerichtspräsidenten eine Diskussion darüber entfacht wird, ob die Examensnoten wirklich als (Haupt-)Anknüpfungspunkt für die Einstellung in die Richter- oder Beamtenlaufbahn geeignet seien, wo doch Frauen dabei besser abschneiden, so scheinen die Zeichen sogar auf Sturm zu stehen. Nicht nur, daß es immer noch keine Frauenförderung im Sinne der Beseitigung ungleicher Ausgangsbedingungen gibt und daß auf die familiäre Arbeitsteilung nicht entlastend für Frauen eingewirkt wird und sozialisatorische Hindernisse oder Schwierigkeiten mit männlich geprägten Denk-, Verhaltens- und Sprachstrukturen nicht beseitigt werden, es sollen nun sogar (wieder) die Chancen derjenigen Frauen gemindert werden, die unter den harten Bedingungen gleiche oder oft bessere Leistungen erbringen.

Ist dies nur ein letztes Aufbäumen reaktionärer Patriarchen oder kündigt es konkrete realpolitische Besitzstandswahrungsmaßnahmen an?

Die Frage ist derzeit noch nicht zu beantworten. Das Vordringen von Frauen in die Männerdomäne der juristischen Berufe liegt weit unterhalb der Schwelle der „Feminisierung" des Berufes. Frauen befinden sich auf fast allen Ebenen deutlich in der Minderheit; sie sind also (noch) meilenweit von jener Beteiligung entfernt, die das Grundgesetz in Art. 3 Abs. 2 verheißt. Allerdings haben die Frauenbewegung und ihr Wirken bei den „Grünen" und in anderen Parteien eine Offensive begonnen, durch die allgemeine Forderungen nach der „Hälfte der Welt" in realpolitische Antidiskriminierungs- und Quotierungsforderungen umgesetzt werden.

Natürlich ist es unwahrscheinlich, daß mit dem gesellschaftlich meist nur nachvollziehenden Instrument der Gesetzesänderung Frauen von einer Minderheitenposition tatsächlich zur gleichgewichtigen Partizipation in den heutigen Macht- und Geldberufen verholfen wird. Jedoch dürfte schon durch den politischen Aushandlungsprozeß manches durchgesetzt werden, was bei bescheideneren Forderungen und/oder anderen Wegen nicht erreichbar wäre.

Eine solche realpolitische Strategie auf der zentralen Ebene der Gesetzgebung und der Verwaltungen wird sich jedoch nur dann wirklich in gesellschaftliche Realität umsetzen lassen, wenn „vor Ort", in diesem Fall also in den juristischen Berufen, Frauen offensiv weiterarbeiten und -kämpfen und neue Juristinnengenerationen nachwachsen. Dann ist über die quantitative Dimension hinaus auch zu erwarten, daß die „Feminisierung" der Justiz auch zu einer menschlicheren Rechtsfindung beiträgt.

Die Herausgeberinnen   Juli 1986

Margarete Fabricius-Brand
Wie das Buch entstand und wie es weitergehen kann.

Meine Situation als Berufsanfängerin (1978), Neuling in Berlin und schließlich Provinzlerin (1. u. 2. Staatsexamen in Gießen) wollte ich produktiv nutzen. Wenig verwöhnt durch zahlenmäßig viele, geschweige denn vorbildhafte Juristinnen in der vorausgegangenen Ausbildungszeit, freute ich mich über die vielen Kolleginnen in der Berliner Justiz und Anwaltschaft. Wann immer es ging, fragte ich sie: wie sie es geschafft haben, ihre Rechtsanwaltspraxis „hochzuziehen", warum sie das Büro nur allein, mit Kollegen oder nur mit Kolleginnen zusammen betreiben; sie sie Beruf und Familie vereinbaren, wie sie sich an ihrem Arbeitsplatz durchgesetzt und hierbei verändert haben.

Wenn Sartre sagt, „was macht der Mensch aus dem, was die Verhältnisse aus ihm gemacht haben", so wollte ich dies in den Gesprächen mit den Juristinnen über sie erfahren. Ich redete auch mit Juristen — gerade aus den Kreuzberger Praxen habe ich gute und hilfsbereite Kollegen schätzen gelernt —, aber Männer sind weniger offen; erst wenn der Alkohol die Angstschwelle herabgesetzt und die Zunge gelöst hat, erzählen sie schon mal von Schwächen, Niederlagen, Zweifeln und Unzufriedenheit. Da Männer, wie ich meine, innerhalb der juristischen Berufe immer noch Privilegien genießen, leiden sie unter einer „Teilerblindung", wodurch sie schnell bereit sind, Kritik wegen Benachteiligungen oder Verletztheiten individuell auf die Persönlichkeit der Juristen zu schieben. Eine wichtige Triebfeder, gerade mit Juristinnen zu reden, war auch meine Arbeit als Strafverteidigerin im Kriminalgericht und der Untersuchungshaftanstalt Moabit. Schon das Gebäude selbst, der Zutritt durch die mühseligen Kontrollen, die Innenarchitektur, die Wachtmeister, Geschäftsstellenbeamten, Richter und Staatsanwälte, Männer in der absoluten Überzahl, dies alles ist von Männerhand eingerichtet, wo ich als Frau immer noch auffalle. Nach vierjähriger Tätigkeit kenne ich mich in diesen Gemäuern aus, aber ich habe nie das Gefühl der Fremdheit verloren. Für mich ist diese Institution ein Kristallisationspunkt, ein Symbol für den „männlichen Charakter" der Justiz, der juristischen Berufe, der Juristen überhaupt. Ich glaube, daß Frauen hierfür eher eine Sensibilität entwickeln und sich bewahren, auch deswegen fragte ich sie.
Mein Wunsch war, den Austausch unter den Juristinnen zu erweitern und effizienter zu machen, deswegen verfaßte ich einen „Aufruf zur Abfassung eines Juristinnenreportes", der in der Kritischen Justiz (KJ 1979, S. 455) abgedruckt wurde, später auch in „Demokratie und Recht" und dem Berliner Anwaltsblatt.

AUFRUF ZUR ABFASSUNG EINES »JURISTINNENREPORTS«

Sind Sie Juristin? Dann helfen Sie mit, einen »Juristinnenreport« zu verfassen.

Sie finden den Begriff ärgerlich und unbrauchbar?
Assoziieren Sie »Schulmädchenreport«, ein Begriff, durch den unbegrenzte, ich meine begrenzte Phantasien hervorgerufen werden, die »heimliche« Diffamierung einer Gruppe junger Frauen?
Vielleicht gibt es einen »heimlichen Juristinnenreport« in den Köpfen unserer Kollegen?

8

Wir können und sollten ihn »entheimlichen«, denn Teile dieses Reports sind bereits in unseren Erfahrungen zu finden.

Sinn meines Vorschlages ist es, die Assoziationen, Vorstellungen und Vorurteile zusammenzutragen und zu veröffentlichen, um sie einer positiven Veränderung bei uns selbst und anderen zugänglich zu machen.

Deswegen stelle ich mir die Frage, welche positiven und negativen Erfahrungen ich als Juristin gemacht habe, die darauf zurückzuführen sind, bzw. die ich darauf zurückführe, daß ich eine Frau bin.

Mir fallen zunächst viele kränkende Erlebnisse ein, über die ich betroffen war, bei denen ich mich ängstlich, hilflos, minderwertig und niedergeschlagen gefühlt habe, bei denen ich aber auch Auflehnung, Wut und Haß verspürt habe:

Ich denke an meine Bemühungen, eine Anstellung als Rechtsanwältin zu finden, den »Rat« des Sachbearbeiters des Arbeitsamtes, froh zu sein, wenn mein Mann eine Stelle bekomme. Dann das überraschende Angebot eines Kollegen, als freie Mitarbeiterin gegen schlechte Bezahlung in seiner Anwaltskanzlei zu arbeiten und die noch überraschendere Begründung der »Damenwahl«, daß es sich »heutzutage gegenüber Richtern und Mandantinnen besser mache, wenn die Scheidung von einer Frau gemacht werde.« Oder die vielen Begegnungen mit Kollegen – Richtern, Rechts- und Staatsanwälten –, in denen ich nichts falsch gemacht habe, in denen ich aber auch nicht »richtig« handeln konnte, weil ich als Frau belächelt wurde. Nicht zu schweigen von den Vermutungen meiner Kollegen, daß ich politisch bestimmt so aktiv bin, weil ich als Frau (darunter versteht man/Mann natürlich sexuell) nicht befriedigt sei.

Andererseits sehe ich bei mir und anderen Frauen auch Stärke, die sich entwickeln kann, weil Frauen eher Erfahrungen zulassen können, die Männer wegschieben müssen. Bildlich gesprochen lerne ich »Männerhosen« zu tragen, ich gebe aber meinen »Rock« nicht her.

Die negativen Erfahrungen will ich nicht länger verdrängen, nach »innen« nehmen, wo sie still aber wirksam mein Selbstbewußtsein zernagen, sondern ich will hierüber reden und mir Klarheit verschaffen; und dann will ich auch die positiven Erfahrungen austauschen, um mich gemeinsam zu freuen und weiterentwickeln zu können.

Wie soll der Austausch inhaltlich und technisch laufen?

Ich habe einige kleine, mir typisch erscheinende Erfahrungen, die ich als Juristin gemacht habe, aufgeschrieben. Diesen »Bericht« schicke ich auf die Reise, damit möglichst viele Juristinnen an ihm weiterschreiben. Diejenige, die schreibt, kann sich namentlich vorstellen oder auch nicht. Dies will ich jetzt, zumindest datenmäßig, auch machen:

Ich heiße Margarete Fabricius-Brand; 30 Jahre; Rechtsanwältin; seit 1973 die erste, seit 1977 die zweite juristische Staatsprüfung; seit Mai 1978 eigene Rechtsanwaltspraxis in Berlin-Kreuzberg; seit September 1979 Diplom-Psychologin.

Alle Juristinnen, die mitmachen wollen, schicken mir bis Mitte Januar 1980 Name und Adresse zu. Ich fertige dann für jede Region eine Adressenliste sowie eine Kopie meines Berichtes an. Dies wird dann von einer Juristin zur nächsten weitergereicht und vervollständigt.

Diese Vorgehensweise hat den Vorteil, daß die später Schreibenden lesen können, was ihre Vorgängerinnen verfaßt haben, es laufen gleichzeitig an verschiedenen Orten verschiedene Aktivitäten, der Kreis der interessierten Frauen kann noch erweitert werden, es können Gespräche, Kontakte und sonstige Begegnungen neben dem Schreiben stattfinden.

Bis Ende Juni 1980 sollten die vorliegenden Berichte an die Kontaktadresse geschickt werden.

Sie werden dann von einem Redaktions-Kollektiv – vorläufig – ausgewertet; damit meine ich, daß die Berichte unter verschiedenen, thematischen Aspekten zusammengestellt und analysiert werden.

Über das Ergebnis der vorläufigen Auswertung soll dann in der ›Kritischen Justiz‹ berichtet werden.

Das Redaktions-Kollektiv wird auch überlegen, ob und wie eine Veröffentlichung des »Juristinnenreports« erfolgen soll und kann.

Für den Herbst 1980 schlage ich ein Juristinnentreffen vor, auf dem wir unsere Erfahrungen austauschen und weitere Möglichkeiten der Zusammenarbeit überlegen können, sowie die Modalitäten der Veröffentlichung des »Juristinnenreports« festlegen.

Wer macht mit?
Bitte melden Sie sich, melde Dich bei:

Margarete Fabricius-Brand, Oppelner Str. 25, 1 Berlin 36

Es meldeten sich 45 Juristinnen aus der Bundesrepublik und Berlin (West), die in 7 Gruppen – regional bedingt – aufgeteilt wurden. Der jeweils ersten sandte ich meinen Bericht zu mit der Bitte, den eigenen hinzuzufügen, um ihn alsdann an die nächste Kollegin auf der Regionalliste weiterzugeben.

Bericht

I.
Der – alte – Richter ist unfreundlich und nimmt von mir kaum Notiz. Dafür scheint er sich um so besser mit dem – älteren – Kollegen der Gegenseite zu verstehen, seine Sitzhaltung ist dem Kollegen zugewandt, sein zustimmendes Nicken gilt ihm, nicht mir. Ist es die lange Zeit der Zusammenarbeit, die den vertrauensvollen Umgang ausmacht, eine Zeit in der sicher nicht nur Urteile gefällt, sondern Vorurteile, Meinungen und Ansichten gemeinsam erörtert wurden, eine Zeit, in der Frauen eben nichts in den Gerichtssälen zu suchen hatten? Ich fühle mich ausgeschlossen, obwohl ich in diesem Vertrauenszirkel auch nicht integriert sein möchte. Als ich dem Vergleichsvorschlag des Kollegen etwas heftig protestiere, bittet der Richter die „verehrte Frau Rechtsanwältin" sofort um „Mäßigung"; bei den lauten selbstgefälligen Ausführungen der Gegenseite hat er nicht

diese leicht angewiderte Miene gehabt. „Wohltönende Ausführungen, begleitet von passenden Körperdrehungen gehören nun einmal zu jedem Auftreten eines erfahrenen Rechtsanwaltes, Marktfrauen sollen auf Märkten schreien!" sagt mir sein Gesicht. Ich finde ihn arrogant und einfallslos, er würde bestimmt nicht verstehen, daß und wie er mit dem Kollegen eine positive Interaktion von Mann zu Mann hergestellt hat, und wie einfach er an das gesellschaftliche Vorurteil über hysterische Frauen anknüpft. „Selbst wenn ich es erklärte, diese verbohrten, bedrückenden, schwerfälligen Männer in ihrer wohlgeordneten Welt würden es nicht verstehen." – diese Gedanken lassen meine Wut verrauchen. Ein anderer Gedanke taucht auf, beginne ich schon meinen Schutzwall höher zu ziehen, meine Stacheln zu entwickeln, weil ich dann weniger verwundbar bin?

II.

Mündliche Verhandlung in einem einstweiligen Verfügungsverfahren; es geht um einen Beschluß, der zugunsten der Hauseigentümer die Besetzung bzw. „Instandsetzung" von Wohnungen untersagt. Betroffene und deren Sympathisanten füllen den sehr kleinen Saal. Die Vorsitzende Richterin sagt, sie habe mit so vielen Leuten nicht gerechnet, habe nur 10 Minuten terminiert; sie bittet die Wachtmeister, Bänke zu holen, damit die jungen Leute sitzen können. Sie wünscht Ruhe, da sie kein Mikrophon habe, um die Anwesenden zu übertönen, und am Wochenende noch ihre Stimme gebrauchen wolle. Zu Beginn der Verhandlung teilt sie den Parteien ihre Einschätzung der Rechtslage zum jetzigen Zeitpunkt mit. Ihre Fragen und Antworten sind direkt; wenn sie eine Partei unterbricht, erklärt sie, warum sie sie jetzt, hier abbrechen zu können. Als es zu laut wird, steht sie auf, sagt, daß es viel zu warm sei, und man jetzt eine Verhandlungspause mache. Sie ist ruhig, sicher und freundlich. Am Schluß der Sitzung bin ich von der Richterin beeindruckt und finde sie gut. Nichts hiervon erscheint in meiner „Frage", wie lange sie schon Richterin sei. „20 Jahre." Dann murmele ich noch etwas von angenehmer Verhandlung; habe ich Angst, den Anschein erwecken zu können, ich wollte sie wegen der noch ausstehenden Kostenentscheidung beeinflussen?
Im Hinausgehen höre ich noch, wie unser Zeuge, ein Pfarrer, der Richterin sagt, sie sei charmant, klug, offen und direkt, er habe noch nie so eine gute Verhandlungsführung erlebt und bedauere, daß so wenige Frauen ihrer Art an Berliner Gerichten seien.

III.

Eine Hauseigentümerin klagt auf Herausgabe der Wohnung, die mein Mandant als Untermieter bewohnt. Der gegnerische Anwalt findet es „reizend, daß man sich sieht", er ist äußerst höflich, hält alle Türen auf, ist ständig darauf bedacht, nach mir die Räume zu betreten. Mich macht das ganz nervös. In der Verhandlung ist er „knallhart", bittet im Falle seines Obsiegens ausdrücklich, dem – anwesenden – Beklagten nur eine kurze Räumungsfrist zu gewähren. Das Ergebnis ist offen. Nach der Verhandlung kommt er strahlend auf uns zu, sagt jovial zu mir, „was tippen sie, Verehrteste?" Er neigt leicht den Kopf, als er meine Hand zum Abschied schüttelt. Ich finde seine Höflichkeit völlig unangemessen, seine „Herzlichkeit" zutiefst herzlos. Als mein Mandant laut sagt, „ich will Ihnen aber gar nicht die Hand geben", sagt er kurz „bitte" und geht.

IV.

Berufungsverhandlung in Moabit. Ersturteil, acht Monate ohne Bewährung. Der „Hausgutachter" von Moabit, Mediziner, Vertreter der klassischen Psychiatrie, begutachtet die Angeklagte als „völlig normal", hat sie doch weder beim Begehen noch beim Erwischtwerden des Diebstahls einen Orgasmus gehabt. Der von mir durchgesetzte analytische Gutachter kommt zu einer mindestens verminderten Schuldfähigkeit wegen bestehender Ich-Schwäche mit starken selbstaggressiven, neurotischen und ausagierenden, psychopathischen Zügen. In meinem Plädoyer gehe ich im einzelnen auf die gegensätzlichen Gutachten ein. Der Staatsanwalt sagt „bescheiden" vorweg, daß er von Psychologie eigentlich nichts verstehe, daß er in der Hauptverhandlung allerdings den Eindruck gewonnen habe, die Angeklagte sei völlig normal; der „Frau Verteidigerin" wird attestiert, daß sie sich unkritisch dem analytischen Gutachten anschlösse, daß sie zu Unrecht davon ausgehe, daß die Angeklagte nicht normal sei. Es wäre ehrlicher, wenn er sagte, daß die einzige nicht Normale im Saal die Frau Verteidigerin ist.
Der Richter macht es milder. Er „verkennt" nicht, wieviel Richtiges in meinen Ausfüh-

rungen liegt; er findet vieles „beachtenswert", bis eben auf die Schlußfolgerungen, die die Entscheidung begründen. Das Urteil, ein Monat Freiheitsstrafe, die Kosten trägt die Staatskasse.

Der Richter ist gütig und freundlich, er sagt mir im Hinausgehen aufmunternd und wohl-wollend, „Sie als engagierte Verteidigerin" – eine sicherlich sympathischere Variation des Satzes, ich kann sie nicht ernst nehmen, – „Sie werden es schon schaffen, den einen Monat im Gnadenwege wegzukriegen." Er meint es nicht zynisch, das spüre ich, ich zucke die Achseln und bin sehr niedergeschlagen. Wie lange noch werde ich die „enga-gierte Verteidigerin" sein? Ich weiß es, wie zäh Institutionen arbeiten, wie langsam sie sich ändern. Wenn ich es wieder einmal sinnlich erfahren habe, bekomme ich Angst, wieviel Kraft ich brauche und verbrauchen werde, wenn ich dort arbeite. Was wird das Ergebnis sein, eine Juristin mit Ellenbogen und Durchsetzungsvermögen, mit dem harten, direkten, robusten Auftreten einer maskulinen Frau, die den Juristen, wenn auch nicht Vertrauen einflößt, so doch keine Angst macht; die vielleicht sogar als Kollegin geschätzt wird, weil sie so ist wie die Kollegen?

V.

Als Sprecherin der „Vereinigung Demokratischer Juristen-Arbeitsgruppe Berlin (West)" leite ich eine Diskussionsveranstaltung. Der Referent hält einen engagierten Vortrag, die Zuhörer sind gespannt, die anschließende Diskussion verläuft lebhaft, verschiedene Aspekte des Themas werden zwanglos angesprochen, die einzelnen Sprecher beziehen sich aufeinander und halten keine endlosen Co-Referate. Eingreifen und Strukturieren ist überflüssig, Bedingungen, unter denen ich mich als Diskussionsleiterin wohlfühle. Eine Kollegin drückt dies aus, als sie „beim Wein hinterher" sagt, „Ich finde, die Ver-anstaltung ist uns und Dir gut gelungen." Daraufhin ein Kollege, „Kein Wunder, der Referent steht ja auch auf Frauen." Meine gute Laune ist weggewischt. „Wie soll ich das denn verstehen?" frage ich, wohl etwas zu spitz, denn dies ruft sofort rudernde, wohl beschwichtigend gemeinte Armbewegungen des Kollegen hervor. „Nun hab Dich mal nicht so, man wird ja mal einen Spaß machen dürfen", sagt er weiter. Jetzt bin ich auch noch eine Miesmacherin, der Abend ist hin. Auf dem Heimweg sage ich dem Kollegen, daß er ja ruhig feststellen dürfe, daß der Referent lieber mit Frauen als mit Männern eine Veranstaltung macht, daß er aber seine blöden Klischees über die „magische" Wir-kung von Frauen auf Männer nicht verbreiten soll, und daß ich von ihm angemessene Aussagen über mich und die abgelaufene Situation erwarte. Wie sonst können wir gute und schlechte Bedingungen in uns und unserer Arbeit herausfinden, wie sonst soll eine Weiterentwicklung aussehen?

Ich werde immer wütender, das Streitgespräch wird immer heftiger – alles in meinem Kopf.

Die im „Aufruf" angeregten Treffen führten in Berlin zu interessanten und lebhaften Diskussionen der eigenen Erfahrungen und Perspektiven als Frau und Juristin, außerdem konstituierten sich die drei Herausgeberinnen als Redaktionskollektiv. Der Plan, einen Schreibzirkel ins Leben zu rufen, gelang nicht, vermutlich waren die Unterschiede, was Beruf, Alter und Ausbildungs-stand angeht, zu hoch; außerdem trafen sich auch Juristinnen, die oft noch anderweitig engagiert waren bzw. sind und eine weitere organisatorische Ver-pflichtung scheuten. Die lockeren Treffen und Gespräche deckten die vorhan-denen Kontaktbedürfnisse ab. Diese Situation gilt grundsätzlich auch für die Juristinnen in der Bundesrepublik, bei denen zusätzlich noch Entfernungspro-bleme hinzukamen.

Die 24 schriftlichen Berichte, die bis Frühjahr 1981 eingingen, sind Einzelbe-richte der Autorinnen und beziehen sich wenig aufeinander. Ein ursprünglich geplantes überregionales Treffen scheiterte schließlich an dem organisatori-schen Aufwand, den das Redaktionskollektiv nicht schaffen konnte.

Um ein Stück kollektiven Schreibprozesses zu gewährleisten, wurden wie in einem „Zwischen-Bericht" in der Kritischen Justiz (KJ 1981, S. 231 ff) angekündigt allen Autorinnen alle Berichte in Fotokopie zugesandt, mit der Bitte um Kritik und Verbesserung. Letzteres geschah zum Teil, insbesondere wurde aber der Wunsch geäußert, die Veröffentlichung der Berichte zu garantieren, was wir durch Kontaktaufnahme mit zwei Verlagen in die Wege leiteten. Bei Überarbeitung der eingegangenen Berichte stellten die Herausgeberinnen fest, daß der Bogen der Autorinnen sich von der Studentin bis zur berufstätigen Kollegin spannt, daß letztlich aber nur ein Querschnitt durch den eigenen Bekanntenkreis vorlag.

Angeregt durch den — bis dahin einzigen — Bericht einer älteren Kollegin nahmen wir Kontakt zu weiteren „Vorkämpferinnen" auf um herauszufinden, wie diese Juristinnen, damals noch absolute Ausnahmen in den männerbeherrschten Juristenberufen, ihre Frauen- und Berufsidentität gefunden haben. Teilweise mit Empfehlung durch Kolleginnen stellten wir den Kontakt her, nicht immer erfolgreich, da viele der Angesprochenen sich zu alt oder desinteressiert fühlten. Bei den „Politikerinnen", die unserer Meinung nach auch nicht fehlen durften, da es sie sind, die sich für strukturelle Verbesserungen unserer Situation einsetzten, erhielten wir ebenfalls zahlreiche Absagen, hauptsächlich wegen Arbeitsüberlastung und Zeitmangel. Verblüffend freudig und schnell verwirklichten die Familienrichterinnen unsere Bitte, sich zur Frage „Frau und berufstätige Juristin" zu äußern; zu wenig aktiv waren wir bei den älteren noch im Beruf stehenden Juristinnen. Bei den „Wissenschaftlerinnen" halfen uns unsere früheren Uni-Kontakte, aber auch neue waren gut herzustellen. Unsere Bemühungen, Juristinnen aus Wirtschaft, Verwaltung oder dem Nicht-Justiz-Bereich zu erreichen, waren wenig erfolgreich.
In dieser zweiten Phase der Beschaffung der Berichte wählten wir als überwiegendes Stilmittel das „Interview", wozu ich folgendes anmerken möchte: Weder trifft der sozialwissenschaftlich noch der journalistische verwandte Begriff des Interviews das, was wir gemacht haben. Exakterweise müssen wir die Interviewten als unsere Gesprächspartnerinnen bezeichnen, die Situation selbst als eine zwanglose Unterhaltung, wodurch Gedanken, Assoziationen und Erinnerungen frei fließen konnten. Ich glaube, daß wir durch diese Form der privaten und beruflichen Situation der Juristinnen am nächsten gekommen sind. Mögliche Einwendungen, die sich aus der Methode der Sozialwissenschaft ergeben, entfallen, weil das Buch die Gespräche möglichst naturgetreu, wenn auch gekürzt, wiedergibt und sich nicht der exakten Interviewtechnik bedient. Es war auch nie beabsichtigt, die Interviews statistisch auszuwerten, wodurch wir in der Auswahl der Gesprächspartnerinnen und dem Verlauf des Gespraches völlig frei waren. Die Gesprächspartnerinnen sollten ihre Lebensgeschichte so erzählen, wie sie aktuell von ihnen gesehen wird; wir haben zwar durch unsere Fragen den Verlauf mitstrukturiert, anschließend benutzten wir aber nicht die Äußerungen unserer Gesprächspartnerinnen, um wissenschaftliche Beweise zu führen oder um mit ihnen unsere eigenen, zuvor aufgestellten Thesen zu illustrieren. Generell möchte ich zu den Gesprächen sagen, daß ich oft verblüfft und auch angerührt war, wie offen, ehrlich, direkt und lebendig die Juristinnen erzählten. Hierzu regte sicher die meist private Umgebung und zwanglose nicht offizielle Atmosphäre des Gespräches an. In der Druckfassung des Gespräches war hiervon oft wenig wiederzufinden, weil die Autorinnen dies nicht wünschten. Die geäußerten Erklärungen waren unterschiedlich, zum Teil sollte — verständlicherweise — das Privatleben nicht

preisgegeben werden; für einige gefährdete der wiedergegebene Gesprächsstil den guten juristischen Ruf, der auch Sprache und Stil der früheren juristischen Argumentationsweise mit umfassen würde; Angst bestand auch vor Reaktionen noch lebender männlicher Kollegen, durch die man Benachteiligungen erfahren hatte, man scheute sinnlose Auseinandersetzungen, Drohungen oder eventuell abverlangte Rechtfertigungen. Bei toten Kollegen fürchtete man die Reaktion der Erben, außerdem wurden Pietätsgründe genannt.

Ich denke mir, daß die Umwelt und damit auch der anonyme Leserkreis den Interviewten „ungeschriebene Gebote" auferlegt, wie eine Juristin, zumindest aus dem Justizbereich, sich zu äußern hat: gemäßigt, abgewogen, neutral, exakt, auf keinen Fall für sich Partei ergreifend und engagiert. Auch halte ich es für möglich, daß vielen Juristinnen alles zuwider ist, was sich nach Jammern und Klagen anhört, da dies in einer männlichen juristischen Öffentlichkeit als deplaziert, unsachlich und typisch weiblich gilt, Etikettierungen, gegen die man sich in der Vergangenheit erfolgreich, wenn auch vielleicht unter Mühen, wehren konnte und mußte. Für viele Juristinnen der älteren Generation mag es auch ungerecht erscheinen, einzelne Kollegen zu kritisieren, die sich in der damaligen Zeit einfach „normal" verhielten; damit will ich sagen, daß sich die Maßstäbe gewandelt haben − für die Betroffene oft erst durch die eigenen Kinder − und man einzelnen·Juristen nicht vorhalten mag, sie hätten fortschrittlicher sein sollen als der damalige „Zeitgeist".
Das Buchprojekt haben wir vorläufig zu einem Abschluß gebracht und wollen es nunmehr zur Diskussion stellen. Ich hoffe, daß wir weiterführende Kritik erfahren, die Richtungen zeigen sich an: Juristinnen mit gänzlich anderen Erfahrungen oder aus anderen Berufszweigen werden sich melden oder können geworben werden; die Berichte der Autorinnen regen möglicherweise an, die Erfahrungen der Juristinnen systematischer zu erheben und auszuwerten. Manche Leserin wird weitere Vorschläge oder Erfahrungen beisteuern, wie der juristische Arbeitsplatz für Frauen verbessert werden kann, was in kleinen Schritten bereits begonnen hat. Positive oder negative Fälle bei der Einstellung und Beförderung von Juristinnen sollen weiter dokumentiert werden − mit Hilfe der interessierten Leserin −, damit sie auf der politischen Ebene Wirksamkeit entfalten. Auch halte ich es für wichtig, den Kontakt zwischen den in Ausbildung befindlichen Juristinnen und den berufstätigen als wechselseitige Chance wahrzunehmen.
Letzterer Aspekt führte u.a. dazu, die einzelne Autorin ein wenig aus ihrer Anonymität heraustreten zu lassen und sie mit Bild, Adresse und persönlich-beruflichen Daten kurz vorzustellen. Dies gab auch den Ausschlag für die Wahl des Verlages, der von der technischen Möglichkeit und den verlagspolitischen Vorstellungen dieses Vorgehen nicht nur unterstützt, sondern anregte.
Für die Zukunft hoffe ich auch, daß das Thema „Juristinnen" unter künstlerischen, fotographischen und gestalterischen Gesichtspunkten nicht länger ein Schattendasein führen muß.
Unser Arbeitstitel „Juristinnenreport" wurde auf Grund der Kritik von Autorinnen aber auch nichtjuristischen Freundinnen und Freunden des Projektes in den vorliegenden umgewandelt.

14

Juristinnen in der Ausbildung

Acht Beiträge von zehn Studentinnen, Rechtspraktikanntinnen und Referendarinnen, die sich aufgrund des „Aufrufs" gemeldet haben, werden im folgenden abgedruckt.

Zwei Berichte kommen von der Uni Hannover, einer aus Bremen, wo eine Reform der Juristenausbildung praktiziert wird; im Unterschied zur sonst üblichen zweigeteilten Ausbildung in Studium und Referendariat, erlangen die Rechtspraktikantinnen hier die Befähigung zum Richteramt durch eine einheitliche Ausbildung, in der sich Theoriephasen und referendariatsähnliche Praktika abwechseln. Reformziel ist u.a. eine größere Integration von Rechts- und Sozialwissenschaften sowie von Theorie und Praxis.

Der Erfahrungszeitraum der Autorinnen umfaßt die Zeit Mitte der siebziger bis Anfang der achtziger Jahre.

Jede Wissenschaftsdisziplin hat ihre spezifischen Sozialisationsmechanismen, denen alle gleichermaßen ausgesetzt sind; für das juristische Studium möchte ich Einschränkung machen, daß die Tatsache des Frau-Seins die Lernsituation für Jurastudentinnen zusätzlich erschwert. Hiervon zeugen auch die Beiträge der Autorinnen.

Sprüche über Jurastudentinnen scheinen immer noch genauso häufig wie einfallslos zu sein, so zumindest ein Bericht von der Uni Erlangen (Best/Kamm);

auch „Berta Bumske", „Frau Busig" und ähnlich geschmacklose Bezeichnungen geistern – scheinbar unausrottbar – noch durch die juristische Fallpraxis; welches Bild bzw. Selbstbild der Frau sollen sich die Lernenden hier einprägen? Sind anzügliche Bemerkungen bei der Behandlung von Sexualdelikten der „Dirne D" in der Regel „nur" widerwärtig, so erreichen sie die Stufe der Benachteiligung, wenn Studentinnen im Staatsexamen über „diesen Fall" nicht geprüft werden sollen (Wonnemann). Vielleicht darf die „Prüfung" nicht stattfinden, damit die Jurastudentin nicht merkt, daß sie selbst noch Sexualobjekt ist?

Die gängigen Vorurteile gegenüber Rechtspraktikantinnen und die „unübersehbaren Vorteile" der Rechtspraktikanten werden witzig, ironisch aber auch bissig ausgebreitet – eben ein „Bitterbonbon" (Regina Kohn/Kathrin Sprich).

Vorurteile gegenüber Frau- und Juristensein wurzeln im letzten Jahrhundert, Beispiele hierfür bringt eine Autorin (Schirach), verknüpft mit der Frage, wieso heute immer noch die Meinung der Jurastudentin überhört, die gleiche Äußerung aus männlichem Munde begeistert zur Kenntnis genommen wird. Dies, sowie die geschlechtsspezifische Zuteilung bzw. Verweigerung von Fällen in der Ausbildung (Rottmann) stellt eine Verhaltensweise dar, die das Selbstbewußtsein der Studentinnen beeinträchtigt und Gefühle von Ohnmacht, Minderwertigkeit aber auch Überfordertsein heraufbeschwört.

Aktive Änderungen sind notwendig, denn, so die These einer Berliner Referendarin, irgendwann kommt der Tag, da wird jede Juristin, egal wie „fleißig, pünktlich, redlich" sie ist (Slupik), benachteiligt, hierzu reicht aus, „einfach nur eine Frau zu sein". Von den Früchten aufgrund ihrer Auseinandersetzung mit der Diskriminierung als Juristin berichtet eine Berliner Studentin (Bruns). Dabei geht die Frauenprojektgruppe, der sie sich angeschlossen hat, offensichtlich nicht nur Probleme des sozialen Umgangs mit Studentinnen am Fachbereich auf Selbsterfahrungsebene an, sondern bearbeitet das Thema auch kognitiv-inhaltlich. Ähnliches berichtet eine Studentin der Bremer Einphasenausbildung (Lenze); ihre Schwierigkeiten mit diesem Modellversuch, der positive Identifizierungsmöglichkeiten nur für männliche Studenten biete (eine Professorin oder Lehrbeauftragte gibt es dort nicht), wendet sie positiv, indem sie Erfahrungen und Erkenntnisse über sich und andere Frauen in die Veranstaltungen hineinträgt.

Ich finde diese Vorgehensweise – Verknüpfung von Wissen und Handeln – wichtig, weil „pädagogische Einprägungsarbeit" (Wolfgang Schütte) bewirkt, daß eine bestimmte Deutung der Realität in die Köpfe der Lernenden gelangt; wie die Realität von Juristinnen aber auch Frauen allgemein aussieht, sollte von Kundigen dargestellt werden (hierzu können auch Männer gehören!). Insgesamt habe ich den Eindruck, daß die Autorinnen sehr sensibel und mutig die Benachteiligungen von Frauen in der juristischen Ausbildung wahrnehmen und nicht länger bereit sind, sich mit der Ungleichbehandlung versöhnlich zu arrangieren. Ihre Verarbeitungsformen wie Selbstreflexion, Austausch mit den Geschlechtsgenossinnen in den Frauengruppen und erste Schritte von Veränderungen an der Fakultät, zeichnen sich in den Beiträgen ab; dies läßt hoffen, daß die insgesamt negativen Sozialisationsmaßnahmen des juristischen Studiums Frauen nicht länger zusätzlich belasten. Ein gestärktes Selbstbewußtsein und das Einüben von Handlungsstrategien werden diese Studentinnen befähigen, den Kampf um die Gleichberechtigung in ihrem späteren juristischen Beruf aufzunehmen.

Ellen Best, Jurastudentin an der
Friedrich Alexander Universität in
Erlangen

Desiree Kamm, Referendarin

„Wenn eine Jurastudentin bis zum 7. Semester ihren Doktor noch nicht geheiratet hat, muß sie ihn selber machen." Dieser aufmunternde Spruch aus
anzüglich grinsendem Männermund war eine der ersten Erfahrungen, die ich
als Reaktion auf meine Studienwahl erhielt. Auch an der Universität kam mir
dieser Spruch des öfteren zu Ohren, wobei wir gerade als Anfängerinnen auf-
merksam taxiert wurden, welcher Gattung – den Schönen oder den Intelli-
genten – wir wohl zugerechnet werden könnten. Recht hat eben mit logischem Denken zu tun, und das können allenfalls Frauen, die nach juristischen
Schönheitskategorien als häßlich eingestuft werden. Wer könnte dieser Logik
widersprechen?
Schönheit ist immer noch der große Renner auf dem Heiratsmarkt der juristischen Fakultät. „Blaustrumpf oder hübscher Dummkopf" – der Jurist weiß,
wie die Wahl für seine Ehefrau und Mutter seiner Kinder ausfallen wird. Wobei natürlich ein paar Semester zur besseren Mithilfe in der Kanzlei nichts
schaden, und die Frau braucht schließlich auch etwas „Eigenes".
Die Professoren scheinen sich auch erst so nach und nach an den Anblick
studierender Frauen zu gewöhnen, wenn man bedenkt, daß historisch gesehen die Frauen noch gar nicht so lange an der Universität sind, und daß die
Juristen im allgemeinen etwas langsam und schwerfällig sind in der Erkenntnis
gesellschaftlicher Realität. Da müßten wir vielleicht etwas massiver und
aggressiver auftreten, um ihnen zu helfen, z.B. sich besser an unsere Stimmen
zu gewöhnen. Denn wie sonst, wenn nicht durch Gewöhnung und lauteres
Auftreten, kann dem Professor geholfen werden, der das Vortragen der Referate von Kommilitoninnen in einem Seminar mit der Begründung „Sie haben
mir viel zu piepsige Stimmen" ablehnt.
Diese Frauenfeindlichkeit der Professoren wirkt sich besonders ungut für die
weiblichen Examenskandidatinnen aus, und zwar keineswegs in Form einer
„positiven" Diskriminierung – wie vielfach behauptet wird –, nein, die all-
seitig gebildete juristische Elite der Erlanger Universität scheint durch „Frau
Kollegin stark verunsichert, der man daher auch etwas stärker auf den Zahn
fühlen muß. Das für den Kandidaten befreiende Lob kommt bei der Kandidatin schwer über die Lippen, die Fragen gehen schneller auf den Nachbarn
über, und die beißende Frage „Sagen Sie, haben Sie Kopfweh?" wird nicht
dem Examenskandidaten, der nicht viel weiß (der Mann kann schließlich
nicht alles wissen!), sondern der Frau zugedacht. Der zynische Kommentar
des Prüfungsamtes über die Frauenfeindlichkeit bestimmter Prüfer: „Ach
ja – das wissen wir schon."
Die einzige Professorin (ohne Lehrstuhl) hat wahrhaft keinen leichten Stand.
Nicht nur, daß die Studenten in Vorlesungen und Klausurbesprechungen ungewöhnlich selbstsicher und penetrant nachfragen, auch die Professoren lassen den Mantel des Schweigens über ihr kollegiales Verhältnis bei Frau Professor schon mal fallen. Als z.B. eine Studentin sich auf deren Lehrmeinung
berief, wurde mit der solidarischen Bemerkung gekontert: „Ja, glauben Sie
denn der Frau Professor?" Daß sich die Betreffende mit der Bitte an eine
Studentin wandte, „aber erzählen Sie es nicht meinem Kollegen", als sie ver-

meintliches Nichtwissen eingestand, ist zwar leicht zu erklären, läßt aber bedauerlicherweise Rückschlüsse auf das Selbstverständnis als Frau bei den Juristinnen zu. Die Juristen — an und für sich ernste Menschen — erweisen sich als äußerst humorig, wenn es darum geht, Witze über Frauen zu reißen, etwa derart, daß ein Dozent Frauen mit Autos vergleicht, oder den weisen Lebensrat erteilt, doch bei der ersten Frau zu bleiben, da im Prinzip eine wie die andere sei. Durch derart ungewohnte Solidarität eines Dozenten geschmeichelt, stimmen die Studenten mit lautem Lachen so von Mann zu Mann zu.

Sehr merkwürdig mutete uns die Bemerkung eines Professors an, als er über die Straftaten gegen die sexuelle Selbstbestimmung sprach. Sein Spruch: ,,Hm ja, das ist ja nichts für unsere Kolleginnen'', verwirrte uns. Was für Wesen sind die Studentinnen für den Herrn Professor, will er nur seine Anzüglichkeiten loswerden, oder hat er gar Probleme, ,,darüber'' zu reden?

Ein bestimmtes Frauenbild ist auch in der juristischen Fallpraxis zu finden. Bei der Durchsicht von Fällen in Übungsbüchern und -klausuren, Repetitorien und gestellten Examensklausuren fiel uns auf, daß Frauen vorrangig im Erb- und Familienrecht auftauchen und dort meist als passive, hilflose, wenn nicht dumme Wesen. Es ist eine Frau, der die Linoleumrolle auf den Kopf fällt — um das Problem der ,,cic'' anschaulich darzustellen —, und es ist die ,,Witwe Ratlos'', die sich hilfesuchend an ,,Rechtsanwalt Klug'' wendet. Im Strafrecht ist sie das Opfer, leidet und duldet, es sei denn, sie ist Hebamme oder Prostituierte oder schwanger. Auch die ihr verliehenen Namen sind bezeichnend, wie ,,Frau Besen'' oder anzüglich ,,Frau Busig''. Das männliche Gegenstück ,,Herr Schwanzerich'' ward nie gelesen.

Die Erfahrungen an der Universität setzen sich in den Praktika fort: Bei der Urteilsberatung, an der zwei Schöffen (ein Mann und eine Frau), der Amtsrichter und ich teilnehmen, spricht sich die Schöffin für eine geringere Bestrafung aus. Ich teile ihre Meinung und versuche das auch juristisch zu begründen. Kommentar des Richters: ,,Die Frauen haben halt ein weiches Herz.'' Der Schöffe, der den Antrag des Staatsanwaltes befürwortet, begründet es mit dem treffenden Argument, man müsse hier einfach hart durchgreifen. Das leuchtet auch dem Richter ein.

Helga Wonnemann, geb. 1954, erstes juristisches Staatsexamen 1979 in Hamm (NRW), z.Zt. Referendarin in Kassel, zweites Examen voraussichtlich 1982, ledig.

Es geht mir hier nicht darum, eine umfassende Analyse darüber vorzulegen, inwiefern Juristinnen grundlegend anders behandelt werden als Juristen. Ich

18

möchte auch nicht darauf eingehen, daß sich nach meiner Erfahrung Frauen in den karriereträchtigen Positionen der Justiz in vielerlei Hinsicht kaum von ihren männlichen Kollegen unterscheiden, sondern lediglich exemplarisch typische (teils sicherlich auch unbewußte) Verhaltensmuster einer Mehrzahl von Juristen aufzählen, die sich mir besonders eingeprägt haben. Derartige Beispiele ließen sich nicht nur von meinem Studium in Münster anführen; auch meine vor einiger Zeit angelaufene Referendarzeit kann die eine oder andere Episode aufbieten. Hierbei sind allerdings vergleichbare Begebenheiten (noch) nicht so eklatant und offen zutage getreten, daß sich darüber jetzt schon abschließend berichten ließe, und beziehen sich eher auf meine männlichen Kollegen innerhalb der AG.

1. *1. Semester,* Vorlesung Bürgerliches Recht bei Prof. Harry Westermann im mit mehreren Hundert Studenten vollbesetzten Hörsaal:
Herrn Westermann scheint es besonderen Spaß zu machen, sich möglichst nach Piepsstimmen aussehende Jurastudentinnen aus den ersten Reihen herauszupicken und diese dann Passagen aus Gesetzestexten vorlesen zu lassen. Immer wieder dasselbe Spiel: Die Studentin, die es erwischt hat, versucht, möglichst laut vorzulesen. Nach ein paar Sekunden fangen die Studenten in den hinteren Reihen an zu brüllen: ,,Lauter!" und das so lange, bis die Vorlesende einen roten Kopf bekommt. Darauf folgt ein allgemeines Auslachen und zudem irgendein ironischnetter Kommentar von Herrn W., wie etwa: ,,So wird aus Ihnen aber keine Rechtsanwältin!"

2. *6. oder 7. Semester:*
Ich habe eine Auseinandersetzung mit einem ,,Kollegen", der mir in einer Vorlesungspause seine Überzeugung näherbringen will, Frauen seien als Juristinnen ungeeignet. Sie könnten es schon allein deshalb nicht ,,bringen", weil ihre allgemein ausgeprägten pädagogischen Fähigkeiten nicht gefordert würden.
Folgerung: Frauen rein in die pädagogischen Berufe!
Da er das alles so abartig ernst meint, kann ich mir nicht erklären, warum seine Freundin ausgerechnet mit ihm zusammen Jura studiert. Kurze Zeit später erfahre ich, daß sie das Studium aufgegeben hat und sich nun entweder als Krankenschwester oder als MTA ausbilden läßt.

3. *1. Staatsexamen, mündliche Prüfung:*
Geprüft werden 2 Frauen und 4 Männer von 4 Professoren/Richtern.
Prof. Wessels prüft Strafrecht. In den letzten 15 Minuten geht es um folgenden Fall: Dirne D nimmt von Freier F 100 DM und verlangt, ohne den GV* mit F ausgeübt zu haben, weitere 50 DM. Daran wäre an sich ja nichts auszusetzen, wenn nicht vorher von Prof. Wessels der Aufruf ergangen wäre: ,,Die beiden Damen möchten jetzt bitte weghören. Bei einem solchen Fall kann ich nur die Herren prüfen." Das führt dann dazu, daß ,,frau" in diesem Prüfungsteil keine Chance zum Wortbeitrag mehr bekommt.
Wozu wurde ich denn eingeladen?!
Aufgefallen ist mir die als Höflichkeit getarnte Benachteiligung erst, als ich im nachhinein darüber reflektiert habe. Oder war es nur ein Scherz auf meine Kosten?

* GV = Geschlechtsverkehr

Bitterbon bon

Anschauungen einer Jurastudentin

Kathrin Sprick

Regina Kohn

Vier lange Semester liege ich nun schon dem
Staat auf der Tasche und raube einem jungen,
dynamischen und hoffnungsvollen Mann den Studien-
platz, obwohl ich ja sowieso bald heiraten
werde. Eigentlich studiere ich überhaupt nur,
weil ich hoffe, an der Uni den geeigneten Mann
zu finden, und für Juristen hatte ich schon
immer eine Schwäche. Sie sind so vernünftig,
so gebildet, allzeit auf dem Laufenden. Ihr
Äußeres ist von kleinbürgerlichem Chic und
der unvermeintliche Aktenkoffer samt dem lässig
unter den Arm geklemmten Schönfelder verleiht
ihnen etwas Weltmännisches.
Seit dem ersten Semester blicke ich mit Bewunderung
zu meinen männlichen Kommilitonen auf, diesich durch
abstrakte Denkfähigkeit, Kritikfähigkeit und
wissenschaftliche Phantasie hervortun, während
ich unter meiner kleineren Gehirnmasse zu leiden
habe. Doch ich hoffe mit Fleiß und Lerneifer
ans Ziel zu gelangen. Außerdem stehen mir ja
noch die "Waffen einer Frau" zur Verfügung.
Welcher Dozent wird nicht schwach, wenn ich ihn
während der Vorlesung zustimmend anlächle?
Was ist schließlich schon dabei, wenn er versucht die Studenten bei Laune zu halten, indem
er Witzchen auf Kosten der Frauen reißt? Die
Kommilitoninnen, die sich darüber aufregen,
wenn man sie als "Eierstocklieferantinnen" oder
als "etwas für das Auge" bezeeichnet, sind sowieso
nur Emanzen. Sie verstehen die Männer nicht und
wollen sich aufspielen.
Einmal, im Abweichenden Verhalten, ging es um einen
Vergewaltigungsfall, dasagte jemand: "Die Frauen
sind selbst schuld wenn sie vergewaltigt werden,
denn sie legen es ja darauf an." Alles fing an zu
lachen, da sprang doch eine Frau auf und
rief: "Scheißchauvis". Na ich weiß nicht,
eigentlich legen wir es doch wirklich darauf an,

oder nicht? Ich zum Beispiel wasche mich immer
mit CD, schminke mich und ziehe mich sorgfältig
an bevor ich zur Uni gehe. Und es zahlt sich aus,
denn während der Vorlesung spicken mich die
Kommilitonen mit Blicken, die nur Eines bedeuten
können...
Außerdem werden Frauen, die hübsch und adrett
aussehen, sogar in den Fachschaftsrat gewählt, so
wie meine Freundin ____ . Während einer Vollver-
sammlung hörte ich wie ein Mann sagte: "Die ist
nur gewählt worden, weil sie so hübsch ist."
Da sieht man es mal wieder. Ich kann soetwas auch
verstehen. Bei den letzten Fachschaftsratwahlen
sagte doch der Wahlhelfer zu mir: "Schau dir man
erstmal die Fotos an, ihr Frauen wählt ja doch nur
nach dem Aussehen." Natürlich, wonach denn sonst?
Politik interessiert mich sowieso nicht.
Einmal hat diese Frauengruppe, die es neuerdings
bei uns an der Uni gibt, eine Veranstaltung gemacht, da ging es um "Frauen in die Bundeswehr" ,
oder so. Ich habe kein Wort verstanden. Erst habe ich
sogar geglaubt ich sei falsch, denn es waren fast
mehr Männer da als Frauen und die haben ziemlich
viel geredet. Warum das so ist, weiß ich auch nicht,
aber es war schon immer so.
Ich muß jetzt nachsehen, ob mein Make-up noch nicht
verwischt ist, denn gleich habe ich Vorlesung bei
meinem Lieblingsdozenten.

Regina und Kathrin für Frauengruppe Jura

aus: Paragraphenkotzer Nr. 13/1981

Sieben Gründe, wieso die Frau nicht zum wissenschaftlichen Studium
befähigt ist

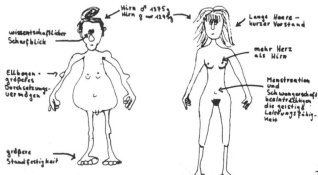

21

Gerda Schirach, geb. 1953; 1. Jur.
Staatsexamen 1980; seitdem
Dissertation zur Frage der politischen
Gleichberechtigung der Frauen,
Tutorium am Lehrstuhl für Öffent-
liches Recht bei Prof. Dr. Ilse Staff.

Als Reaktion auf den „Aufruf" zunächst die folgenden Zitate:

Heinrich von Sybel, „Über die Emanzipation der Frau", Bonn 1870, S. 12 ff:
„So hat es die Natur gewollt, und so wird es im wesentlichen bleiben ...
Das Gebiet der Frau ist das scheinbar Enge und Einförmige des inneren
häuslichen Lebens; die Domäne des Mannes ist die weite Welt da draußen, die Wissenschaft, die Rechtsordnung, der Staat."

Lorenz von Stein, „Die Frau auf dem Gebiete der Nationalökonomie"
1. A. Stuttgart 1875, S. 92 ff:
„Weibliche Künstlerinnen versüßen uns so oft die schweren Stunden
und erwärmen uns das Herz ..., aber am Richtertisch ... hört die Frau
auf, Frau zu sein. Hierbei kann sie nicht Gattin und Mutter sein."

Heinrich von Treitschke, „Politik, Vorlesungen gehalten an der Universität zu
Berlin, Hrg. Max Cornicelius, 1. Bd. Leipzig 1897, S. 248 ff:

„Obrigkeit ist männlich; das ist ein Satz, der sich eigentlich von selbst
versteht. Von allen menschlichen Begabungen liegt keine dem Weibe so
fern wie der Rechtssinn. Fast alle Frauen lernen, was Recht ist, erst
durch ihre Männer ..."

Manchmal „übermannt" mich der Eindruck, als hätte sich seither nicht allzu
viel geändert. Oder doch?
Ich beobachtete folgenden Schlagabtausch:
Ein Student der Jurisprudenz rät wohlwollend zu folgender Musterlösung:
Statt sich zu schminken, sollten die Kommilitoninnen besser einen Blick in
die NJW werfen!
Eine schlagfertige Studentin kontert: Wieviel Zeit könntet Ihr gewinnen,
wenn Ihr auf die tägliche Rasur verzichten würdet!
Schwieriger finde ich es, schlagfertig zu reagieren, wenn Frauen behindert
werden, sich an der juristischen Willensbildung gleichberechtigt zu beteiligen.
In Zusammenhang mit einer Strafrechtshausarbeit entwickelte sich im juristischen Seminar eine Diskussion über die Frage, ob die Abgabe von Waren zu
Großhandelspreisen an Endverbraucher mit fremdem Gewerbeschein einen
Vermögensschaden i.S. § 263 StGB darstellt. Die einzige bekannte gericht-
liche Entscheidung zu einem ähnlich gelagerten Fall wurde 1932 vom Reichs-
gericht gefällt (RGSt 66, 337). Mangels anderer Grundsatzentscheidungen
stürzte sich die „herrschende" Seminarmeinung auf diese Gerichtsentschei-

dung. Ich gab mir redliche Mühe, auf die folgenden Punkte hinzuweisen:
a) auf die magere, widerlegbare Argumentation
b) auf den zeitgeschichtlichen Hintergrund (Wirtschaftskrise und ihre Begleiterscheinungen)
c) auf die inzwischen veränderte Situation von Groß- und Einzelhandel.

Diese Argumentation schien völlig abwegig zu sein. Sehr erstaunt war ich jedoch wenige Tage später, als ich „meine" Sentenzen aus dem Mund eines sogenannten „guten" Mannes i.s. juristischer Fähigkeiten hörte und die Seminarmeinung daraufhin in diese Windrichtung flatterte.

So wie in diesem mußte ich auch in ähnlichen Fällen feststellen, daß viele meiner Studienkollegen dazu neigen, sich krampfhaft an der herrschenden Meinung festzuhalten, die entweder von obersten Gerichten oder von berühmten Kapazitäten abgesegnet worden ist.

Darüber hinaus wird eine ernstzunehmende selbständige Meinungsbildung nur einem „guten" Mann zugetraut.

Dies ist möglicherweise ein Grund dafür, daß kaum eine Frau mit dem Lehrstuhl einer juristischen Fakultät betraut wird.

Verena S. Rottmann, geb. 1955;
ledig, keine Kinder; seit SS 1977
Studium in der einstufigen Juristen-
ausbildung, seit WS 1978/79
Studium der Politologie und Sozio-
logie an der Universität Hannover

Die damalige Arbeitsgemeinschaft in der Zivilrechtsstation wurde von einem Richter am Landgericht (circa 45 Jahre alt) geleitet; er machte auf den ersten Blick einen sehr peniblen Eindruck auf mich.

Ich hatte das Gefühl, daß er sich bei den Referendaren um ein kollegiales Verhältnis bemühte, gegenüber den wenigen Referendarinnen verhielt er sich distanzierter, so daß bei mir, gleich aufgrund seiner Umgangsweise, der Eindruck entstand, er betrachte Frauen als weniger für den Beruf des Juristen geeignet und sehe sie damit auch nicht als „Kollegin" an. Hierfür möchte ich ein sehr krasses Beispiel nennen:

Es sollte ein Fall aus dem Baurecht, genauer gesagt dem Werkvertragsrecht als Vortrag ausgeteilt werden. Eine Teilnehmerin aus der AG erklärte sich auch sofort bereit, diese Aufgabe zu übernehmen. Daraufhin erkärte der Richter, ein Fall aus dem Baurecht sei wegen der enthaltenen technischen Begriffe zu schwer, um von einer Frau bearbeitet zu werden; es möge sich doch ein männlicher Kollege melden, der den Vortrag vorbereiten möchte. Auf meine Frage, warum denn eine Frau weniger geeignet sein solle als ein Mann, einen solchen Baurechtsfall zu bearbeiten, bekam ich die Antwort: „Sie werden mir doch

23

nicht erzählen wollen, daß Sie schon jemals auf dem Bau gearbeitet haben?" Während meine Kollegin hierauf erklärte, sie seit tatsächlich schon einmal drei Monate als Bauarbeiterin tätig gewesen, konnte ich nur fassungslos den Kopf schütteln.

Bei diesem Richter spürte ich aber auch aufgrund eines bestimmten Untertones in seiner Stimme, seiner Mimik und seiner Gesten, daß ich nicht so behandelt und beurteilt wurde, wie meine männlichen Kollegen. Dies rief in mir das Gefühl und die im Grunde für uns Frauen lächerliche Idee hervor, daß ich mehr leisten und „schlauere" Antworten geben müsse als die Männer in dieser AG, um zu beweisen, daß „auch" eine Frau eine gute Juristin sein könne. Dennoch fühlte ich mich oft im Vergleich zu den Männern in dieser AG unterbewertet.

Genau so ungangenehm fand ich es, wenn ich mir anhören mußte, daß man mir „so etwas (im Sinne von Leistung) gar nicht zugetraut habe".

Einige männliche Kollegen mußten sich auch über mein „politisches Verständnis" oder meinen „linken Touch" wundern, was nach ihrer Auffassung überhaupt nicht mit meinem Äußeren in Einklang zu bringen sei. Solche Äußerungen verletzten mich jedesmal als Frau, obgleich ich inzwischen gegenüber solchen Bemerkungen viel abgestumpfter bin als früher. Gleichzeitig bin ich es aber leid, mir sagen zu lassen, daß eine „wirklich souveräne Frau" solche „Kleinigkeiten" überhöre und antworte deshalb auch häufig höchst unfreundlich.

Vera Slupik, geb. 20. Mai 1954,
1. Staatsexamen im März 1979,
2. Staatsexamen im Februar 1982,
Berlinerin, ledig und kinderlos

Fleißig, Pünktlich, Redlich

Erfahrungen als Juristin zu beschreiben, warum das Studium, welche Rolle der Beruf im Privatleben spielt, etwa auch Beispiele handfester Frauendiskriminierung als Spitze eines Eisbergs zu schildern, – danach steht mir jetzt gerade nicht der Sinn.

Ich sollte sicher darüber schreiben, warum ich als Tochter einer Hausfrau und eines Juristen Jura zu studieren begann, warum ich nicht Clown wurde oder viel lieber Germanistik studiert hätte. Wichtig ist auch die Erwähnung des Professors, der in der Vorlesung dauernd von Bertha Bum(s)ke sprach, und was aus der Frauengruppe am juristischen Fachbereich geworden ist . . .

Gerade jetzt bin ich aber mitten im Assessorexamen, die Klausuren liegen hinter mir, die mündliche Prüfung vor mir, und damit befinde ich mich in einem Zustand niederträchtiger Hilflosigkeit, der sich in nächtlichen Subsumtionsträumen bemerkbar macht, vorzugsweise aus dem Gebiet des Vollstreckungsrechts. Alle bisherigen Prüfungen meines Lebens – ausgenommen den Führerscheinerwerb – habe ich bereits vor den Klausuren geträumt. Was daran geschlechtsspezifisch ist? Das weiß ich nicht. Ich kenne keine Träume meiner männlichen Kollegen; von Kolleginnen ist mir bekannt, daß sie ähnlich träumen wie ich. Trotz selektiver Wahrnehmung der Geschlechter will das aber nichts besagen. Denn Examen sind in gewisser Weise geschlechtslos schrecklich, ein normaler Ausnahmezustand in der Sozialisation zur Rechtsanwenderin. Mehr als assoziative Bruchstücke kann also jetzt niemand von mir verlangen.

Habe ich etwa Angst davor, daß ein Prüfer zu mir sagen könnte: „Sie müssen lernen, sich zu verkaufen?" Das geschah kürzlich einer Kollegin, die übrigens sehr freundlich, gar nicht angriffslustig ist, und die als sprichwörtliche Juristin gerne über Rechtstechniken redet. Welchen Grund gab es wohl für diesen pädagogischen Ratschlag? Als ich darüber nachdachte und mir beim besten Willen kein Grund einfiel, kam mir eine Idee: sie lächelt selten und wenn, dann nur persönlich. Wahrscheinlich hat sie während der mündlichen Prüfung überhaupt kein einziges Mal gelächelt. In der Arbeitsgruppe sagte dann auch eine lästerliche Emanze, daß ein ernstes Gesicht eine ganze Note kosten könne, für Frauen versteht sich. Ob das allerdings stimmt?

Was mich immer wieder erstaunt, ist die Diskriminierung, die man nicht erwartet, quasi aus heiterem Himmel. Denn es gibt in der Tat Frauen, die äußern sich nicht kritisch, nicht politisch, sie sind nett und unauffällig ehrgeizig, mit einem Kollegen verheiratet, beflissen und fleißig, schnell begreifend und gesetzesfest, etwas bieder, aber aufgeschlossen, deshalb ideal und pflegeleicht für jeden Vorgesetzten, Ausbilder oder Arbeitsgemeinschaftsleiter. Irgendwann, der Tag kommt mit Sicherheit, sagt jemand: „Kann man Ihnen denn eine bessere Note geben, als Ihrem Mann?! Das schadet doch der Ehe." Peng! Diese Frau hat niemandem etwas getan. Sie sich als Richterin vorzustellen, fällt fast schon zu leicht. Trotz aller Anpassung entgeht sie dem Klischee nicht. Sie, deren Verhalten darauf angelegt ist, nicht anzuecken, bekommt ganz beiläufig eine Geschlechterrollendefinition an den Kopf geworfen. Paradoxerweise erleichtern mich solche Beobachtungen. Sie widerlegen die Auffassung, daß nur die Frauen diskriminiert werden, die von einer herrschenden politischen, äußerlichen, leistungsmäßigen oder persönlichen Norm abweichen. In bestimmten Situationen reicht es, einfach nur eine Frau zu sein, um benachteiligt zu werden. Das aber eröffnet vielleicht auch die Freiheit, sich gerade nicht anzupassen, widerborstig zu sein.

Im Referendardienst ist mir aufgefallen, daß Unauffälligkeit – heutzutage jedenfalls – für Frauen offenbar die passabelste Art ist, sich aus der Affäre zu ziehen. Während eitle Jungreferendare im Ringelhemd zur Sitzung gehen und unbekümmert in Kauf nehmen, daß der Vorsitzende Richter die Ausbildung mangels Krawatte ablehnt, neigen Referendarinnen zu mehr Pragmatismus. Der Rock gilt schon wieder als Geheimtip, Tennisschuhe als Sakrileg beim Kammergericht.

Auch was die rechtspolitische Diskussion angeht, profilieren sich Männer gerne mal in rechtem oder linkem Licht. Frauen sind eher vorsichtig, zurückhaltend, uneindeutig. Junge Männer haben schließlich den Marshallstab im Tornister. Man sieht es ihnen buchstäblich an. Sie strotzen laut in ihrem Ele-

ment. Strebsame Referendarinnen dagegen wirken unauffällig, mäßigend, gesetzt. In ihren Zeugnissen könnte stehen:
„... Die Referendarin ist von freundlichem Wesen, allgemein interessiert und zeigt sicheres Auftreten. Ihre Aufgaben hat sie fristgerecht mit Interesse, Einsatzfreude und Fleiß erledigt. Ihre dienstliche Führung war stets einwandfrei, über ihr außerdienstliches Verhalten ist nichts Nachteiliges bekanntgeworden ...‟

Warum hat sich niemand die Mühe gemacht das „außerdienstliche Verhalten‟ dieser freundlichen, interessierten, sicheren, pünktlichen und fleißigen Person näher unter die Lupe zu nehmen? Möglicherweise hätten sich überaus spannende Details ergeben. Vielleicht tanzt sie nächtelang und barfuß in verruchten Bars, meidet Putzen und Spülen, schneidet Grimassen gegen Vorgesetzte in den Badezimmerspiegel, leistet sich Liebschaften mit Hausbesetzern oder liest heimlich Bücher von Bakunin im Schwarzen Cafe. Zu schade, daß dies alles nicht bekannt geworden ist.

Ist die Referendarin aktenkundig geworden, die einen Blumenstrauß auf das Grab des toten Demonstranten legte? Oder vielleicht die junge Beamtin im Vorbereitungsdienst, die eine Nummer im Polizeicomputer hat und nur ganz zufällig bei der Vorführung dieser Maschine durch einen stolzen Amtswalter davon erfuhr? Steht in den Akten die Strafanzeige gegen den Mann mit tätowiertem Hakenkreuz, der sie „Faschistin‟ nannte? Was sagen die Akten über die Teilnehmerin an einer Friedensdemonstration? Müßte nicht auch irgendwo ein Vermerk stehen, der die Referendarin als Täterin einer Sachbeschädigung ausweist, vollzogen mittels Sprühdose an der weißgekachelten Wand des Supermarktes, auf der jetzt „Gefühl & Härte‟ steht?

Das Ausmaß an Unauffälligkeit, das angehenden Juristinnen zugemutet wird, zeigt sich vor allem in dem institutionalisierten Zwang zur Unpersönlichkeit. Wieso soll es ausgerechnet Frauen einleuchten, als Person nicht persönlich zu sein oder zu werden, wenn Männern dieses Recht doch ganz unzweifelhaft — nämlich faktisch — zusteht?

Schließlich liegt die Hand des Vorgesetzten solange auf dem Knie der Referendarin, bis dieser Übergriff — nach Erteilung des Zeugnisses — ganz energisch zurückgewiesen wird. Andererseits gibt es Staatsanwälte, die sich die Freiheit nehmen, den Leumund der vergewaltigten Zeugin nicht zu erforschen. Die Ordnung des Hineingehens in den Sitzungssaal aber steht fest: zunächst die beisitzende Richterin, dann der Vorsitzende, hinterher der beisitzende Richter und zuletzt die Referendarinnen. Das Geschlecht ist hier wohl erst ab einem bestimmten Rang von Bedeutung.

Referendare, die kleine Kinder zu betreuen haben, kommen ganz selbstverständlich ab und an zu spät zum Dienst, Kolleginnen und Ausbilder lächeln dann verständnisvoll. Referendarinnen in derselben Situation melden sich vorzugsweise krank.

Der Amtsmensch, der Anhänger einer indischen Sekte ist und seine Überzeugung durch ein Porträt des Guru über dem Schreibtisch kundtut, ist für die Kollegen ein liebenswürdiger Spinner. Sich ein Photo von Alice Schwarzer über dem Arbeitsplatz einer Verwaltungsjuristin vorzustellen, erfordert geradezu übermenschliche Phantasie. Denn das ist ja nun echt peinlich, wer will schon mit einer Männerhasserin zusammenarbeiten?!

Grotesk auch der Aufwand, immer darauf zu achten, den Herren Gelegenheit

zur Höflichkeit zu geben. Das ist für sie vielleicht selbstverständlich oder sie fassen es grundsätzlich! Aber stellen sie sich doch spaßeshalber einmal einen dreihundertmeter langen Amtsgang vor, dessen sechs Zwischentüren vier Abteilungen voneinander trennen, und Sie müssen bei jeder Tür darauf achten, daß Ihnen die Herren den Vortritt lassen können, wobei Sie ansonsten selbstverständlich auf selber Schritthöhe dem Gespräch zu folgen haben, wenn Sie nicht allein an der Spitze vorauseilen wollen. Ist das nun eine unglaubliche Rücksichtslosigkeit, eine Lappalie, oder die Überempfindlichkeit einer tölpelhaften Referendarin?!

Im Gespräch mit Kolleginnen entsteht der Eindruck, daß Tätigkeiten in dem Beruf, auf den wir uns vorbereitet haben, nicht eben als Paradies für die Entfaltung weiblicher Persönlichkeit zu sehen sind. Kann es sein, daß die Referendarin, die ihre außerdienstlichen Nächte jetzt noch barfuß durchtanzt, später sogar Putzen und Spülen als Erleichterung im Sinne freizeitlicher Streßentlastung begrüßen wird?

Die Frauen, die in juristischen Berufen mit der notwendigen Dosis an Wohlbefinden ihren Mann stehen, sind wohl hartgesotten, schlau und vorsichtig.

Keine ist gegen Gleichberechtigung, aber alle sind diskriminiert. Der Zwang zu Unauffälligkeit und Unpersönlichkeit steht mehr oder weniger im Gesicht gechrieben. Daß Referendarinnen in ihrer Orientierung auf eine spätere Berufstätigkeit nicht gerade weibliche Vorbilder im Kopf haben, ist daher verständlich.

Denn es passiert immer noch viel zu selten, daß Regierungsrätinnen und Richterinnen, Rechtsanwältinnen und akademische Rätinnen, Unternehmensberaterinnen und Rechtsschutzsekretärinnen auf gelben Rollschuhen durch die Gänge von Behörden und Gerichten flitzen, aufmüpfige Reden führen, Lollis und saure Drops im Mund, und sich vor männlichen Kollegen mit intimen Kenntnissen im Warenzeichenrecht brüsten, Akten und Pöstchen an sich reißen und Referendarinnen zu solchen Taten anstiften, ins Familiengericht nur bei der eigenen Scheidung gehen und ausnahmslos die Geschichte des Art. 3, Abs. 2 GG kennen, nicht artig und nicht adrett, einmal die Woche auch ohne Dauerwelle, ohne Knicks nach rechts und links Recht anwenden.

Marlene Bruns, Studentin an der
FU Berlin,
11 Semester,
Frauengruppe Jura

Mein Bericht setzt sich aus vielen negativen Eindrücken und Begebenheiten, aber auch positiven Erlebnissen zusammen, die ich oder andere Studentinnen hatten.

In Vorlesungen und Seminaren habe ich es immer wieder erlebt, daß Professoren gegenüber Beiträgen von Frauen generell mehr Skepsis äußern. Oft kommt es auch vor, daß Meinungsäußerungen von Studentinnen gänzlich überhört, oder aber mit einem „verständnisvollen Lächeln" abgetan werden, dem zu entnehmen war: es ist eben nur eine Frau. Männlichen Studenten wird die Fähigkeit, eine eigene Meinung entwickelt zu haben, eher zugestanden.

Gleichzeitig habe ich erlebt, daß im Klausurenkurs von Professoren sinngemäß geäußert wurde, Frauen seien zwar dumm, sie könnten aber durch sehr viel Fleiß gleich gute Noten wie die männlichen Kommilitonen erreichen. Auch mit der Anrede von Studentinnen tun sich manche Seminarleiter schwer. Es scheint unausrottbar zu sein, daß eine Frau erst dann mit „Frau" anzureden ist, wenn sie verheiratet ist; vorher ist sie das „Fräulein". Die Seminarleiter zeigen jedoch Wohlwollen und versprechen, sich das nächste Mal zu bessern.

Zahlreiche männliche Kommilitonen stehen aber ihren Lehrern bei der Diskriminierung der Mitstudentinnen in nichts nach: Frauen werden nicht als gleichwertige Gesprächspartnerinnen betrachtet, mit denen man über juristische Probleme diskutieren kann, sondern man verlagert „die Auseinandersetzung" doch eher auf die Cafeteria, um sich bei einem lockeren Gespräch mit einer netten Frau von den anstrengenden Seminaren zu erholen. Hier wird frau wahrgenommen und akzeptiert, aber nicht wegen ihrer Arbeit, sondern wegen ihres Geschlechts. Die äußerliche Attraktivität ist das Maß der Herren. Auch in Arbeitsgruppen tritt das Problem des Sich-Durchsetzens immer wieder auf. Vertritt frau eine juristische Meinung, so ist es notwendig, daß sie diese fundierter begründet, um akzeptiert zu werden. Nichts gegen gute Begründungen, aber den männlichen Kommilitonen wird eher abgenommen, daß sie „etwas Richtiges" vertreten. Diese ständige Diskriminierung erzeugt häufig das Gefühl, daß die eigenen Gedanken nicht äußerungswert sind, und baut eine noch größere Hemmschwelle zu reden auf.

Doch die Versuche, sich mit diesen spezifischen Problemen als Frau am Fachbereich auseinanderzusetzen, tragen auch Früchte. Auf Initiative von Frauen am Fachbereich wurde letztes Semester eine Projektgruppe „Haben Frauen gleiche Rechte" eingerichtet, die unsere Frauengruppe wesentlich mit vorbereitet hat. Die Teilnehmerinnen haben gut zusammen gearbeitet, die Hemmungen zu diskutieren waren erheblich geringer, was sich sehr positiv auf die Qualität der einzelnen Referate und Protokolle auswirkte, die im Anschluß an Diskussionen geschrieben wurden. Der übliche Leistungsdruck, bedingt durch „männliche Vorherrschaft", entfiel, die wenigen männlichen Teilnehmer blieben diesmal im Hintergrund. Außerdem hatten wir einige Juristinnen eingeladen, die über ihre beruflichen Erfahrungen als Frauen berichteten. Mir haben diese Gespräche sehr viel Mut gemacht, weil mir vor Augen geführt wurde, daß Frauen sehr wohl in ihren Berufen etwas leisten können, ohne zu verhärten oder männliche Vorbilder nachzuahmen.

*Anne Lenze mit ihrer
Frauenarbeitsgruppe*

*Anne Lenze, Studentin an der
Universität Bremen.*

Ich begann mein Studium mit dem Ziel, eine erfolgreiche feministische Anwältin zu werden, die aufrecht kämpfend die Männerjustiz in Schutt und
Asche legen wird! Ich erwartete, das Studium sei ohnehin nur langweilig,
stupide und uninteressant. Das wollte ich durchstehen, dann aber . . . Mittlerweile liegt das Bild von der aufrechten Frauenanwältin in Schutt und Asche.
Dafür macht mir das Studium Spaß, naja, und was danach kommt, mal sehen.
Ich studiere seit dem 2. Semester in Bremen, wo politisch und von den Stu-
dienbedingungen her gesehen sicherlich einiges anders ist als in Bochum (1.
Semester). Aber das, was mich als Frau betrifft, verletzt und einschränkt, unterscheidet sich kaum von dem, was an den traditionellen Juristenstudien-
gängen abläuft.

Identifikations(un)möglichkeiten

Mir fiel sehr schnell auf, daß es meinen männlichen Kommilitonen viel leichter fiel, sich in den juristischen Betrieb einzufügen, sich eine Zukunftsperspektive auszumalen, während ich ab dem Zeitpunkt, wo ich mit Paragraphen konfrontiert wurde, dem Studium eher ablehnend gegenüberstand und mich fragte: „wofür", „warum" und „was soll's"? Ich entzog mich, wandte mich dem gesellschaftswissenschaftlichen Teil unserer Ausbildung zu und redete mir ein, ich wolle keinen juristischen Beruf ergreifen. Trotzdem zog mich das Studium immer mehr in seinen Bann, das Interesse und die Ablehnung wuchsen! Irgendwann wurde ich krank und ging kaum noch hin . . .

In den kurz darauf beginnenden Semesterferien habe ich viel nachgedacht und mich eigentlich erst dann bewußt für *mein* Jurastudium entschieden. Mir wurde klar, daß es die Persönlichkeit, die ich anfangs als mein Ideal beschrieben habe, nämlich die der aufrechten, fachlich qualifizierten, aber dennoch emotionalen Juristin, dort, wo ich studiere, gar nicht gibt! Wir haben in unserer ach so fortschrittlichen Uni nicht eine einzige Hochschullehrerin oder Lehrbeauftragte für den Fachbereich Jura.
Das rechtswissenschaftliche Studium ließ mich zunächst zwei Realisierungsmöglichkeiten meiner juristischen Zukunft erkennen:
1. Einmal gab es das Vorbild der männlichen Hochschullehrer: linke Autoritätsfiguren, wissenschaftlich-männlich-distanziert und emotional verkrüppelt.
2. Dann gab es noch den Weg der Ausgeflippten: oberflächlich, wenn überhaupt, studieren, emotional-alternativ-„weiblich"-unwissenschaftlich. Und genau diese beiden Extreme schlugen sich in meiner Art zu studieren nieder: entweder, ich stürzte mich voll in meine (Gesetz-) Bücher, oder ich lehnte alles ab, fand alles sinnlos.
Aber was geschah mit meinen männlichen Kommilitonen? Ja, die hatten ihre Vorbilder: den tollen, von allen bewunderten Terroristenanwalt XY, den bekannten linken Arbeitsrechtler YX, den soften Lehrbeauftragten, Richter XX, den smarten Zivilrechtler und Strobo(Stromboykott)-Verteidiger YY . . . Sie hatten die freie Auswahl. Für jeden war was zum Identifizieren dabei!
Ich habe zwar etwas gegen Idole, denen man in blinder Bewunderung auf einem ausgetrampelten Weg hinterherlaufen kann, aber ich habe gemerkt, wie wichtig es ist, Vorbilder zu haben, zu wissen; so ähnlich könnte es gehen.
Bis zu dem Zeitpunkt kannte ich noch keine einzige Juristin – bis auf die Staatsanwältin, die mich in meinem Prozeß reinreißen wollte. Mir war aber klar, daß ich längerfristig weder den „männlich-wissenschaftlichen", noch den „flippigen Weg" gehen könnte. Ich habe mir überlegt, daß es für mich noch einen dritten Weg geben muß. Und der sollte so aussehen, daß ich mir zwar das juristische Fachwissen aneignen wollte, aber gleichzeitig alles von meinem Frauen-Standpunkt hinterfrage. Ich habe angefangen, mir schon sehr früh meine eigenen Schwerpunkte zu setzen. Ich versuche, meine Spontaneität und Emotionalität zu bewahren, aber nicht dergestalt, daß ich sie mir aufbewahre, sondern daß ich sie auch in meine Veranstaltungen einbringe. Ich frage nach jedem noch so dummen Fremdwort und formuliere meine Gedanken direkt – auch wenn es sich nicht so geleckt-wissenschaftlich anhört wie bei meinen männlichen Mitstudenten.
Seit einem Jahr existiert in unserem Jahrgang eine Frauengruppe. Wir bereiten einzelne Stunden gezielt vor und schalten uns als Frauen bei jeder passenden

Gelegenheit ein. Neben den ganz aktuellen Sachen arbeiten wir auch an über-
greifenden Themen, im letzten Semester an der Vergewaltigungsproblematik,
und zur Zeit beschäftigen wir uns mit der männlich-wissenschaftlichen Sprache. Ungefähr die Hälfte aller Frauen aus unserem Semester arbeitet in der
Frauengruppe mit. Wir finden es wichtig, uns zusammenzuschließen. Ich glaube sogar, daß wir aus unserer angeblichen Schwäche, unseren Schwierigkeiten,
uns in das juristische Geschäft einzuordnen, eine Stärke gemacht haben! Wir
Frauen begegnen uns mit Wärme und Herzlichkeit; wir lösen nicht nur unsere
juristischen Probleme, sondern bereden auch unsere persönlichen, die sogenannten „privaten" Sachen. Das Verhältnis der Frauen untereinander wird
von manchen männlichen Kommilitonen mit einem Anflug von Neid aber
auch ein Stück weit mit Angst beobachtet. Unser Erfolg zeichnet sich auch in
dem lustigen Bemühen einiger Hochschullehrer und Studenten ab, auf den
fahrenden Zug aufzuspringen: Unauffällig wird die eine oder andere frauen-
„freundliche" Äußerung ins Gespräch eingestreut, wird nebenbei auf das neueste Frauenbuch verwiesen und versuchen sich Männer – wenn auch natürlich
nur mit mäßigem Erfolg – an Frauenreferatsthemen . . . Warum nicht?

Der Übergang zum Beruf: Zugang und Bewerbung

2

— Probleme der Doppelbelastung

Die „Befähigung zum Richteramt" — und damit zu jedem juristischen Beruf — verschafft keinen Anspruch auf irgendeinen Arbeitsplatz; das betrifft Juristen ebenso wie Juristinnen. Keinen Juristen „trifft" es, im Vorstellungsgespräch von seinem zukünftigen Arbeitgeber gefragt zu werden, ob er denn demnächst Vater würde, oder es etwa schon sei; ob die Versorgung seines Kindes trotz seiner Arbeitstätigkeit garantiert sei, ob seine Frau denn einen Umzug zur neuen Arbeitsstelle billige, und wie sie auf abendliche Verspätungen des Ehemannes, bedingt durch die angestrebte Arbeit, reagiere. Bei Frauen scheinen diese Fragen angebracht (Hagemeier), wobei die Autorin zu Recht vermutet, daß sie als Konkurrentin auf dem Arbeitsmarkt ausgeschaltet und nicht so sehr als Frau herabgesetzt werden soll.
Eine weitere Autorin, die mittlerweile wissenschaftliche Mitarbeiterin in einer Bundesbehörde ist, berichtet, daß sie im Laufe der Vorstellungsgespräche ihre Strategie änderte und sich als Frau ohne familiäre Beeinträchtigung ihrer Arbeitskraft darstellte. Die Versorgung eines Kleinkindes taucht immer noch unter der Rubrik „persönliche Schwierigkeiten" der berufstätigen Frau auf, die nur wenige Arbeitgeber bereit sind, in gesellschaftlicher Verantwortung mitzutragen. Diese Haltung verwundert allerdings nicht, da eine „doppelbelastete" Frau für Überstunden, unregelmäßige Arbeitszeiten, Versetzungen usw.

33

weniger geeignet ist; die Berücksichtigung dieser Faktoren vermindert die Konkurrenzfähigkeit der Arbeitgeber untereinander. Hieraus kann man den Schluß ziehen, daß die Lage der Frauen grundlegend nur verbessert werden kann, wenn strukturelle Änderungen für alle Arbeitgeber – per Gesetz – verordnet werden. Ein Vorbild, wenn auch ein verbesserungswürdiges, bietet die strukturelle Veränderung sämtlicher Arbeitsplätze für die werdende und stillende Mutter durch das Mutterschutzgesetz. Verblüffend ist allerdings, daß nicht nur private Arbeitgeber, sondern auch der Öffentliche Dienst die Frau das Problem der Doppelbelastung in ihrer privaten Sphäre lösen lassen wollen. So zaghaft wie eine gesamtgesellschaftliche Lösung des Problems der berufstätigen Frau und Mutter in Angriff genommen wird, so rigoros wird zu strafrechtlichen Sanktionen gegriffen, wenn Frauen sich zu einer Abtreibung entscheiden (müssen).

Eine Autorin (Knebel-Pfuhl) zieht den Schluß, daß sie inhaltliche Wünsche an ihren Beruf zurückstellen muß, solange die Kinder klein sind; eine weitere Autorin (Wendeling-Schröder) weist zu Recht darauf hin, daß Juristinnen im Vergleich zu anderen noch in einer günstigen Lage sind, da sie Übergangsregelungen ökonomisch und psychisch – meist unter Mithilfe aufgeschlossener Ehemänner – bewältigen können. Hieraus den Schluß zu ziehen, Juristinnen sollten sich nicht beklagen, da sie bereits privilegiert seien, wäre falsch, eher sind die wenigen Vorteile im Sinne eines Modells auch für andere Arbeitnehmerinnen zu verwirklichen.

Wie vorsichtig mit dem Argument der Privilegierung der Juristin umgegangen werden muß, zeigt der Beitrag einer ehemaligen Jurastudentin (Zawatka), die sich wegen der Versorgung ihrer Familie zur Rechtspflegeausbildung entschloß; eine gesamtgesellschaftliche Lösung des Problems der Doppelbelastung muß auch Änderungen der Ausbildungssituation mit sich bringen.

Einen interessanten Aspekt des Zugangs zum Beruf beleuchtet eine Richterin, die Verzögerungen bei der Übernahme als Lebenszeitbeamtin hinnehmen mußte. Keine offiziellen Erklärungen für die zahlreichen „Überhörungen" seitens der Behörde – ihre Erklärung: eine junge Juristin – Richterin auf Probe – hat gebührend unsicher zu sein, wenn die „hohen Herren zu Besuch kommen", ist sie es nicht, werden wir das schon hinkriegen!

Ursula Hagemeier, Jahrgang 1950.
Jurastudium in München und
Marburg. Erstes juristisches Staats-
examen 1974 in Marburg.
Daran anschließend zweijährige Refe-
rendarausbildung beim Land Hessen.
Zweites juristisches Staatesexamen
1977 in Hessen. Nach zweijähriger
Tätigkeit im Bundesministerium für
Arbeit und Sozialordnung seit Mai 1980
Richterin am Sozialgericht. Verheiratet
mit einem Juristen.
Keine Kinder.

Erfahrungen als Frau bei Bewerbungen um Arbeitsstellen für Juristen

Der Abschluß meines 2. juristischen Staatsexamens und die sich daran anschließende Stellensuche fielen 1977 in eine Zeit, in der nach Pressemitteilungen ein Überangebot an ausgebildeten Juristen auf dem ,,Markt'' vorhanden war, in der demgemäß der ,,Preis'' für Juristen sank und Arbeitgeber auf Stellenausschreibungen nach deren Versicherungen nicht selten 100 bis 150 (!) Bewerbungen erhielten. War die Situation für Bewerber damit schon generell ungünstig, schien mir die von stellensuchenden Frauen oft noch schlechter. Aus eigenen Erfahrungen mit einer Reihe von Bewerbungen und aus Gesprächen mit mir bekannten Juristinnen, die sich in gleicher Rolle befanden, weiß ich, daß mit diesem Überangebot an Juristen teilweise ein Bestreben einherging, Kolleginnen trotz ihrer langen Berufsausbildung wieder auf ihre ,,ursprüngliche Rolle'' als Hausfrau und Mutter zu verweisen und unter Hinweis auf sich damit eröffnende ,,andere Möglichkeiten der Lebensgestaltung'' einen Weg zur Entlastung des Problems ,Überangebot an Juristen' zu suchen.
Schon eine meiner ersten Bewerbungen (es ging um die Stelle eines Juristen bei einer Berufsgenossenschaft) scheint mir exemplarisch für diese seit Anwachsen der Arbeitslosigkeit überhaupt oft beschriebene Tendenz, mag es sich hier auch um ein völlig ungewöhnliches, extremes Verhalten des Kollegen, der für den Arbeitgeber das Einstellungsgespräch führte, handeln:
Dieser für die Vorauswahl verantwortliche Hauptgeschäftsführer der suchenden Berufsgenossenschaft eröffnete mir im ersten Vorstellungsgespräch zunächst, daß ich neben einigen männlichen Bewerbern grundsätzlich als geeignet für die zu besetzende Stelle in Betracht käme, also nach den angelegten generellen Kriterien wohl zu den Bewerbern gehörte, die in die engere Wahl einbezogen worden waren. Schon bald danach kam er jedoch auf die schlechte Marktsituation für Juristen generell und für arbeitsuchende Familien*väter* bzw. Familien unterhaltende *Männer* insbesondere zu sprechen. Davon ausgehend lenkte er über zu meiner persönlichen sozialen Situation. Ihm war bekannt, daß mein Mann als Jurist in guter Position bei einem Unternehmen tätig ist, ein Umstand, der für ihn offensichtlich den Ausgangspunkt für den Versuch bildete, mich zum Rückzug meiner Bewerbung zu bewegen! Gegen Ende des längeren Gesprächs, das sich kaum um Fragen meiner Eignung für die ausgeschriebene Stelle drehte, machte mein Gesprächspartner dies unum-

wunden deutlich. Zunächst jedoch begann er seine Darlegungen in diesem „Einstellungsgespräch" mit Ausführungen wie:

— Ihr Mann kommt in seiner Stelle doch sicherlich oft spät abends nach Hause; bei der ausgeschriebenen Position müssen Sie mit Ähnlichem rechnen und können sich nicht auf einen pünktlichen Feierabend einstellen.

Woran dann die Frage anschloß, ob ich denn damit zufrieden und mein Mann damit einverstanden sei, wenn ich abends kein Abendessen vorbereiten könne!?

— Ihr Mann hat doch eine gute Stelle. Warum wollen Sie denn überhaupt arbeiten!? Wollen Sie es Ihrem Mann beweisen?

Als ich ihm die — aus meiner Sicht — Abwegigkeit solcher Argumentationen klar zu machen versuchte, wurde er „schärfer" indem er etwa fragte:

— Wollen Sie nicht Kinder kriegen? Frauen sind doch für Kinder und Haushalt da!

Auf meine Antwort hierauf, daß damit bei mir kaum zu rechnen sei, kam es schließlich zum Höhepunkt seiner Ausführungen über die Rolle der Frau aus seiner Sicht:

— Frauen können doch an sich nicht logisch denken! Warum haben Sie denn Jura studiert!?

Nach diesem mich damals schockierenden Gesprächsverlauf wurde schließlich mein von Anfang an bestehender Eindruck, daß dieser Hauptgeschäftsführer einer Berufsgenossenschaft mich vorrangig nicht auf meine Qualifikation testen, sondern zur Zurücknahme meiner Bewerbung veranlassen wollte, definitiv dadurch bestätigt, daß er mich auf diese Möglichkeit unmittelbar ansprach. Anscheinend zielte seine gesamte Gesprächsführung von Anfang an darauf ab, mir den „Schneid" zu nehmen, um den schließlich von ihm angesprochenen Verzicht auf die Bewerbung zu erreichen. Er wollte damit wohl sicherstellen, daß das über die Einstellung letztlich entscheidende Gremium mangels anderer Auswahl den weiteren in der engeren Wahl stehenden *männlichen* Bewerbern die Stelle zuteilte. Jedenfalls ließen seine Ausführungen mir gegenüber unzweifelhaft erkennen, daß für ihn nur männliche Bewerber als geeignet in Betracht kamen. Frauen gehörten nach seinem Weltbild ins Heim und an den Herd, um ihren arbeitenden Männern das Dasein zu erleichtern.

Mir wurde nach diesem Gespräch noch bekannt, daß mein Gesprächspartner bei Mitgliedern des Entscheidungsgremiums eifrig Überzeugungsarbeit gegen meine Einstellung leistete. Ein Vorstellungsgespräch vor diesem Gremium verlief dann in einer sehr frostigen Atmosphäre; ich rechnete mir schon aufgrund der äußeren Umstände dieses Gesprächsverlaufs keine Chancen auf die Stelle mehr aus. Die Stelle wurde schließlich einem der männlichen Mitbewerber zugesprochen.

In der inhaltlichen Tendenz ähnlich verlief eine weitere Bewerbung bei einem Verband von Unfallversicherungsträgern. Auch hier wurde bereits im ersten Vorstellungsgespräch meine persönliche soziale Situation sowie die meiner Mitbewerber angesprochen. Es wurde mir mitgeteilt, daß neben mir aufgrund einer Vorauswahl zwei weitere männliche Kollegen in der engeren Wahl seien. Dabei betonte man sofort, daß der eine von diesen beiden Mitbewerbern mit einer nicht berufstätigen Frau verheiratet sei und ein Kind habe und ließ anklingen, daß dies für diesen Kollegen und gegen mich sprechen könnte. Im weiteren Verlauf des Auswahlverfahrens schien sich die Entscheidung dann auf diesen verheirateten Kollegen und mich zu konzentrieren, während ein weiterer lediger männlicher Kollege wohl nicht mehr in der engsten Wahl stand. Es kam zu einem gemeinsamen fachlichen Prüfungsgespräch vor dem zuständigen Gremium dieses Verbandes. Danach wurde dem männlichen verheirateten Kollegen der Vorzug gegeben. Mir teilte man mündlich mit, daß bei der bei mir zumindest in gleichem Umfang vorliegenden fachlichen Eignung für die Stelle letztlich „soziale Überlegungen" (damit war gemeint, daß ich im Gegensatz zu meinem männlichen Mitbewerber kinderlos und durch meinen Mann sozial abgesichert sei) ausschlaggebend gewesen seien und gab mir deshalb den „tröstenden Satz", daß ich mich unter diesen Umständen nicht entmutigen lassen müsse, mit auf den Weg. Im Unterschied zur zuvor geschilderten ersten Bewerbung kam es im Verlauf dieses Auswahlverfahrens aber nicht zu unsachlichen Ausfällen und Meinungsäußerungen über die Rolle der Frau. Vielmehr war deutlich erkennbar, daß man sich die Entscheidung nicht leicht machte. Außerdem war man um ein faires Verhalten bemüht. Mir genügte dies immerhin, um nicht mit gleicher Verzweiflung, Wut und Resignation von einer weiteren Hoffnung auf eine mir interessant erscheinende Stelle Abstand zu nehmen.

Eine umgekehrte Erfahrung, die meines Wissens aber auch nicht ganz untypisch ist, machte ich bald danach bei der Bewerbung auf die Stelle eines Justitiars in einem größeren Unternehmen, die ich später selbst aus verschiedenen Gründen zurückzog. Hier war mein aufgrund des Vorstellungsgesprächs mit dem zuständigen Geschäftsführer entstandener Eindruck, daß man auf jeden Fall eine Frau einstellen wollte. Andeutungsweise wurde dafür das Argument angeführt, eine Frau könne u. U. bei Verhandlungen die Atmosphäre auflockern und dabei eher in der Lage sein, ihr Ziel zu erreichen, als das bei einem Mann der Fall sei. Ich war mir allerdings nicht sicher, ob dies der wirkliche und vorrangige Grund für die Bevorzugung einer Frau war, oder ob nicht vielmehr ganz persönliche Wünsche und Vorstellungen des Gesprächspartners und vorgesehenen späteren Vorgesetzten eine Rolle spielten; sollten diese auch nur darauf beruhen, daß er meinte, mit Frauen besser arbeiten zu können. Allerdings: das Thema „Kinder kriegen" wurde auch hier deutlich und bald angesprochen.

Ganz anders als in den geschilderten Fällen und durchweg positiv verliefen die Einstellungsgespräche dagegen mit dem Bundesministerium für Arbeit und Sozialordnung als dem Arbeitgeber, bei dem ich dann meine erste Stelle nach Abschluß des zweiten juristischen Staatsexamens antrat. Fragen nach der Position des Mannes, nach der Vereinbarkeit der Tätigkeit mit einer vorausgesetzten bestimmten Rolle der Frau, nach der Möglichkeit des Kinder Bekommens usw. spielten hier überhaupt keine Rolle. Gefragt wurde alleine nach den fachlichen Erfahrungen, Schwerpunkten der Ausbildung usw. An sich Selbstverständlichkeiten, die mir allerdings nach den zuvor gemachten Erfahrungen positiv und angenehm auffielen. Und was das für alle Arbeitgeber immer im Vordergrund des Interesses stehende „Kinder kriegen" betrifft, sah ich hier, wie ein Arbeitgeber sich auch verhalten kann: Mein Gesprächspartner erledigte dieses Thema nach kurzer Behandlung sinngemäß mit den Worten, wenn Sie mal Kinder kriegen sollten, wird sich schon eine Lösung finden!

Ebenso kam bei meiner späteren Bewerbung für die Stelle eines Sozialrichters beim Land Hessen im Verlaufe der Gespräche niemals der Eindruck auf, daß die Tatsache, eine Frau zu sein, für die Entscheidung in irgendeiner Art und Weise eine Rolle spielte. Das Thema „Frau" war niemals Gegenstand der Gespräche.

Ich glaube aufgrund dieser Erfahrungen, daß beim Bundesministerium für Arbeit und Sozialordnung ebenso wie beim Hessischen Sozialministerium in Kenntnis der besonderen Schwierigkeiten, denen Frauen bei der Arbeitssuche begegnen, eine besondere Sensibilität für dieses Problem vorhanden ist, die zu einem äußerst korrekten und fairen Verhalten führt. Ob meine negativen Erfahrungen mit anderen öffentlich-rechtlichen Institutionen typisch sind, mag ich nicht sicher zu sagen. Sicher erscheint mir jedoch, daß in der überwiegenden Zahl der Fälle private Arbeitgeber Frauen aus grundsätzlichen Erwägungen ablehnen und, wenn es von der Sache her irgendwie möglich ist, Männer bevorzugen. Bei den wohl seltenen Fällen, in denen dies umgekehrt ist, spielen dann wahrscheinlich hin und wieder Motive eine Rolle, die man generalisierend und vorsichtig ausgedrückt unter den Begriff des ,,weiblichen Aushängeschildes'' einordnen kann.

Der folgende Bericht stammt von einer Juristin, die als wissenschaftliche Mitarbeiterin in einer Bundesbehörde arbeitet.
1949 geboren, erstes Staatsexamen 1974, zweites 1977, seit 1978 berufstätig, verheiratet, ein Kind.

,,Vorstellung–Einstellung?''

Das zweite Examen lag hinter mir. Der nächste Schritt: Der Weg zum Arbeitsamt:
,,Daß wir Ihnen nicht viel helfen können, daß Sie wohl eher durch eigene Bewerbungen Chancen haben werden, ist Ihnen klar?!''
Ist es mir, aber zunächst könnte ich die Arbeitslosenhilfe schon gut gebrauchen.
Viel Hoffnung auf eine Stelle habe ich selber nicht: zwar ein passables Examen, aber verheiratet, ein Kind, Ehemann noch in der Ausbildung – wer nimmt da schon eine nicht ganz billige Kraft?
Also, wenn sich der Vater ums Kind kümmert oder der Junge bei der Spielkameradin ist: Ab ins Seminar, Zeitschriftenstudium. Viele Angebote (es ist Herbst/Winter 77/78) sind nicht zu finden, gerade nicht in der Verwaltung, auch nicht in der ,,Sozialverwaltung'', wo ich eigentlich am liebsten hin möchte. Zu Hause ab und zu Bemerkungen wie: ,,Wieviel Bewerbungen hast Du inzwischen abgeschickt? Da, in der NJW sucht eine LVA einen BAT-IIA-Mann!'' Die Kollegen, die mit mir Examen gemacht haben, haben inzwischen Jobs gefunden, an der Uni, als Rechtsanwälte.
Das neue Jahr beginnt, die ersten Absagen, immer noch keine Aufforderung zur Vorstellung, weder auf meine eigenen Bewerbungen hin, noch übers Arbeitsamt. Ich werde kribbelig, unmutig, fast werden mir Haushalt und Kinderbetreuung leid.
Endlich, nach über fünf Monaten, Vorstellung bei einer Mittelbehörde etliche Kilometer vom Wohnort entfernt. Ich sitze einem Kreis von sechs Herren gegenüber. Sehr bald kommt das Gespräch auf meine persönliche, familiäre Situation.

Wie ich mir das mit dem Kind vorstelle? Ich erwähne etwas von Tagesmutter-
suchen, Überlegungen, die Vorteile der Gleitzeit auszunutzen, dem Ehemann,
der als Referendar noch ungebunden ist in der Zeitaufteilung.
Wie weit denn mein Ehemann in der Ausbildung sei und ob ich dann, wenn
er eine Stelle habe, ihm nachziehen wolle. Ich weise darauf hin, daß ich nach
familiärer Absprache jetzt beruflich Präferenz habe und mein Mann wohl hier
im Großraum eine Anstellung als Jurist finden dürfte.
Ob ich denn noch arbeiten wolle, wenn mein Mann in Amt und Würden wäre?
Eigentlich schon, ich wolle ja schließlich den lang erlernten Beruf ausüben.
Ich wisse ja, daß man als Beamter Halbzeitbeschäftigung, bzw. Beurlaubung
beantragen könne, wenn ein Kind zu betreuen ist; in dieser Behörde gebe es
aber wenig Stellen dafür; eine Frau hätten sie bisher halbtags beschäftigt, jetzt
arbeite sie wieder voll. Alle möglichen Hinweise und Andeutungen erfolgen,
so daß ich mich schließlich zu der Bemerkung veranlaßt sehe: ,,Also, so würde ich ja auch nicht planen; daß nach der Verbeamtung sofort das zweite
Kind käme!'' Verlegenes Grinsen. Schließlich sieht sich einer der Herren veranlaßt zu bemerken, ich solle das nicht mißverstehen, die Regelung mit der
Beurlaubung hätte ja ihren guten Zweck, schließlich brauche man ja Kinder,
aber . . . Nein, ich habe es schon nicht mißverstanden, das Privileg für Beamte,
sich wegen Kindererziehung beurlauben lassen zu können, führt dazu, daß
man sich die Einstellung einer jungen Frau und Mutter dreimal überlegt.
Nach einigen Fragen mit berufsspezifischen Bezügen und nach meiner Ausbildung bei einer anderen Behörde bin ich entlassen.
Diese Stelle habe ich nicht bekommen . . .
Zwei weitere Vorstellungsgespräche bei ähnlichen Behörden waren nicht so
auf das Familienproblem zugespitzt, auch wenn man mir einmal sehr deutlich
zu verstehen gab, daß Halbtagsbeschäftigung in der Verwaltung nicht möglich sei.
Danach rührte sich wieder einige Monate nichts mehr. Ich war schon am Re-
signieren, schon überlegten wir uns, ob wir uns nicht doch noch am Ort eine
neue Wohnung suchen sollten (die alte war nun wirklich zu klein). Dann, zehn
Monate nach meinem Examen bekam ich von der Zentralen Arbeitsvermitt-
lung in Frankfurt die Aufforderung, doch mal zu einer Rücksprache wegen
meiner Bewerbung zu kommen. Dort wollte man mir Mut machen, sprach
von schlechter Arbeitsmarktlage im vergangenen Winter für Juristen allgemein, jetzt würde es besser.
Aufgrund weiterer Hinweise während dieses Gespräches wurde mir noch deutlicher als zuvor: Um Chancen auf dem Arbeitsmarkt zu haben, muß ich mich
so darstellen, als gäbe es bei mir wie bei einem Mann keine familiären Beein-
trächtigungen meiner Arbeitskraft zu befürchten, also: Kein Gedanke etwa
an Teilzeitarbeit; aber selbstverständlich richtet sich mein Mann in den Orts-
wünschen nach mir.
Bald darauf kam die Einladung zur Vorstellung bei meiner jetzigen Dienststelle. Eine angenehme Überraschung war es hier, einmal einer Frau gegenüberzu-
sitzen, der gegenüber ich mich nicht (bewußt oder unbewußt) unter einem
Rechtfertigungszwang sah, weil ich es wagte, als Mutter eines Kleinkindes berufstätig sein zu wollen. Die Entscheidung über die Einstellung ließ zwar lange
(über ein Vierteljahr) auf sich warten, aber dann lief alles ganz gut. Man sah
es z. Z. ein, daß ich wegen des Kindes sofort, also noch vor Dienstaufnahme
umziehen mußte, und nicht erst nach Ablauf der Probezeit. Auch sonst kann
ich mich über mangelndes Verständnis für meine Situation als berufstätige

Frau mit Kind nicht beklagen. Frauenspezifische Benachteiligung habe ich bisher im beruflichen Alltag nicht feststellen können, es sei denn, man würde die Tatsache, daß Frauen gern mit „Frauenproblemen" beschäftigt werden, dazurechnen.

Für mich persönlich gab es als Berufsanfängerin die Schwierigkeit, plötzlich in die Lage zu kommen, einer Frau, die meine Mutter sein könnte, in die Maschine diktieren zu müssen. Diktiergeräte lösen inzwischen das Problem, und ich denke, ein unverkrampftes Verhältnis zu allen Kolleginnen gefunden zu haben.

Last not least: Wenn sich mein Sohn nicht bei der Tagesmutter und im Kindergarten wohlfühlen würde, mein Mann nicht durch seine flexible Arbeitszeit mir hätte bei Problemen in der Kinderbetreuung (Krankheit, Dienstreise) beistehen können, Freunde, Nachbarn und Verwandte nicht in kritischen Zeiten (Urlaub der Tagesmutter, Krankheit ihres Kindes) ausgeholfen hätten, wäre mein Einstieg ins Berufsleben nicht so insgesamt positiv verlaufen.

Christine Knebel-Pfuhl, Assessorin, 31 Jahre alt, erstes juristisches Staatsexamen 1974, 1979 Doktorprüfung, 1980 Geburt der Tochter, 1981 zweites Staatsexamen, seitdem freiwillig arbeitslos mit Rücksicht auf das Kind, voraussichtlich ab Anfang 1982 als „Dritteltags-Anwältin" in väterlicher Praxis tätig.

„Kinder oder die Stunde der Wahrheit"

Erfahrungen:
Obersatz: Es gibt keine Schwierigkeiten in puncto „Gleichberechtigung", wenn man mit guten bis sehr guten Leistungen aufwarten kann, seine Weiblichkeit nicht überbetont und eine gewisse Schlagfertigkeit besitzt. Gute Leistungen bringen Vorurteile am sichersten zum Schweigen.
Aber wehe, wenn sie einmal nachlassen, hierzu der Bericht über mein Assessor-Examen:

Ich hatte meine Stationsausbildung als Referendarin im Januar 1980 abgeschlossen, konnte die Februar-Klausuren wegen Gefahr einer Frühgeburt (eine hatte ich bereits) nicht mitschreiben und bekam im Mai das Kind. Mein Mutterschutz dauerte bis zum 13.11.1980, fiel also noch mitten hinein in die November-Klausuren, die am 7.11. begannen. Vorher kam ein Anruf aus dem Justizprüfungsamt: ob ich nicht auf meinen Mutterschutz verzichten und mitschreiben wolle? Nein, ich wollte nicht, ich war nicht vorbereitet. Demzufolge schrieb ich im Februar, und es fiel mir recht schwer, da ich ja bereits ein Jahr „überfällig" war. In der mündlichen Prüfung (Vortrag: Ausreichend, Zivil-
40

recht: Befriedigend, Öffentliches Recht: Gut) konnte ich nicht an meine früheren Leistungen anknüpfen. Dies führte dazu, daß mich der Vorsitzende in seinen Schlußworten vor versammelter Mannschaft abkanzelte. Etwa sinngemäß meinte er, er könne sich meine schlechten Leistungen angesichts der Vorzensuren nicht erklären, und dann stellte er auf eine recht hintergründige Art die Leistungen einer Kollegin heraus, die durch „Nachdenken" aufgefallen sei. Er entkleidete mich auch meiner „Doktorwürde", indem er den Titel nun in mehrmaliger Anrede wegließ, während er ihn während der Prüfung gebraucht hatte. Dies alles hat mich wütend gemacht, da er den Grund meines „Versagens" aus den Akten kennen mußte, nämlich Schwangerschaft, Mutterschutz und dadurch bedingtes Aussetzen. Ich habe keine Besser-Behandlung erwartet, aber wenigstens Verständnis für das Nachlassen der Leistung.
Rücksicht auf Frauen, die ein Kind erwarten bzw. zu versorgen haben, kann man also von den meisten Herren Kollegen nicht erwarten, (Ausnahme im Assessor-Examen: der Prüfer im Öffentlichen Recht prüfte überaus fair und wohlwollend), ebensowenig Rücksicht auf Frauen, die nach dem Aussetzen wegen Kinderbetreuung in Ausbildung oder Beruf zurückkehren. Wenn sie juristisch nicht mehr ganz auf der Höhe sind, weil sie naturgemäß Einarbeitungsschwierigkeiten haben, nimmt man sie eben nicht ganz für voll. Das habe ich während der Ausbildung wiederholt beobachtet.
Und hier liegt m. E. auch das entscheidende Gleichberechtigungs-Handicap in der Berufssituation:
Ich denke häufig über meine Lage nach: ich habe ein Kind und möchte am liebsten noch eines; ich habe meine Examina; ich will meine Kinder selbst aufziehen, aber später möchte ich als Juristin arbeiten, am liebsten in der Verwaltung; wenn es die Kinder seelisch verkraften, möchte ich halbtags arbeiten. Bis dahin lebe ich in der Angst, ab wann die Personalchefs einen wohl als „veraltet" abtun.
Politische Forderung:
Nicht nur mehr Halbtagsstellen, sondern auch ein „Rückführungsprogramm", d. h. bewußtes Inkaufnehmen der Tatsache, daß Frauen, die länger ausgesetzt haben, gewisse Einarbeitungsschwierigkeiten haben (aber dies ist wohl Utopie).
Zur Erklärung: ich kann jetzt zwar als „Dritteltags-Anwältin" arbeiten, was mir weitgehend erlaubt, mich auch um das Kind zu kümmern, da man Schriftsätze abends machen kann, doch entspricht die Anwaltstätigkeit nicht meinen Neigungen; ich würde lieber als Richterin oder in der Verwaltung arbeiten.
Dies ist die gegenwärtige Problematik. Hier kommt die Gleichberechtigung wirklich auf den Punkt. Auch wenn man alles bis dahin geschafft hat, wenn Kind(er) da ist (sind), kommt die Stunde der Wahrheit: das Betreuungsproblem, welches nicht nur ein organisatorisches, sondern auch ein psychisches ist: wer gibt sein Kind schon gern weg?
Mein Mann, Jurist beim Umweltbundesamt, hat sich überlegt, ob er seine Tätigkeit auf halbtags umstellen kann; theoretisch schon, aber für sein „Ansehen" und seine „Karriere" wäre dies ein herber Rückschlag. Das ist auch ein Punkt. Als Frau mit Kind denkt man gar nicht mehr an Karriere, sondern an „Überhaupt-Arbeiten". Wir Frauen gewönnen mehr Freiheit, wenn mehr Männer sich zur Kinderbetreuung bereitfänden. Wenn Männer sich aber überhaupt bereit finden, werden sie gegenwärtig noch „scheel" angesehen, und zwar zum Teil gerade von Frauen, die dann über sie herziehen, statt diese Bestrebungen zu würdigen. Es ist halt immer wieder das alte Rollenspiel.

Ulrike Wendeling-Schröder,
geb. 5.4.1948;
1971 das erste und 1975 das zweite
Juristische Staatsexamen; seit 1977
Rechtswissenschaftlerin im Wirtschafts-
und Sozialwissenschaftlichen
Institut des DGB (WSI);
seit 1979 verheiratet in 2. Ehe,
Mutter eines Sohnes.

Es fällt mir schwer, meinen „Bericht" zu schreiben. Welche positiven oder negativen Erfahrungen habe ich in meinem Beruf gemacht, die ich darauf zurückführe, daß ich eine Frau bin? Warum schreibe ich eigentlich an einem Buch über Juristinnen mit?

Die zweite Frage ist ganz einfach zu beantworten: Ich weiß, daß Frauen in den meisten Bereichen benachteiligt sind, daß es keinen „gleichen Lohn für gleiche Arbeit" gibt, daß es unverhältnismäßig wenige Frauen in „gehobenen Positionen" gibt, daß Frauen als „Problemgruppe" auf dem Arbeitsmarkt gelten. Das alles sind Fakten, die mich empören. Ich will dazu beitragen, daß diese Situation anders wird.

Aber es geht hier ja nicht um diese objektiven Daten, sondern um meine eigenen Erfahrungen und Eindrücke. Die Probleme, die mir aus der Zeit Studium / Referendarzeit / Berufstätigkeit gegenwärtig sind, kann ich nicht oder nur zu einem ganz kleinen Teil auf mein Frausein beziehen.

Im Studium: eine Benachteiligung „von oben", d. h. durch Professoren oder Assistenten gab es zunächst nicht, weil es überhaupt keine Beziehung gab. Wir waren viel zu viele Student(inn)en, es gab nur die Benotung der Klausuren und Hausarbeiten.

Diskussionen in den Vorlesungen waren die Ausnahme. Ich hatte – wie sicher die meisten meiner Kommiliton(inn)en – mit dieser Situation große Schwierigkeiten. Aus den Seminaren ist mir vor allem der große Konkurrenz- und Profilierungsdruck in Erinnerung; auch er herrschte und verletzte – meine ich – geschlechtsunspezifisch.

Dann das Erlebnis einer solidarischen Arbeit in den Arbeitskreisen „kritischer Juristen" oder wie sie auch immer hießen. Eine Sonderrolle für Juristinnen gab es da nicht. Auch später, in der ÖTV-Gruppe der Gerichtsreferendare oder im Ausbildungspersonalrat hat es keine Benachteiligung oder Bevorzugung von Kolleginnen gegeben.

In der Referendarausbildung selbst wurde neben der fachlichen Wissensvermittlung und -prüfung wohl auch so etwas wie ein „Juristenbild", das sich viele – nicht alle – Ausbilder(innen) machen, deutlich. So, wenn beim „Small-talk" vor oder nach den AGs, über Elternhaus, Reiseerfahrung, bevorzugte Sportarten, „kulturelle Ereignisse" usw. gesprochen wurde. In dieses Juristenbild fügte sich nach meiner Erfahrung die „Juristin" durchaus ein. Nicht einmal bei der Stellensuche nach dem 2. Examen kann ich von irgendwelchen frauenspezifischen Schwierigkeiten berichten. Die einzige Stelle, auf der ich ebenso gern wie in meiner jetzigen Tätigkeit gearbeitet hätte, hat übrigens statt meiner eine andere Kolle*gin* gekriegt.

Konflikte in meiner Berufstätigkeit gab es erst, als ich ein Baby bekam und nach einem 3/4 Jahr wieder weiterarbeitete (im WSI gibt es 1 Jahr Babyurlaub). Es gab Bemerkungen von Kollegen, die ich sehr schätze, die dahingingen „so etwas würde ich meiner Frau nie erlauben" oder „das arme Kind, in den ersten 3 Jahren muß *eine* feste Bezugsperson da sein" usw. Das alles hat mich sehr verunsichert. Dazu kam die Doppelbelastung durch Beruf und Kind. Morgens zur Tagesmutter bringen, nachmittags abholen; ständige Absprachen mit meinem Mann, mal kann er seinen „Abholtermin" nicht einhalten, mal ich nicht. Große Probleme, wenn das Kind krank ist oder die Tochter der Tagesmutter eine ansteckende Krankheit hat usw. usw.

Trotzdem: auch hier ist die Juristin wohl im Vergleich zu anderen Frauen in einer recht günstigen Lage. Ich kann es mir jedenfalls finanziell leisten, meinen Sohn zu einer Tagesmutter zu bringen und eine Haushaltshilfe zu beschäftigen, so daß dieser Problemdruck erheblich gemildert ist.

Marianne Zawatka

„Übergangslösung Rechtspflegeausbildung?"

Ich bin 26 Jahre alt, verheiratet, habe zwei Kinder (2 1/2 Jahre und 5 Monate) und bin seit knapp zwei Jahren Rechtspflegeanwärterin. Eigentlich wollte ich etwas ganz anderes machen. Nach dem Abitur 1977 an einer Giessener Gesamthochschule begann ich im Wintersemester 1977/78 mit dem Studium der Rechtswissenschaft und der Publizistik an der FU Berlin. Rechtswissenschaft hatte mich irgendwie schon immer interessiert, und Freunde und Bekannte hatten mein Interesse daran noch verstärkt. Publizistik studierte ich mehr als Hobby und, um meine Berufschancen in beiden Bereichen zu verbessern.

Das Jurastudium bereitete mir weiter keine Schwierigkeiten; mit guten Noten machte ich meine Kleinen Scheine. Ich dachte, so könnte ich mein Studium gut durchziehen. Im Juli 1978 hospitierte ich bei einer Giessener Tageszeitung, und da mir auch diese Arbeit viel Spaß machte, ging ich davon aus, daß meine Entscheidung für ein Doppelstudium richtig gewesen sei.

Im Dezember 1978 wurde ich schwanger. Während der Schwangerschaft schrieb ich noch Klausuren und Hausarbeiten für den Kleinen Strafrechtsschein. Nach der Entbindung von meinem Sohn mußte ich mir überlegen, wie es nun weitergehen sollte. Mein Mann schrieb zu diesem Zeitpunkt seine

Examensarbeit, wir lebten von seiner Tutorenstelle und wußten nicht, wie wir nach Ablaufen seines Vertrages unseren Lebensunterhalt bestreiten sollten. Trotz intensiver Bemühungen hatte er noch keine Stelle als Redaktionsvolontär gefunden. So überlegte ich mir, ob ich nicht das Studium abbrechen sollte, um mit einer anderen Ausbildung zu beginnen, in der ich bereits mitverdienen könnte.

Von der Berufsberatungsstelle des Arbeitsamtes erfuhr ich von der Möglichkeit, Rechtspflegerin zu werden. An dieser Möglichkeit war ich sofort interessiert; schon weil ich dachte, dann nicht ganz umsonst vier Semester Jura studiert zu haben. Ich informierte mich − so gut es ging − über das Berufsbild und bewarb mich. Im November 1979 wurde ich zu einem Vorstellungsgespräch geladen. Fast gleichzeitig mit meiner Aufnahme in den Dienst als Rechtspfleganwärterin bekam mein Mann eine Stelle bei einer Tageszeitung in Berlin.

Bis zum April 1980 war ich noch zu Hause bei meinem Sohn, dann begann das Fachhochschulstudium. Unseren Sohn brachten wir bei einer Tagesmutter unter. Die Umstellung vom Jurastudium zur Rechtspflegeausbildung empfand ich als ungeheuer schwierig. Zwar nahm ich auch an der Uni regelmäßig an den Vorlesungen teil, doch z. B. an die Anwesenheitspflicht und die schulische Atmosphäre, die ich seit meiner Abiturprüfung ganz verdrängt hatte,

44

mußte ich mich erst gewöhnen. Auch die sehr unterschiedlichen inhaltlichen Schwerpunkte von Uni- und Fachhochschulstudium bereiteten Umstellungsschwierigkeiten. Dazu kam noch, daß meine Kollegen und Kolleginnen überwiegend gerade erst die Schule beendet hatten, und die Probleme, die einem mit Ausbildung, Haushalt und Kind aufgebürdet werden, nicht nachvollziehen konnten.

Im Dezember 1980 wurde ich wieder schwanger; die Schwierigkeiten, die ich mit der Bewältigung des Studiums und des Haushalts hatte, wurden für mich noch größer. Durch die Schwangerschaft verstärkte sich mein Gefühl, mit allem überfordert zu sein — vor allem natürlich mit der Ausbildung. Das machte sich dann auch in den Klausuren bemerkbar, die ich nur noch mit „befriedigend" oder „ausreichend" abschloß. Durch diese (für mich) schlechten Leistungen hatte ich oft das Gefühl, es nicht schaffen zu können, und wußte manchmal nicht, wie es weitergehen sollte. Es kamen mir auch Zweifel, ob ich für einen juristischen Beruf überhaupt geeignet sei. Wegen einer drohenden Frühgeburt war ich bereits sechs Wochen vor Beginn des Mutterschaftsurlaubes krank geschrieben und nahm erst Anfang Januar 1982 die Ausbildung wieder auf; nun muß ich noch ein halbes Jahr nachholen.

Den Streß mit zwei Kindern und der Ausbildung habe ich noch vor mir. Ich habe lange überlegt, ob ich die Ausbildung fortsetzen sollte oder nicht. Ich dachte sogar daran, das Jurastudium wieder aufzunehmen. Ich bin jetzt aber zu der Überzeugung gekommen, daß es für mich als Frau mit zwei Kindern existentiell wichtig ist, eine fertige Ausbildung nachweisen zu können. Motivieren zum „Weitermachen" konnte mich das im Januar begonnene Praktikum innerhalb der Ausbildung. Ich hoffe nun auf einen „innerlichen Aufschwung", um die Rechtspflegeausbildung beenden zu können.

„Überhörung"

Über besondere Schwierigkeiten bei der Verbeamtung auf Lebenszeit berichtet eine Richterin:
Meine Übernahme auf Lebenszeit, die sonst immer nach kurzer Überhörung innerhalb kurzer Zeit nach Ablauf der Mindestprobezeit von drei Jahren über die Bühne ging, hat sich außergewöhnlich lange hingezogen. Schon vor meiner Versetzung an ein anderes Gericht — an dem ersten war keine Planstelle frei — hatte der Präsident mich „überhört", ebenso wie der Vize, und seine Beurteilung abgegeben. Üblicherweise kommt dann nur noch jemand vom Landessozialgericht, und dann ist es gut. So nicht bei mir. Der Präsident und Vizepräsident des neuen Gerichts kamen auch noch einmal getrennt in eine Sitzung. Dann kam jemand vom Landessozialgericht. Dieser hatte ein paar Mängel festgestellt, die er aber selber als nicht schwerwiegend bezeichnete, und die im übrigen auch älteren Kollegen immer wieder mal unterlaufen. Ich habe von vielen anderen jungen Kollegen gehört, was bei ihnen beanstandet wurde, weswegen sie allerdings nie weiterer Überprüfung unterzogen wurden. Anders bei mir. Zunächst kam noch der Chefpräsident. Dann bekam unser Vize den Auf-

trag, nochmal in eine meiner Sitzungen zu gehen. Von beiden kamen keine Beanstandungen, so daß unser Präsident dann nach fünf Monaten meinte, jetzt sei wohl alles gelaufen. Kurze Zeit später kündigte er mir aber weitere Besuche an, gab jedoch sein völliges Unverständnis hierüber zu erkennen. Zwischenzeitlich war ich doch recht verunsichert worden und mit den Nerven fertig, allmählich packte mich die Wut. Im übrigen war ich bezüglich eventueller Folgen auch eigentlich sehr ruhig, weil ich während der gesamten Probezeit nur ausgesprochen gute Zeugnisse bekommen hatte, und da hätte man sich nach drei Jahren schon einiges einfallen lassen müssen, um mich loszuwerden. Trotzdem nervte mich natürlich das ewige Hin und Her und die Ungewißheit. Beim nächsten Besuch des Chefpräsidenten habe ich ihn dann gefragt, was denn eigentlich los sei, da ich doch schließlich drei Jahre lang immer gute Zeugnisse erhalten hätte. Da er keine konkreten Angaben machen konnte, habe ich die Vermutung geäußert, daß man etwas suche, um etwas zu finden, denn schließlich könnten einmalige Fehler in einer Verhandlung nicht zur Verweigerung der Übernahme auf Lebenszeit führen. Wir schieden in ziemlich gespannter Stimmung, aber es war der letzte Besuch. Neun Monate nach Ablauf der Probezeit war die Urkunde dann da.
Eine offizielle Erklärung habe ich natürlich nicht erhalten. An den Leistungen kann es nicht gelegen haben, denn die sind nie schlechter beurteilt worden als bei den Kollegen. Waren die politischen Aktivitäten der Grund? Ich bin Mitglied der Vereinigung demokratischer Juristen, hatte als Referendarin eine Dokumentation zu Berufsverbotsfällen verantwortlich herausgegeben u. a. Manche Kollegen vermuteten, daß meine Kubareise schuld gewesen sei. Das mag alles sein. Ich vermute aber auch, daß es mit darum ging, mich einfach zu verunsichern. Schon der eine oder andere Ausbilder während der Referendarzeit hatte es für nötig gehalten, im Zeugnis hervorzuheben, daß ich sehr selbstbewußt sei – „aber immer höflich". Auch der Präsident an dem ersten Gericht hat gleich bei der ersten „Überhörung" hervorgehoben, daß ich gar nicht unsicher sei wie sonst die jungen Kollegen, besonders, wenn jemand zum „Überhören" da war. In der Tat haben viele Kollegen Angst, wenn sie „überhört" werden. Ich habe die nie gehabt, weil ich meine, daß ich mich immer so vorbereite, wie es nötig ist. Ob das Unmut hervorgerufen hat? Da sitzt so eine junge Frau und zeigt keine Spur von Unsicherheit, wo doch alle zittern, wenn die hohen Herren zu Besuch kommen? Ob man mir beweisen wollte oder auch sich selber, daß auch ich zu verunsichern bin? Hätte man bei einem Mann jemals bemerkt und gar hervorgehoben, daß er selbstbewußt und gar nicht unsicher ist?
Hilflos stehe ich immer noch solchen Situationen gegenüber: Tagung für sämtliche Richter unserer Gerichtsbarkeit von NRW, die erste für mich. Abends in der Gaststätte. Ich sitze mit den Kollegen meines Gerichts beim Bier. Der Präsident eines anderen Gerichts kommt, um unseren zu begrüßen. Der zerrt mich hoch, stellt mich vor, legt mir voll Stolz die Hand auf den Rücken und brüstet sich: „Na, habt Ihr auch so etwas Nettes bei Euch? Und Juso ist sie auch noch!" Etwas später: Rechts von mir sitzt der Präsident, links der Vize. Beide legen ganz offen ihren Arm um mich, streicheln auch schon mal über den Rücken. Ich werde ganz steif, kann weder von dem einen noch von den anderen abrücken, weiß aber auch nicht, wie ich mich sonst wehren soll. Niemand würde doch etwas dabei finden bei dem Näherrücken so „in aller Freundschaft". Ich weiß mich in solchen Situationen nicht zu verhalten, trotz Frauengruppe etc.

Rechtsanwältinnen 3

Im Jahre 1957 wird die damals 54jährige Erna Proskauer erstmalig als Rechtsanwältin zugelassen, 20 Jahre später eröffnet die damals 26jährige Berga Tammling ihr „Rechtsanwältinbüro". Welche Erfahrungen vermitteln die beiden Kolleginnen, und wieso lohnt es sich, diese aufzuzeichnen?
Der Beitrag der älteren Kollegin stellt eine Dokumentation ihrer persönlichen, beruflichen und politischen Diskriminierung dar; das Wissen hierum ist eine wichtige Voraussetzung, um künftig ähnlichen Ausgrenzungsversuchen Widerstand entgegenzusetzen. Als Juristin der „ersten Generation" (1926 erstes Staatsexamen) berichtet sie von Diskriminierungen aufgrund ihres Frau-Seins in der Ausbildung und später (1931) als Richterin. Dagegen weiß sie sich zu wehren, machtlos aber steht sie als Jüdin ihrer Entlassung aus dem Justizdienst aufgrund des Erlasses vom 20. Juli 1933, gemäß § 3 des „Gesetzes zur Wiederherstellung des Berufsbeamtentums" vom 7.4.1933 (RGBl I S. 175) gegenüber. Nach ihrer Rückkehr aus der Emigration verweigert ihr das Bundesverwaltungsgericht die Einstellung als Richterin mit der Begründung, daß sie auch bei regelmäßigem Verlauf der Dienstlaufbahn aus beamtenrechtlichen Gründen nicht in den Justizdienst übernommen worden wäre, da sie eine „verheiratete Frau" sei. Der Zynismus liegt nicht nur in der Urteilsbegründung, sondern in den tatsächlichen Verhältnissen: nach dem Krieg sprach man offiziell von einer notwendigen Bevorzugung der heimkehrenden Männer, inoffiziell wollte man die Frau als Konkurrentin vom Arbeitsmarkt verbannen, und „Wiedergutmachung" war ohnehin nur ein Thema für Sonntagsreden.
Zunächst als „Spezialanwältin" für Wiedergutmachungsrecht wagt die Autorin im Jahre 1968 den Sprung und übernimmt die allgemeine Praxis ihres verstor-

benen Ehemannes – mit 65 Jahren geht sie nicht in den Ruhestand sondern zu produktiver Unruhe über!

Die junge Kollegin Tammling, seit 1977 Inhaberin eines „Rechtsanwältinbüro" zeigt zwar existentielle Probleme der Rechtsanwältin auf, diese sind aber doch ganz anderer Art als die ihrer „Vorkämpferin". Weder ist den mörderischen Bedingungen des Faschismus auszuweichen, noch eine offen frauen-feindliche Einstellung gegenüber der Berufstätigkeit der Frau – wie in den ersten Jahren nach 1945 – zu bekämpfen; Thema der „Momentaufnahme 1981" ist u.a. die unangemessene Bezahlung der Rechtsanwältin, die sich aus politisch-persönlicher Überzeugung vorgenommen hat, hauptsächlich Frauenrechtsfälle zu übernehmen. Der Beitrag behandelt zunächst auf allgemeinerem Niveau das gebrochene Verhältnis von Frauen zu Geld und Bezahlung, stellt dann aber die entscheidende Frage, wie weit die engagierte Rechtsanwältin Konsumverzicht und Mehrarbeit zugunsten ihrer Mandantinnen, zuungunsten der eigenen und der ökonomisch-psychischen Situation der Mitarbeiterinnen verlangen kann.

Der Beitrag der Kollegin Wiltrud Rülle-Hengesbach zeugt von dem Versuch, trotz des Zwangs der ökonomischen Notwendigkeiten nicht in „zwei Ebenen" zu leben, wo man „persönliche Ehre" und berufliches Fortkommen fein säuberlich trennt, und wo die „Gewalt der Fakten" die lobenswerten Überzeugungen in den Privatbereich abdrängen kann. Frauen sind, so die These dieser Autorin, noch am wenigsten bereit, diese Atomisierung für sich zu akzeptieren.

Engagierte Politik als Frauen für Frauen machten 14 Rechtsanwältinnen, indem sie 1978 den „Scheidungsratgeber" herausbrachten. Vier dieser Autorinnen berichten hier über das Projekt und wie die Hanseatische Rechtsanwaltskammer hierauf reagierte: mit einem standesgerichtlichen Verfahren, das die Autorinnen allerdings gewannen. Hier sollte ein Schlag gegen die parteiliche Stellungnahme von Frauen für Frauen geführt werden; und offenbar fürchtete man auch, daß Anwältinnen einen ökonomischen Vorteil ziehen könnten – angesichts der vielen wirtschaftlichen Nachteile ein gar „sträfliches" Unterfangen! Von einem umgekehrten Tätigwerden der Standesver-

Herren im Sinne des Berliner Anwaltsvereins e.V. sind ...

242   BERLINER ANWALTSBLATT · Heft 10 · 1981

Mitteilungen

Herrenessen 1981

Unser Herrenessen wird auch in diesem Jahre traditionsgemäß am Freitag nach Bußtag stattfinden, also am

20. November 1981, 19.30 Uhr
im Hotel Palace, Europa-Center.

Wir können auch diesmal mit prominenten Ehrengästen aus dem Auslande und Westdeutschland rechnen. Das Hotel Palace hat uns im vorigen Jahre nach allseitigem Urteil vorzüglich bewirtet; wir hoffen das diesmal eher noch steigern zu können.

Am Vorabend, dem 19. 11. ab 19.30 findet der ebenfalls schon Tradition gewordene Begrüßungsabend zwischen den auswärtigen Gästen und den Berliner Anwälten in einem der denkmalspflegerisch ganz neu gestalteten Räumen des

„Alten Fritzen",

nämlich im Schinkel-Saal, statt. Dort wird Sie ein Kaltes Büffet erwarten.

Zu dieser Veranstaltung können auch Anwälte kommen, die nicht am Herrenessen teilnehmen. Ihre Damen sind dazu ebenfalls herzlich eingeladen, zum Essen am 20. 11. selbst nur Anwältinnen.

Wir begrüßen gern auch Nichtmitglieder. Diese bitten wir um Anmeldung in unserer Geschäftsstelle (881 10 50)

... auch Damen unter der einschränkenden Bedingung, daß sie Rechtsanwältinnen sind.

Parkplatz am Familiengericht in Berlin

tretung gegen die Benachteiligung von Frauen im Rechtsanwaltsberuf ist leider nichts bekannt.

Wenn ein linker Rechtsanwalt es als seine Aufgabe ansieht, Interessenvertreter der „Arbeiter" zu sein, so bedeutet dies nicht, daß er automatisch großes Verständnis für die besondere, benachteiligte Lage der Frau in unserer Gesellschaft aufbringt; dies gilt sowohl für die Situation der Mandantinnen als auch für die der neu-eingestellten Kollegin — so der Bericht der Autorin Sabine Wendt.

Der Beitrag der Kollegin Ingeborg Grieb verweist auf einen Konflikt, der innerhalb eines männerdominierten Berufes besonders belastend ist: die Entwicklung eines gesunden Selbstwertgefühls der Juristin wird nicht nur aktuell durch äußere Einflüsse behindert, sondern auch durch die anerzogene Haltung, „als Frau-an-sich weniger wert zu sein". Die Überwindung dieses Gefühls ist in den juristischen Berufen besonders schwierig aber auch notwendig, um Frau bleiben und sich dennoch behaupten zu können. Von ähnlich innerlich verlaufenden Fronten, die in der Außenwelt „Beruf" überwunden werden müssen, handelt der Beitrag der Kollegin H.P. Witzig; ironisch und entlarvend sind die Momentaufnahmen der Rechtsanwältin Ingeborg Rakete-Wille über die Begegnungen mit Männern in ihrem Berufsalltag.

Eine Lücke schließt der letzte Beitrag „Zum Beispiel Rechtsanwältin . . .", von Sabine Berghahn, eine zusammenfassende Darstellung von Interviews mit sieben Rechtsanwältinnen. Hier kommen auch Anwältinnen der „mittleren Generation" (40 Jahre und älter) zu Wort, d.h. Kolleginnen mit ca. 15 Jahren Berufserfahrung; außerdem liefert der Beitrag für die junge Juristin „Vorbilder".

10. Amtstracht bei ordentlichen Gerichten

Immer wieder werden Anfragen an die Geschäftsstelle der Rechtsanwaltskammer gerichtet, welche Amtstracht Rechtsanwälte vor den Gerichten der ordentlichen Gerichtsbarkeit zu tragen haben und wo die Fundstelle für diese Verpflichtung steht.

Nach den Beschlüssen des Niedersächsischen Landesministeriums über die Amtstracht im Geschäftsbereich des Ministers der Justiz vom 14. März 1967 (Nds. Ministerialblatt S. 297), 25. Mai 1971 (Nds. Ministerialblatt S. 671) und vom 21. März 1978 (Nds. Ministerialblatt S. 468) sind bei den Gerichten im Geschäftsbereich des Ministers der Justiz zum Tragen einer Amtstracht u. a. auch Rechtsanwälte berechtigt und verpflichtet.

In Ausführung der Beschlüsse des Niedersächsischen Landesministeriums über die Amtstracht im Geschäftsbereich des Ministers der Justiz hat der Niedersächsische Justizminister mit AV vom 30. Mai 1978 (Nds. Rpfl. S. 161) angeordnet, daß die Amtstracht aus einer Robe von schwarzer Farbe besteht. An der Robe wird ein Besatz getragen. Der Besatz besteht bei Rechtsanwälten aus Seide.

Zur Amtstracht ist ein weißes Hemd mit einem weißen Langbinder zu tragen. Frauen tragen zur Amtstracht eine weiße Bluse, zu der eine weiße Schleife getragen werden kann. Rechtsanwälte und Urkundsbeamte der Geschäftsstelle können auch ein Hemd von unauffälliger Farbe tragen.

Es kommt selten vor, daß die Amtstracht nicht getragen wird. Allerdings werden die weiteren Bestimmungen, wonach auch ein weißer Langbinder und ein weißes Hemd bzw. ein Hemd von unauffälliger Farbe zu tragen sind, nicht beachtet. Nach einhelliger Meinung in Literatur und Rechtsprechung kann das zur Ausschließung des Anwalts aus dem Verfahren führen (vgl. Löwe-Rosenberg, Kommentar zum GVG, 23. Auflage 1979, Anm. 18 zu § 176 mit weiteren Nachweisen).

§ 11 der Grundsätze des anwaltlichen Standesrechts verpflichtet den Rechtsanwalt, vor Gericht die Amtstracht zu tragen.

Aus: „Informationen" und amtliche Mitteilungen der RAK und der NotK Celle, vom 14.12.81, S. 7/8

Fragen der lesenden Rechtsanwältin:
- *Genügt nicht auch eine Bluse von unauffälliger Farbe mit einer weißen Schleife?*
- *Oder würde die unauffällige Farbe der Bluse nur durch einen weißen Binder aufgehoben?*
- *Wie aber würde eine farbige Damenkrawatte auf der weißen Bluse beurteilt?*
- *Hätte die Rechtsanwältin einen Anspruch, statt Bluse und Schleife Hemd und Binder zu tragen, weil nur letzteres sauber im Schrank des Ehemannes zur Verfügung liegt?*

Erna Proskauer, geb. Aronsohn,
geb. 1903, Volljüdin, Deutsche und
Israelische Staatsangehörigkeit;
erste juristische Prüfung 1926,
„große" juristische Staatsprüfung
1931, beide in Berlin.

Frau — Jüdin — Juristin

Mein Vater war Rechtsanwalt und Notar und ist, als meine Geburtsstadt
Bromberg infolge des ersten Weltkrieges polnisch wurde, nach Berlin „emi-
griert". Dort mußte er im Alter von 50 Jahren erneut beginnen. Um die Un-
kosten möglichst gering zu halten, haben die Familienmitglieder in den
ersten Jahren die Büroarbeiten verrichtet, so daß ich dadurch Einblick in eine
Anwaltspraxis erhielt. Dadurch wurde wahrscheinlich die Wahl meines Berufes beeinflußt. Das Studium mußte seinerzeit von meinem Vater bezahlt werden. Da in der Inflation der zwanziger Jahre das Geld davonlief, habe ich
zum Bestreiten des Studiums durch Stundengeben und andere Nebentätigkeit
selbst beitragen müssen.
Es verblieb mir noch ein Semester nach Ende der Inflation, das ich in Freiburg verbrachte. Dort begegnete ich zum ersten Male antisemitischen und
nationalsozialistischen Vorläufern durch Anhören des Erhard-Liedes der Bri-
gade Erhard „Wenn's Judenblut vom Messer spritzt".
Eine Beeinträchtigung erfuhr ich in meiner Eigenschaft als Frau bei der ersten
juristischen Prüfung. Es wurde damals an Stelle einer eintägigen mündlichen
Prüfung für kurze Zeit eine zweitägige mündliche Prüfung für Wirtschafts- und
Sozialrecht eingerichtet. Einer der Prüfer war ausgesprochen schikanös gegen
Frauen eingestellt, so daß mein Repetitor aus dieser Erfahrung die Lehre zog,
die Prüfungskommission in Zukunft abzulehnen, wenn eine Frau sich ins
Examen begab und dieser Prüfer Mitglied der Prüfungskommission war.
In der richterlichen Ausbildung beim Landgericht II an der Möckernbrücke
geriet ich an einen Assessor in der Freiwilligen Gerichtsbarkeit, welcher sich
Unverschämtheiten gegen mich als Frau erlaubte, wie z.B. die Frage, ob ich
schon einmal vergewaltigt worden wäre. Ich erhielt von ihm ein so auffallend
schlechtes Zeugnis, daß es dem Amtsgerichtsdirektor von sich aus auffiel und
er von dem Assessor eine Berichtigung verlangte, die durch Striche und Er-
gänzungen zu einem Zeugnis über „voll ausreichende Leistungen" führte, was
ich durch den Amtsgerichtsdirektor persönlich erfuhr.
In der Anwaltsstation wurden von den Anwälten kurz vor meinem Eintritt

53

Referendare gesucht und sehr gut bezahlt. Das änderte sich aber schlagartig infolge der Rezession, so daß ich, die zunächst stolz eine Intervention des Vaters zur Beschaffung einer Anwaltsstelle abgelehnt hatte, ihn nunmehr darum bitten mußte. Eine Sozietät von zwei Anwälten, Freunde meines Vaters, stellte mich ein, bedauernd, daß sie mir keine Besoldung geben könnten. Nach Ablauf des ersten Monats riefen sie mich vor ihren geöffeten Geldschrank und erklärten, daß sie in Anbetracht meiner Verdienste um die Firma sich doch entschlossen hätten, mich zu honorieren, was sehr großzügig ausfiel.

Nach Abschluß der großen juristischen Staatsprüfung verblieb ich im öffentlichen Dienst, da ich Richter werden wollte. Ich wurde unbezahlt beschäftigt beim Amtsgericht Schöneberg, wo ich für einen leidenden Richter ein- oder zweimal in der Woche von seinen drei Sitzungstagen die Sitzung übernahm. Das Publikum war noch nicht gewöhnt, eine Frau als Richterin vor sich zu haben, und ich mußte mir des öfteren Achtung erkämpfen, was aber stets gelang. In dieser Zeit erhielt ich dann ein sogenanntes Kommissorium beim Amtsgericht Zossen bei Berlin, wo ein Rechtspfleger im Grundbuchamt infolge Erkrankung und der Überlastung der Grundbuchbereinigung nach der Aufwertung den Aufgaben nicht mehr nachkommen konnte. Dort erhielt ich ein diesem Posten entsprechendes Gehalt, das etwa dem einer Anwaltsgehilfin entsprach und nicht einmal ausreichte, um mich gegen Regreß zu versichern, was ja im Grundbuchwesen eine große Gefahr darstellte. In diesem kleinen Städtchen gab es nur einen Notar, so daß, falls dieser bereits tätig geworden war, das Amtsgericht die Notariatsaufgaben ausüben mußte. So erinnere ich mich an eine Erbhof-Auseinandersetzung mit Altenteilen und Leibgedinge für eine Tochter etc., was langwierige Verhandlungen mit sich brachte. Als alles geklärt und zum Vertragsabschluß reif war, sagte der Bauer: ,,Nun können wir zum Richter gehen, Fräulein." Als ich ihm erklärte, daß ich selbst diese Funktion ausübe, stand er auf, verneigte sich und erklärte ,,meine Hochachtung, August Schulze." Am Amtsgerichtsplatz fand der Wochenmarkt statt. An diesen Tagen war das Gericht um die Mittagszeit nicht zu erreichen, weil sämtliche Beschäftigten sich auf dem Markt befanden.

Am 26. April 1933 wurde ich von Justizdienst beurlaubt und durch Erlaß vom 20. Juli 1933 gemäß § 3 des Gesetzes zur Wiederherstellung des Berufsbeamtentums vom 7. April 1933 (RGBl. I, Seite 175) ohne Gewährung von Ruhegehalt in den Ruhestand versetzt und zwar auf Grund meiner nichtarischen Abstammung.

Im Herbst 1933 wanderte ich daraufhin mit meinem Mann, dem Rechtsanwalt am Kammergericht, Dr. Max E. Proskauer, dem der Zutritt zum Gericht nur deshalb nicht mit Gewaltanwendung verweigert worden war, weil sein Aussehen die vor dem Gericht stehende Horde verunsicherte in der Befürchtung, es könne sich um einen Ausländer handeln, nach Frankreich aus, wo wir familiären Anschluß hatten.

Nachdem wir feststellen mußten, daß es unmöglich war, im französischsprachigen Raum eine forensische Tätigkeit auszuüben, kehrten wir für kurze Zeit nach Berlin zurück, um von dort aus unsere Auswanderung nach Israel zu betreiben.

In Israel fehlten mir die Mittel zum erneuten Studium. Ich habe mich deshalb mehr schlecht als recht mit dem Betrieb einer Wäscherei durchgeschlagen, bis ich in diesem Gewerbe eine Anstellung als Expedientin in einer Großwäscherei fand, was mir den notdürftigsten Lebensbedarf sicherte.

Dort machte ich die arabischen Unruhen in den Jahren 1934ff, den zweiten Weltkrieg und die Befreiungskriege in Israel sowie die Staatsgründung mit; in Israel erwarb ich auch die israelische Staatsangehörigkeit. Mit Rücksicht auf die Wiedergutmachungsgesetzgebung in Deutschland kehrte ich dorthin zurück in der Erwartung einer Nachvollziehung meiner Berufslaufbahn im öffentlichen Dienst und dementsprechend einer Einstellung als Richterin beim Landgericht. Dieses wurde mir jedoch verwehrt. Nachdem ich in erster Instanz verloren und in zweiter Instanz gewonnen hatte und schließlich vom Bundesverwaltungsgericht im November 1956 abgewiesen worden war, habe ich die Zulassung zur Rechtsanwaltschaft beantragt. Die Begründung der Ablehnung war u.a., daß ich auch bei regelmäßigem Verlauf der Dienstlaufbahn aus beamtenrechtlichen Gründen „als verheiratete Frau" nicht in den Justizdienst übernommen worden wäre. Dieses Urteil ist in der Literatur von Herrn Rechtsanwalt *Küster* seinerzeit heftig kritisiert worden. Bis zum Erlaß des Urteils habe ich in Berlin als Gerichtsassessor a.D. in verschiedenen Büros als juristische Mitarbeiterin in Entschädigungssachen gearbeitet, da ich den mir im Prozeß entgegengehaltenen Einwand, ich wäre, da Vater und Ehemann Rechtsanwalt waren, auch Rechtsanwältin geworden, nicht durch Zulassung zur Antwaltschaft bekräftigen wollte. Deshalb wurde ich erst am 12. April 1957 zur Anwaltschaft zugelassen und am 12. November 1962 zur Notarin bestellt.

Nach 20jähriger Unterbrechung jeglicher juristischer Tätigkeit hatte ich begreifliche Bedenken, mich mit einer allgemeinen Praxis zu befassen. Ich beschränkte mich daher auf das Wiedergutmachungsrecht unter dem Gesichtspunkt, daß dieses ein völlig neues Sachgebiet war, das ich neu erlernen konnte. Als jedoch mein Mann, der den Mut hatte, eine Allgemeinpraxis trotz der langen Unterbrechung aufzunehmen, 1968 verstarb, habe ich mich für die Übernahme dieser Praxis entschieden und arbeite seit 1968 im Wedding.

Berga Tammling, geb. 1951 in München, erstes juristisches Staatsexamen 1975, zweites 1977, freie Mitarbeiterin in dem Projekt „Frau und Recht" an der Uni Bremen, Lehrbeauftragte an der Fachhochschule Ostfriesland, seit 1977 Rechtsanwältin in Oldenburg.

Die folgenden Gedanken sind eine Nachbetrachtung zu einem früheren Bericht von Berga Tammling, „Rechtsanwältinbüro 1977", der aus Platzgründen hier leider nicht erscheint. Die Autorin beschrieb darin ihre Motive, Schwierigkeiten und Anfangserfolge beim Aufbau ihres Eine-Frau-Büros.

Momentaufnahme 1981

Das 1977er Anwältinbüro ist flächenmäßig auf inzwischen gut 150 qm angewachsen. Keine Hydrokultur, sondern durchsetzt mit urigen Grünpflanzen, verziert mit Fotografien, die der Chefin im Laufe der Jahre gut gelungen sind, ein nostalgisch anmutender Küchenschrank bietet im konzentrierten Bürobetrieb einen Anblick des tiefen Ausatmens.

Von der ersten weiblichen Auszubildenden habe ich schon Abschied nehmen müssen. Sie grüßt fröhlich von einem guten Arbeitsplatz auf dem sonst so engen Arbeitsmarkt für junge Mädchen. Die zweite Generation der weiblichen Auszubildenden ist angetreten. Halbtags unterstützt mich eine wahre Perle von Anwaltsgehilfin, welche nach 10 Jahren „Nur-Hausfrau" und 2 Kindern in ihren erlernten Beruf reintegriert worden ist. Arbeitsteilung heißt nicht mehr: alle können alles, sondern: jede kann die Routinearbeiten.

Eine Momentaufnahme innerhalb der fließenden Weiterentwicklung will ich nutzen, die ökonomischen Verhältnisse und Verhinderungen einer Frauenkanzlei zu belichten:

Über Geld zu sprechen ist für Frauen schwieriger als über Orgasmus zu reden[1]. Während der vergangenen vier Jahre habe ich immer wieder über die Zusammenhänge nachgesonnen, die zwischen Hausarbeit, Frauenarbeitsschutzrecht, unbezahlter Arbeit in Frauenprojekten und der frauenbewegten Freiberuflichkeit bestehen. In mir aufkeimende Gedanken zu der Frage „Frauenkanzlei—Ökonomie" möchte ich im folgenden schon einmal ansätzeweise zum Aufblühen bringen:

Sigmund Freud hatte einen Lieblingswitz:

„Ein Ehepaar lebt auf großem Fuß. Die einen sagen, der Mann hat viel verdient und dabei etwas zurückgelegt. Die anderen behaupten, die Frau habe sich etwas zurückgelegt und dabei viel verdient."[2] Das kann man tüchtig aufstoßen lassen.

Geld. In welchem Zusammenhang erleben Frauen Ökonomie? Z.B. Frauenleichtlohngruppen, zugeteiltes Taschen- und Haushaltsgeld, Ehegattenunterhalt nach der Scheidung. Woher kommt das Wort Ökonomie? „Die Ökonomik als Lehre vom Oikos umfaßt eben die Gesamtheit der menschlichen Beziehungen und Tätigkeiten im Hause, das Verhältnis von Mann und Frau, Eltern und

Kindern, Hausherren und Gesinde (Sklaven) und die Erfüllung in Haus und Landwirtschaft gestellter Aufgaben."[3] Was ist von der ursprünglichen Ökonomie des „ganzen Hauses"[4] in der heutigen Gesellschaftsform für Frauen noch erkennbar? Mit dem Auseinanderbrechen der vorindustriellen Einheit von Arbeit und Leben, dem Auseinanderrücken der verselbständigten Bereiche von Arbeit und Familie werden Männer und Frauen einseitiger und enger als zuvor festgelegt auf je bestimmte Ausschnitte, Erfahrungen und Entwicklungsfähigkeiten[5]. Hier liegt nicht nur der Markierungspunkt, der entscheidende Schub hin zur Halbierung des Lebens[6], sondern das gesamte Schicksal der Familie hing nun stärker vom monitären Einkommen ab[7]. Die Arbeitsleistung jedes einzelnen Familienmitglieds konnte einerseits in Geld gemessen werden, das Geldeinkommen war jedoch noch so schwankend in der Umbruchszeit, daß es die Frauen waren, die neben der Heimarbeit z.B. die langfristige Absicherung der Heimarbeiterfamilien durch Arbeit in der Landwirtschaft sichern mußten[8]. Die Lehre vom Oikos gewinnt eine weitere Facette, wenn dem Hohelied von L. Otto über die Einführung der ersten Schwefelhölzer im Jahre 1829 als „Emancipationsmittel" gelauscht wird, „welche es selbst der verwöhnten Dame leicht machte, ohne Dienstmädchen die eigene kleine Haushaltung zu besorgen"[9]. Die Hausdame ist in der Zwischenzeit längst Dienstbotin ihrer eigenen Familie geworden[10]. Welche Prüfung erhält die Seite der Geldmedaille für die Hausfrau?

Hausarbeit vermeidet Chaos, bereitet angenehme Atmosphäre und Überschaubarkeit[11]. Zeiträume zerfließen, Verzettelung reißt ein, die isoliert werkelnde Hausfrau sieht täglich das Ergebnis ihrer Arbeit entschwinden, sie muß immer wieder von vorne anfangen[12]. Also könnte bezahlte Hausarbeit doch endlich die ersehnte Anerkennung bringen, weil „eben nur das zählt, was Geld einbringt"? Aber Hausarbeit hat eher was mit Geldausgeben zu tun. Vera Slupik[13] führt den Gedanken noch sehr viel weiter aus, indem „die Nichtanerkennung der Hausarbeit ihre Ursache nicht in der Unbezahltheit (diese ist lediglich Ausdruck), sondern darin hat, daß sie nicht auf dem gesellschaftlichem Arbeitsmarkt erscheint". Nach Marx, „kann der Kapitalist die Ware Arbeitskraft ‚getrost dem Selbsterhaltungs- und Fortpflanzungstrieb der Arbeiter überlassen', und die überlassen sie getrost ihrer Frau"[14]. Also dann lieber gleich auf den Arbeitsmarkt und sichtbare, „richtige" Arbeit leisten? Hier könnten Vorschriften des Frauenarbeitsschutzrechtes die Frau, vorgeblich gesundheitsschonend, auf ‚frauengerechte' Arbeitsplätze hindirigieren, damit auch hier die herkömmliche Arbeitsteilung, die zuverdienende Hausfrau, nur ja nicht angetastet wird[15]. Dennoch würden z.B. viele verheiratete Frauen statt der unbefriedigenden Hausarbeit lieber „arbeiten" gehen, und sei es auch die nervige Fingerfertigkeit auf dem rigiden Fließband. „Denn Geld macht frei, ich muß nicht fragen, ob ich Geld für den Friseur kriegen kann."[16]

Da stehen sich nun z.B. auf der einen Seite die bekannten Hausfrauensyndrome im Hausfrauenalltag den Verschleißerscheinungen, beruflichen und finanziellen Benachteiligungen auf dem Frauenarbeitsmarkt auf der anderen Seite gegenüber. Männliche Arbeitslose leiden z.B. an schwindenden Selbstwertgefühlen, Langeweile, Zeitdesorientiertheit, sozialer Isolation, so daß die Symptome von beiden Seiten her im Kreise Schlange stehen[17]: „Es ist eine unvermeidliche Folge der ideologisch übertriebenen Wichtigkeit der Arbeit, welche die Realität des Arbeitsmarktes ihr Versprechen nicht einhalten lassen kann." Wieviel Arbeit braucht nun der Mensch an sich? „Soviel, daß er den Kontakt zu der gesellschaftlichen Realität nicht verliert, denn Arbeit

ist deshalb nicht durch noch so ausgefüllte Freizeit zu ersetzen"[18], geschweige denn durch Hausarbeit. Krankmachende Arbeitslosigkeit und gesundmachende Arbeit?!
Bei der Rechtsprechung zum Ehegattenunterhalt beleuchtet Frau Prof. Dr. Jutta Limbach den Brennpunkt, „Bekommen untreue Ehefrauen Unterhalt?" Ihr Eindruck ist, „daß von den Gerichten oft nicht Gerechtigkeit geübt, sondern diszipliniert wird. Ehelicher Unterhalt erscheint als Belohnung für Wohlverhalten und die Ehefrau und Mutter als Hausangestellte mit Liebesdiensten."[18a]

Die Ausgangsfrage ruft mich von meinem Streifzug in die eigene finanzielle Situation zurück.

„Ein wesentliches Element des freien Berufes liegt in der Tätigkeitsvergütung des Anwaltes durch Einzelhonorierung des Mandates durch den Auftraggeber."[19] Im Zusammenhang mit der Honorierung des Strafverteidigers spricht der Autor Hans Dahs davon, „daß es in dem Wesen des Honorars als einer geldlichen Gegenleistung für geistige Arbeit und ideelle Leistung liegt, daß dieser Beziehung aus der Natur der Sache heraus eine Peinlichkeit anhaftet." Er streift mit einem Satz den Aspekt, „daß zur Zeit der griechischen und römischen Antike . . . schon bloß der Gedanke an eine materielle Entlohnung geistiger Leistung suspekt war." „So forderten manche Kultursysteme die Armut der Geistigen, was die eigentliche Unabhängigkeit bedeute und die Erkenntnis ‚daß nur der Arme wahrhaft frei ist'." Diesen Gedanken einmal frei weiterspinnend erahne ich sicherlich den angezielten, hohen geistigen Vervollkommnungsgrad, welcher z.B. nach der Lehre der Esoterik Sinn des Rades der Wiedergeburten ist und eben diesen höchsten Grad der geistigen Vervollkommnung erreichen lassen soll.
In meiner suchenden Erdverbundenheit, noch verstrickt in die Gesetze der Materie (lat. Mater!), will ich einen reichhaltigen Beispielfall schildern:
Stellen Sie sich vor, Montag früh um 7.30 Uhr wartet eine Frau mit blaugeschlagenem Auge und drei verstörten Kleinkindern in Begleitung einer Frauenhausfrau vor der Kanzleitür. Der Ehemann hat die Ehefrau aus dem Hause geprügelt. Diese ist zusammen mit den drei Kindern in ein Frauenhaus geflohen. Juristisch subsumiert ist das Begehren der Mandantin, z.B. einstweilige Anordnungen zur Regelung der elterlichen Sorge, Unterhaltsfragen, Hausratverteilung, Zuweisung der Ehewohnung . . . Über mehrere Tage hinweg gibt es eiligst viel zu erledigen: Telefonieren mit der Polizei, welche Vorfälle z.B. schon aktenkundig sind. Telefonische Verhandlungen mit dem zuständigen Jugendamt, informatorische Anhörung bereitwilliger Nachbarinnen, die Zeuginnen der lautstarken und handfesten Auseinandersetzungen geworden waren, Gespräche mit dem Sozialamt, der Frau schon einmal Überbrückungsgeld zu zahlen, Sondierungen mit dem zuständigen Familienrichter wegen eines alsbaldigen Beschlusses, möglichst ohne mündliche Anhörung. Während der ersten Phase sind die Nachwehen der Auseinandersetzungen besonders massiv: Androhung weiterer Prügel, Nachspionieren und Abfangen der Ehefrau durch verlassenen Ehemann, Gefahr der Rückentführung der mithineingezogenen Kinder . . . Die in ihr schicksalhaftes Tief verstrickte Frau wird sicherlich das besondere Engagement ihrer Anwältin und der Frauenhausfrau erkennen können, wenn sie durch Alleinzuweisung der ehelichen Wohnung erlöst werden konnte, die elterliche Sorge vorübergehend zum Wohl der Kinder zu ihren Gunsten geregelt ist, Unterhaltszahlungen verläßlich ankommen.
Hierbei taucht noch eine weitere Frau-Geld-Situation auf:

Die z.B. überwiegend „ehrenamtlich" arbeitenden Frauen eines autonomen Frauenhauses. Deren Einkommen ist bestenfalls gesichert durch eine ABM-Stelle, Sozialhilfe, oder gar durch regelmäßigen Unterhalt einer Ehefrau. Es kann nun eintreffen, daß die eingangs dargestellte Frau sich mit ihrem Ehemann wieder versöhnt. Wenn mehrere solche arbeitsintensive Frauenrechtsfälle zu betreuen sind und dies immer wieder anfällt, kann das ökonomische Gleichgewicht einer Frauenkanzlei empfindlich schwanken: Hier ein Wachsen des Arbeitsstapels, dort ein Stagnieren des Honorars: Die bisweilen besonders umfangreiche außergerichtliche Beratungstätigkeit kann, sofern die Mandantin den Beratungshilfeschein auch vorlegen kann, für 97,98 DM unzureichend abgedeckt werden. Für die umfangreiche prozessuale Tätigkeit ist die Honorarfrage so lange freischwebend, bis über den Antrag auf Prozeßkostenhilfe (PKH) entschieden worden ist. Feiern sich die vormals zerstrittenen Eheleute alsbald nach unverzüglicher, seitenlanger (Zeit- u. Arbeitsdruck, schließlich steht mindestens die körperliche Unversehrtheit von Frau und Kindern auf dem Spiel) Antragsstellung als versöhnt, könnte der Antrag auf PKH „mutwillig" i.S. d. § 114 ZPO[20] erscheinen und die nachträgliche Gewährung von PKH gefährdet sein. Die Handhabung der einzelnen Familiengerichte hierzu ist noch uneinheitlich. Wünschenswert ist, daß die Frage der „Mutwilligkeit" auf den Zeitpunkt hin überprüft wird, zu welchem z.B. die mißhandelte Ehefrau die entsprechenden Anträge über ihre Anwältin hat stellen lassen. Zu diesem Zeitpunkt war die Rechtsverfolgung sicherlich nicht mutwillig, sondern die Frau befand sich in höchster Not. Sollte nun weder die Anerkennungsgebühr in Höhe von 20,– DM, noch der Beratungshilfeschein nachgereicht, geschweige denn der Antrag auf PKH bewilligt worden sein, erscheint die Einkommenssituation einer Frauenkanzlei durchaus pekuniär-prekär:

Das ungesicherte, freiberufliche Einkommen, beschränkter Kredit, welcher durch abzubezahlende Lebensversicherung gedeckt sein muß, Umsatzsteuervorauszahlungen, gleichzeitig laufende Kosten wie Büromiete und -investitionen, berechtigte Gehaltsansprüche fleißiger Bürofrauen (allroundtime of the 77th finished) und ganz einfach die Kosten zum Leben. „Das Standesrecht verpflichtet den Anwalt grundsätzlich dazu, seine Tätigkeit nur gegen Entgelt zu gewähren. Er muß mindestens die Gebühren fordern, die in der Bundesgebührenordnung für Rechtsanwälte (BRAGO) vorgeschrieben sind. Diese Regelung dient einmal einer gewissen Gleichmäßigkeit in der Honorierung ..., zum anderen ist sie das unentbehrliche Fundament der wirtschaftlichen Lebenssicherung der freiberuflichen Rechtsanwälte. Die Bindung an die gesetzlichen Gebühren bedeutet, daß ... der gesetzliche Gebührenrahmen in keinem Fall unterschritten werden darf. Der Rechtsanwalt ist aber auch gehalten, über die Mindestgebühren hinaus innerhalb des Rahmens diejenige Gebühr zu verlangen, die nach den Kriterien des § 12 BRAGO für die betreffende Sache angemessen ist. Denn nur diese ist die ‚gesetzliche' Gebühr."[21] Rechtsanwälte werden grundsätzlich nicht nach Arbeitsaufwand, sondern eher nach Streitwerten bezahlt. Das kann im Extremfall dazu führen, daß bei einer ca. 1-stündigen Beratung ungefähr 500,– DM Honorarkosten fällig sein können, wenn z.B. über Mietschulden in Höhe von ca. 10.000 DM beraten worden ist. Zur Verdeutlichung des Verhältnisses von Arbeitsaufwand und Streitwert noch die Gegenprobe: Bei einer mehrmonatigen und umfangreichen Beratung über Mietforderungen in Höhe von 700,– DM kann sich ein reguläres Honorar von ungefähr 50,– DM ergeben. Dieses Prinzip kann öfters nicht mehr greifen, wenn z.B. einerseits umfangreiche Arbeit im isolierten

Elterlichen Sorgeverfahren (Streitwert immerhin 500,– DM) geleistet worden ist, andererseits weder Anerkennungsgebühr von 20,– DM noch der Beratungsschein für die 97,98 DM wegen anfänglicher Eilbedürftigkeit der Rechtsangelegenheit geleistet worden sind.

Welche Gebühr ist in dem geschilderten Fall „angemessen"? Bei Ehefrauen eines familienrechtschutzversicherten Spitzenverdieners kann meistens der Ehemann als Versicherter seine Anwaltskosten über die Rechtsschutzversicherung abrechnen lassen. Nicht die „nur mitversicherte" Ehefrau in einer solchen Konstellation so ohne weiteres. Wenn nun der Streit zwischen den Eheleuten daran entbrannt ist, daß sie mit Geld „zu kurz" gehalten wird, bekommt dies auch die Anwältin bei ihrer Honorarnote zu spüren. Neben den neuesten Rechtskenntnissen kann bei einer Beratung noch ein „mehr" hinzukommen, nämlich das besondere Verhältnis für die Situation der Frau. „Ich habe mir deshalb eine Frau als Rechtsanwalt gesucht, weil ich von ihr erwarte, daß sie vor allem auch menschlich meine besondere Situation eher versteht" (häufige Äußerung der Mandantinnen). Es ergibt sich öfters geradezu eine therapeutische Gesprächssituation, in welcher die Anwältin der Mandantin Gelegenheit gibt, in Ruhe die Erkenntnis selbst zu entwickeln, welche Entscheidung sie fällen will. Zuhören, ohne sich selbst einzubringen, Aufgreifen persönlicher Empfindungen, Beleuchtung prägender ehelicher Erfahrungen, ausführliches Eingehen auf hautnah erlebte Eheschwierigkeiten; auch wenn solches nach dem juristischen Tatbestand nicht entscheidungserheblich ist, weil z.B. das Trennungsjahr „absolviert" ist. Die Frau ist jedoch noch so direkt berührt durch die nervende Haarspalterei und in ihren Augen „Gemeinheiten" des verlassenen Ehemannes, daß sie, prallvoll hiervon, endlich mal lossprudeln will und noch gar nicht aufnahmefähig ist für „spröde" juristische Information. Vom Standpunkt der Ökonomie aus könnte solches unrentabel sein, da hier das Gespräch abgeblockt und in juristische Subsumtionsraster eingeklinkt werden kann: Trennungsjahr liegt vor. Geschichte der Ehezerrüttung interessiert von gesetzeswegen nicht mehr. Aber welches Bedürnis besteht bei der Mandantschaft, gerade weil das neue Ehescheidungsrecht u.U. keine Gelegenheit mehr eröffnet, vor einem Forum der Autoritäten endlich mal „abzuladen", „schmutzige Wäsche zu waschen"? Dann wenigstens im Vorfeld des Anwaltes unfiltriert das menschliche Eheleid vorführen dürfen. Dieses „mehr" an Arbeit wird durchgängig nicht so ohne weiteres aufgefangen mit ‚angemessenem' Honorar, sondern durch zusätzliche, „mehr"Arbeit. Um mich finanziell bei einem derartigen „Mehr" an Arbeit „über Wasser" zu halten, greife ich auf Prinzipien zurück, welche ich im Nachhinein als Grundsätze erkannt habe, die zu Zeiten der Oikuslehre noch galten, um finanzielle Not zu lindern: „Einschränkung des Konsums, gesteigerter Arbeitsaufwand, unwirtschaftliche Opfer."[22]

Warum nehme ich das auf mich? Weil ich ganz einfach tagtäglich das Problem ‚Verhältnis Frau zum Recht' erkennen kann:

„Das distanzierte, problematische Verhältnis der Frauen zum Recht erklärt sich aus ihrer vielfältigen Erfahrung, daß Recht nicht nur als männlich gilt, sondern kraft Tradition vorwiegend männliche Normen und Interessen verkörpert – ein Tatbestand der rechtshistorisch zu belegen ist."[23] „. . . Frauen verhalten sich gegenüber Rechtsmitteln und Rechtsvorschriften hilflos oder desinteressiert, weil diese Eigenarten ihrer Frauenrolle und damit den Erwartungen an sie entsprechen. Frauen beschreiben sich als anpassungsfähig, nachgiebig und ausgleichend. Sie wollen bewußt den Rechtsstreit vermeiden, lieber

auf die Durchsetzung eigener Rechte verzichten, als eine menschliche Beziehung (Ehe, Freundschaft) aufs Spiel zu setzen. Ihnen stellt sich die Frage:
Was nützt ein gewonnener Rechtsstreit, wenn dabei doch die Ehe geschieden
wird?" „Das Recht hat er nicht", sagt eine Frau sehr bestimmt, aber wir
Frauen tun es um des lieben Friedens willen." „Haben Männer nicht so viele
Skrupel im Umgang mit Recht?" „Was ist menschlicher, knallhart zu sein
oder nachgiebig?" Ute Gerhard meint, daß alle diese Fragen erst beantwortet
werden können, wenn auch die Soziologie in der Lage ist, „weibliche Sozialisation nicht nur als defizitär, sondern im Hinblick auf die Soziabilität des
Menschen möglicherweise als gelungener zu beschreiben, wenn die anderen
Wertentscheidungen und Handlungsziele von Frauen nicht nur gemessen werden an den herrschenden männlichen Normen und als ‚Abweichungen‘ oder
‚Subkultur‘ in die Marginalität definiert". Ferner lerne ich immer genauer,
daß die dramatischen „Höhen und Tiefen" (z.B. Versöhnung, s.o.) ein selbstverständlicher Bestandteil des Familienalltags sind. Klaus Wahl[24] ist der Frage
ausführlich nachgegangen, inwiefern das „Schlag auf Schlag" „ein schicht-
spezifisches Merkmal" ist. Die sozio-ökonomische Lage der Unterschichts-
familien läßt Alternativen so gut wie gar nicht existieren: Mit ihnen ist etwas
geschehen, nicht durch sie — das ist das Charakteristische an dem immer wieder erträumten Wunschbild eines „gleichmäßigen guten Familienlebens".
Neben der sorgfältigeren Abwägung zwischen Dringlichkeit und Absicherung der Ökonomie habe ich u.a. gelernt: Sich nicht als „Macherin" vor-
schicken lassen und es z.B. dem Ehemann mal ordentlich zeigen. Für eine
trennungswillige Frau kann es bisweilen sehr schwer sein, entsprechend ihrem
dringlichen Wunsch, „endlich Ruhe zu haben", ein bisweilen längeres Ge-
richtsverfahren seelisch durchzustehen. In vielen Teilbereichen schimmert
immer wieder ungebrochen durch: „Das Weib ist Weib durch Fehlen gewisser
Eigenschaften . . ."[25] Die am Anfang der Frauenbewegung vielbeschworene
Vielheit droht mir verlorenzugehen, wenn ich mich im Frau/Mann-, lesbisch/
hetero-, Kopf/Bauch- . . . Wahr/Falschdenken verfange: Denn die Endlösung
ist stets schon immer mitgedacht: die Abschaffung des anderen[26]. Ilona Kickbusch fragt, „schätzen wir uns selbst aufgrund unserer Jahrtausende alten Unterdrückung so gering ein, daß wir dem „Feind" (Zeichensetzung d. Verf.) nur
durch Abschaffung beikommen?" Die Denkweise der patriarchalen Macht
steckt noch stark in unseren Köpfen und wird nicht durch Umkehrung zu-
nichte.
Ich bin bereit, weiterhin mich auf die Suche nach meinem Selbst zu begeben,
wachsam zu bleiben, um mit Hilfe der zu meisternden Schwierigkeiten das
Aufkeimen der fortschreitenden Erkenntnis zu erreichen.

Anmerkungen

1 Beverly Fischer; Investier dein Geld in deine Feministische Zukunft! Sterntaler;
  Feminismus und Geld; Lilith-Frauenbuchladen, Knesebeckstraße, 1000 Berlin-West
  12, hier: S. 50 ff.
2 Karin Huffzky; Wer muß hier lachen? Das Frauenbild im Männerwitz, Eine Streitschrift; Sammlung Luchterhand Nr. 271, 1979, hier: S. 42 ff.
3 Heidi Rosenbaum (Hrsg.in); Familie und Gesellschaftsstruktur; Suhrkamp Taschenbuch, Wissenschaft nr. 244, 1980, hier: S. 83 ff. Otto Brunner: Vom ‚ganzen Haus‘
  zur ‚Familie‘.
4 Gertraude Krellin; Mehrwert. Beiträge zur Kritik der pol. Ökonomie, Heft 15/16,
  Berlin 1978: Zur geschlechtsspezifischen Verteilung von Produktions- und Repro-
  duktionsarbeit; hier: S. 90.

5 Elisabeth Beck-Gernsheim; Das halbierte Leben; Fischer TaBu Nr. 37, Mai 1980, hier: S. 248 ff.
6 Elisabeth Beck-Gernsheim, a.a.O., S. 251 ff.
7 Silvia Kontos und Karin Walser; . . . weil nur zählt, was Geld einbringt; Probleme der Hausfrauenarbeit; Burckhardthaus-Laetare-Verlag, Gelnhausen; Band 4; 1979, hier: S. 77 ff.
8 S. Kontos und K. Walser a.a.O., hier: S. 77 unten.
9 Ute Gerhard; Verhältnisse und Verhinderungen. Frauenarbeit, Familie und Recht der Frauen im 19. Jahrhundert. Mit Dokumenten. Edition Suhrkamp Nr. 933; 1978, hier: S. 63.
10 Ute Gerhard; a.a.O., hier: S. 66 oben.
11 Kontos, Walser, a.a.O., hier: S. 167 ff.
12 Siehe (11), S. 77, 167.
13 Vera Slupik; Geld stinkt nicht, aber . . . Kritisches zur Forderung nach Lohn für Hausarbeit als politische Strategie der Frauenbewegung; Beiträge zur 2. Berliner Sommeruniversität für Frauen − Oktober 1977, hier: S. 227.
14 Gertraude Krell, a.a.O., hier: S. 96.
15 Eva Cyba; Die berufliche Situation der Frau − am Beispiel weiblicher Angestellter; Kriminalsoziologische Bibliografie, 1979, Heft 23−24, Ludwig Boltzmann Institut für Kriminalsoziologie, hier: S. 41 ff.
16 Hajo Funke, Brigitte Geißler, Peter Thoma; Industriearbeit und Gesundheitsverschleiß; Universität Bremen 1973; Europäische Verlagsanstalt, hier: S. 232 ff.
17 Marie Jahoda: The psychological meanings of unemployment; New Society 6 September 1979, hier: S. 494; Zitat: The Ideology of Work, P.D. Anthony.
18 Marie Jahoda: ,,Arbeitslose haben alles Recht der Welt, über ihre Lage unglücklich zu sein.'' Das Psychologie heute-Gespräch mit M. Jahoda in Zeitschrift, a.a.O., Nr. 12, 8. Jahrgang, Dezember 1981, hier: S. 71 ff.
18a Prof. Dr. Jutta Limbach; Frage an den Experten; Stern, Ende Mai 1980.
19 Hans Dahs; Handbuch des Strafverteidigers. 4. Auflage, hier: S. 632 ff.
20 Paul Schuster; Prozeßkostenhilfe; Erläuterungen zu den Vorschriften über die Prozeßkostenhilfe; Bundesanzeiger, hier: § 114 ZPO.
21 Prof. Dr. Hans Dahs; Taschenbuch des Strafverteidigers; Kurzausgabe; 1972; Verlag Dr. Otto Schmidt KG, hier: S. 285 ff.
22 Heidi Rosenbaum, a.a.O., hier: S. 86 oben.
23 Ute Gerhard; Über gegenwärtige und historische Erfahrungen der Frauen mit Recht. Vorüberlegungen zu einer Rechtstheorie auch für Frauen. Ute Gerhard/Rüdiger Lautmann, Frauen in Recht und Unrecht; Nr. 2, aus: Arbeitspapiere des Forschungsschwerpunktes Soziale Probleme: Kontrolle und Kompensation; Universität Bremen, Juli 1979, hier: S. 2 ff, 5 ff.
24 Klaus Wahl, Greta Tüllmann, Michael-Sebastian Honig, Lerke Gravenhorst: Familien sind anders!, roro tabu Nr. 4636; Juli 1980, hier: S. 95 ff.
25 Rosemarie Nave-Herz; Das Dilemma der Frau in unserer Gesellschaft: Der Anachronismus in den Rollenerwartungen; Luchterhand Arbeitsmittel; 2. Auflage, Januar 1975, hier: S. 26 ff. (Dort Zitat aus Simone de Beauvoir: Das andere Geschlecht − eine Deutung der Frau, roro tabu, 1966, S. 8 ff.
26 Ilona Kickbusch: Reproduktionspolitik. Sexualität und soziale Bewegung, in: Ästhetik und Kommunikation, Heft 37, Oktober 1979.

Wiltrud Rülle-Hengesbach,
Dortmund, geb. 15.11.1946; zweite
juristische Staatsprüfung im Januar
1977; seit Ende 1978 selbständige
Rechtsanwältin in Einzelpraxis;
verheiratet.

Das weibliche juristische Dasein im Unterschied zum männlichen Normalfall!

In den Berichten meiner Kolleginnen ist eigentlich alles ausgeführt, was das „weibliche juristische Dasein" vom „männlichen Normalfall" unterscheidet. Andererseits war es eine Wohltat zu lesen, daß Irritation und Ärger, Anfechtungen und Verletzlichkeiten anläßlich regelmäßig wiederkehrender Verhaltensweisen und Erwartungshaltungen wohl doch nicht nur der persönlichen Empfindlichkeit entspringen, sondern sich auf reale Tatsachen gründen. Da ich bei vielen Berichten sagen kann, „ja, so war/ist es", möchte ich nicht noch zusätzlich Begebenheiten aufzählen, wo die allgegenwärtigen Diskriminierungen — selten offen, aber trotzdem wirksam — ein weiteres Mal belegt werden, sondern Aspekte beleuchten, die einer Juristin das Leben „sauer" machen.

Was meinen Entwicklungsgang betrifft, so war ich bei der Aufnahme des juristischen Studiums überzeugt, einmal Richterin zu werden. Der dabei motivierende Glaube, im Richteramt keinerlei Interessen bzw. Sachzwängen ausgeliefert zu sein, wurde in der Referendarausbildung ad absurdum geführt. Rücksichtnahme auf Beförderung und Einhaltung einer allgemeinen Entscheidungslinie waren an der Tagesordnung, ein Abweichen hätte eine weitgehende Isolierung bedeutet. Was ist aber in einer Isolation noch machbar, ganz abgesehen von der Reduzierung schöpferischer Kräfte beim fortwährenden „Alleingang"? „Wenn Sie sich beschweren, müssen Sie damit rechnen, ein „Qu" in Ihre Personalakte zu bekommen (Qu. = Querulant), die Folgen können Sie sich selbst ausrechnen." Engagement war eher verdächtig, zumal wenn es sich nicht um die Mitarbeit in den „anerkannten" Gremien handelt, als eine demokratische Tugend — eine Haltung, die auch bei den meisten Referendaren vorherrschte.

Also wurde ich Anwältin, zunächst auf Stellensuche: „Dem Zuschnitt meiner Praxis entspricht keine Frau als Juristin." „. . . nichts gegen Frauen, aber die sind für einen solchen Beruf einfach zu sanft." „Haben Sie schon mal den Kollegen X gesehen? Wie der sich für seine Mandanten einsetzt? Allein schon mit seinem Körper, Symbol überzeugender Durchsetzungskraft, na ja, entspricht vielleicht nicht ganz unserer Überzeugung, aber wirklich beeindruckend." „Wir sind hier ein rein kommerzielles Unternehmen, Frauen denken zuviel an die Gerechtigkeit, das klappt nicht." Ich denke, in gewisser Hinsicht hatten diese Herren recht, wie sich bei späteren Anstellungen herausstellte. Das war und ist meine Basis nicht.

63

Also machte ich mich selbständig — nach freier Mitarbeiterschaft und Ange-
stelltendasein.

Ich bin immer noch sanft, auf Ausgleich bedacht, durchaus Interessenvertre-
terin, aber nicht einseitig und unter Verächtlichmachung der Gegenpartei. Das
Recht ist mir auch beim Gegner „heilig". Es käme mir z.b. nie in den Sinn,
rechtlich Unhaltbares vorzutragen in der Erwartung, die andere Partei könnte
es vielleicht nicht bemerken oder um meine Mandanten zufriedenzustellen.
Den Kollegen scheint dies weniger auszumachen. Ich denke, daß Recht nur
dann weiterentwickelt werden kann und mit Leben ausgefüllt wird, wenn das
beliebte Freund-Feind-Denken überwunden und der eigentliche Konflikt bearbeitet wird.

Um ein Beispiel zu nennen:

Die „Linken" empören sich wortreich und heftig, wenn jemand von den
„Rechten" mangels Tatverdachtes nicht weiter festgehalten, sondern freige-
lassen wird, „wo doch alles so klar ist". Andererseits nähren sie ihre Justiz-
feindlichkeit aus genau den selben Argumenten, nämlich: Ohne Beweise,
allein wegen der Gesinnung werde X festgehalten (was oft stimmt, aber das
ist hier nicht das Problem). Einerseits wird dem Strafvollzug jegliche reso-
zialisierende Wirkung abgesprochen, andererseits wird nach strengster Haft
gerufen, wenn jemand politisch andere Ziele verfolgt. Für mich ist das schizo-
phren und der Punkt, wo Recht untergraben wird. Die leidvolle Erfahrung ist,
daß Justiz und Betroffene oft nur durch den Grad der realen Machtmittel
unterscheidbar sind, nicht aber in ihren Überzeugungen. Auch die Justiz ist
ja zumeist nicht bereit, den wirklichen Konflikt zu entscheiden und die Lö-
sungsfindung transparent zu machen, z.B. zu begreifen und danach zu handeln, daß eine Angst nicht daran gemessen werden kann, ob sie vom eigenen
Erlebnisbereich nachvollziehbar ist, sondern wie stark der Betroffene dadurch
gelenkt wurde, daß Gewissensentscheidungen nur auf der Grundlage der Kriterien des anderen nachvollzogen werden können. Was daran tagtäglich frustriert, ist, daß Kommunikationsmöglichkeiten mit Andersdenkenden nicht
genutzt werden und die evolutionäre Wirkung einer solchen Basis der Auseinandersetzung unterlaufen wird, was die Gewalttätigkeiten nur verstärkt. Beispiele hierfür können insbesondere aus Strafprozessen und politischen Pro-
zessen mannigfach angeführt werden, wo man gerade als Juristin bestenfalls
„mildernde Umstände" wegen der im Bemühen um Verständnis liegenden
speziell weiblichen Komponente zugebilligt bekommt, nicht aber ein Rechts-
gespräch. Nebenbei bemerkt: die Form des Plädoyers — einseitiger Vortrag —
halte ich für eine — in diesem Bereich — typisch männliche Gestaltungs- und
Gesprächsform. Dieses Beharren auf gewachsene Strukturen — des Verhaltens,
des Denkens, des Miteinanderumgehens — findet man nun aber nicht nur in
der Justiz (mangels Masse denke ich dabei eigentlich nur an die männlichen
Vertreter), sondern — für mich erschreckender — gerade auch bei den Kollegen meiner Generation und bei den „fortschrittlichen" Mandanten: „Du
mußt Dir erst einmal eine sichere Position in der Gesellschaft verschaffen, die
ökonomische Basis, dann kannst Du auch Deine Ideen/Ideale verwirklichen",
sagt mir ein (Richter)-Kollege bei einem Treffen der „Vereinigung demokratischer Juristen", der ich auch angehöre. „Ich gehöre ja zur selben Generation
wie der Beklagte und die Frau Prozeßbevollmächtigte, aber da sind nun mal
gewachsene Strukturen, die nicht einfach wegdiskutiert werden können", sagt
ein Jurist eines Energieversorgungsunternehmens. Vielleicht bin ich zu empfindlich. Doch für mich sind da ganz offenkundige Parallelen.

Mona Fischer, Justitia, Marionette 1979

„Du vertrittst die Stromgeldverweigerer, da kommst Du vor Gericht doch nie durch, und finanziell bringt das auch nichts, höchstens einen schlechten Ruf." Ja, wie wahr! Neueste Variante: Eine junge Frau sucht mich auf, um sich beraten zu lassen über die Möglichkeit, eine Sorgerechtsentscheidung abzuändern. Die Beratung sagt ihr zu, aber dann kommt die bange Frage: Du bist doch auch politisch tätig gewesen (= Umweltschutzprozesse – Atomkraft, Talsperrenbau, Zerstörung von Landschaftsschutzgebieten u.a.), ist das für mich bei Gericht nicht schädlich, wenn Du mich vertrittst?" Parallelen, Parallelen . . .! Und doch . . .

Frustration: kein markiges Auftreten, keine letzten Wahrheiten, stattdessen Abwägen der rechtlichen Aspekte, Risiken, Taktiken, politische Zusammenhänge, eigenverantwortliche Entscheidungen. Meine Kollegen wissen zumeist immer sofort alles und alles ist auch machbar – bis auf die Dinge, die finanziell nichts bringen.

Mitarbeit in Initiativen: hat sich als persönlich und beruflich verfehlt erwiesen. Dem Bild eines Rechtsanwaltes – unbewußt eigentlich immer männlich, auch in den Köpfen der Fortschrittlichen, der große Guru, der dem Gegner in einem rhetorischen Feuerwerk Paroli bietet, ihn bezwingt, keinen Zweifel kennt, ganz Interessenvertreter ist, listenreich bis hinterhältig – entspricht es nicht, auch noch mitzuarbeiten, wenn es nach außen gefordert wird, z.B. Informationsstände zu besetzen, Flugblätter zu verteilen, Adressen zu tippen etc. Sofern es um eigene Rechtsangelegenheiten geht, wird zumeist der bekannte Linksanwalt aufgesucht, wenn es um die Initiativarbeit geht, wird die Fachkenntnis eher als bedrückend empfunden und die nüchterne Art als Mangel persönlicher Zuwendung.

BBU-Kongress: gemischte Mittagsrunde, heftige Debatte, eine Meinung von mir verpufft im Raum, dieselbe Aussage eines männlichen Teilnehmers nur fünf Minuten später – das Ei des Kolumbus ist gefunden. Liegt es wirklich nur an meiner relativ zarten Stimme? Ein Einzelfall ist es nicht, wie ich in einem anderen Bericht – zu meiner Erleichterung – gelesen habe, wobei ich mich über das Wort „Erleichterung" schon ärgere; als ob es irgendetwas zu rechtfertigen gäbe.
Das Problem „Juristin und ihre Wirklichkeit" fügt sich m.E. nahtlos in die Thematik der Frauenbewegung ein. Eine Zukunft (zumal im freiberuflichen Tätigkeitsfeld, ohne daß Beziehungen da sind – und die sind zumeist nicht mal bei Gericht da in Form von Pflichtverteidigungen, Beiordnungen etc.) der Juristin ohne „weiblichen" Identitätsverlust wird es nur geben, wenn mehr Menschen bereit sind, von tradierten Typenvorstellungen abzugehen und sich bewußt zu machen, daß Veränderungen erst möglich sind bei Stimmigkeit von Funktionen, Überzeugung, Zielsetzung und Verhalten. Juristinnen sind bisher wahrscheinlich noch am wenigsten bereit, wegen finanzieller Absicherung, persönlicher Ehre und beruflichem Fortkommen in zwei Ebenen zu leben: Überzeugung und Gewalt von Fakten. Wahrscheinlich deshalb, weil sie Ungleichheiten, Diskriminierungen und Bedrohungen konkreter nachvollziehen können, weil sie all dem (wenn auch nicht unbedingt in den selben Bereichen) auch ausgesetzt sind.
Meine Beobachtung geht dahin, daß Frauen in juristischen Berufen, sofern sie nicht entmutigt sind, flexibler, konfliktnäher und geduldiger – zeitintensiver an Dinge und Menschen herangehen und nicht gleich in die Schemataschublade greifen; es gibt nur zu wenige, die tatsächlich eigeninitiativ arbeiten

(können). Ich zumindest fühle mich oft isoliert, da juristischer Kontakt meist nur mit männlichen Kollegen oder Frauen aus „sicheren Berufen" (Gericht, Verwaltung) möglich ist. Es wäre m.E. nötig, mit diesen bzw. anläßlich dieser Berichte weitergehende Kommunikationsformen zu entwickeln, um sich zu stärken, den alten Regeln und Rollen zu widerstehen und vielleicht auch zunehmend Juristinnensozietäten zu gründen; dann wäre es sicherlich mit weit weniger Exotik verbunden, Anwältin/Juristin zu sein und auch der heute meist anzutreffende „dritte Mann" einer Sozietät (nämlich die bei Ausdehnung der Praxis gegenüber Mandantinnen sich gut machende Anwältin) könnte vielleicht auch Bereiche außerhalb der Frauen- und Familienfragen übernehmen, wenngleich sie für diesen Bereich sicherlich prädestiniert ist.

Amtsgericht Neukölln, Berlin (Foto: Hannelore Zimmermann)

Von links nach rechts: Petra Rogge, Trudel Karcher, Angelika Gregor, Gisela Friedrichs

Gisela Friedrichs
Angelika Gregor
Petra Rogge
Trudel Karcher

Hanseatische Rechtsanwaltskammer ./. Scheidungsratgeber

Im Herbst 1978 erschien die erste Auflage unseres Scheidungsratgebers im Verlag Frauenpolitik. Das Buch wurde in einigen Zeitungen, darunter im STERN freundlich besprochen. Das größte Interesse galt dabei einem Kapitel unseres Ratgebers mit der Überschrift „Die billigste Scheidung".
In diesem Kapitel zeigten wir auf, daß auch eine Scheidung mit nur einem Anwalt möglich ist, wenn beide Parteien sich einig sind. Dadurch würde das Scheidungsverfahren erheblich billiger.
Diese inzwischen verbreitete und rechtlich anerkannte Praxis war damals noch neu. Sie erregte in der Presse Aufmerksamkeit, weil das neue Scheidungsrecht seit seinem Inkrafttreten im Juli 1977 als besonders teuer galt und die Presse dazu auch abschreckende Beispiele gebracht hatte.
Nur kurze Zeit nach der Veröffentlichung im STERN erhielten die 14 Rechtsanwältinnen unter den 18 Autorinnen ein Schreiben vom Vorstand der Hanseatischen Rechtsanwaltskammer, in dem die Kammer zwei Textstellen des Scheidungsratgebers beanstandete. Beide Textstellen befanden sich im 5. Kapitel, in dem auch die „billigste Scheidung" beschrieben wurde.
Die Kammer war der Auffassung, daß wir zum Parteiverrat auffordern

würden, weil wir die Beratung beider Eheleute durch einen Anwalt für zulässig
erklärten. Außerdem warf sie uns vor, daß wir an einer anderen Stelle die Parteien auffordern würden, die Unwahrheit zu sagen. Beides sei standeswidrig
und der Parteiverrat sogar strafbar. Die Kammer schrieb:

„Die angesprochenen Stellen des Ratgebers könnten daher als Verletzung ihrer Verpflichtung angesehen werden, sich innerhalb und außerhalb ihres Berufes so zu verhalten, wie
es das Ansehen des Berufes und das Vertrauen, welches die Stellung des Rechtsanwalts
erfordert, gebieten."

Wir hielten die Vorwürfe für hergesucht.

Ohne ein Wort über unser Buch insgesamt zu verlieren, hatte die Kammer
zwei Sätze im Scheidungsratgeber aus dem Zusammenhang gerissen und bös-
willig interpretiert. Offenbar war ihnen der Scheidungsratgeber und unsere
parteiliche Stellungnahme für die Frauen ein Dorn im Auge. Da beide Textstellen aus dem Kapitel stammten, in dem auch die „billigste Scheidung" behandelt wurde, war klar, daß die Kammer gerade an dieser Empfehlung Anstoß genommen hatte. Offenbar gefiel ihr nicht, daß wir den Frauen einen
Weg wiesen, wie man gelegentlich auch die Kosten für den Anwalt sparen
kann.

Gegen die Vorwürfe des Kammervorstandes setzten wir 14 Rechtsanwältinnen
uns in einem gleichlautenden Schreiben zur Wehr.

Als Antwort erhielten wir eine formelle Rüge.

Nachdem wir dagegen Einspruch erhoben hatten, wurde für den 23. Oktober
1979 eine Verhandlung vor dem Ehrengericht angesetzt.

Zur Vorbereitung trafen wir uns mehrfach mit unseren Verteidigern.

Jede „gerügte" Rechtsanwältin hatte sich entweder eine Kollegin oder einen
Kollegen zum Verteidiger bestellt. Die Verteidigergruppe bestand schließlich
aus 8 Rechtsanwältinnen und 6 Rechtsanwälten. Zusammen mit uns „Gerüg-
ten" waren wir also 28 Rechtsanwältinnen und Rechtsanwälte, die gegen den
Kammervorstand antraten.

Ursprünglich war diskutiert worden, ob wir uns nur von Rechtsanwältinnen
vertreten lassen sollten. Wir entschieden uns dann für eine gemischte Verteidigung, weil sich herausstellte, daß jede betroffene Kollegin doch die Anwältin oder den Anwalt für sich wünschte, zu dem sie besonderes Vertrauen
hatte.

Die Verhandlung vor dem Ehrengericht fand im großen Plenarsaal des Land-
gerichts statt. Der Saal war überfüllt. Viele Kolleginnen und Kollegen waren
gekommen, aber auch Frauen aus Frauengruppen. Unter den Zuschauern
waren auch einige Familienrichter und natürlich Beobachter vom Kammervorstand. Auch die Presse war sehr an unserem Prozeß interessiert und zahl-
reich erschienen.

Die Verteidigung war ein großer Erfolg. Alle 14 Anwältinnen und Anwälte
plädierten, jeder nur wenige Minuten, aber immer mit einem neuen Gesichtspunkt.

Schon zu Beginn hatten wir den ersten Überraschungserfolg: Zwei unserer
Verteidigerinnen „bezichtigten" sich der Mitarbeit am Scheidungsratgeber.
Als unser Buch erschien, waren sie selbst noch nicht als Rechtsanwältinnen
zugelassen und konnten deshalb selbst nicht gerügt werden.

Sie machten am Beispiel ihrer eigenen Mitarbeit klar, daß sie das Buch als
Frauen für Frauen geschrieben hatten und nicht in erster Linie als Rechtsanwältinnen.

Unsere Verteidiger deckten auf, daß der eigentliche Beweggrund für das

Ehrengerichtsverfahren gegen uns nicht die angeblich standeswidrigen Äußerungen waren, sondern das große öffentliche Interesse an unserem Buch. Bezeichnenderweise befanden sich nämlich die Unterlagen zu unserem Verfahren in einem Aktenordner der Kammer mit der Aufschrift „Werbung".

Zum Schuß beantragten alle Verteidiger die Rüge aufzuheben und uns stattdessen ein Lob auszusprechen.

Das Ehrengericht gab uns Recht. Es hob die Rüge auf und verurteilte die Anwaltskammer, die Kosten des Verfahrens zu tragen und unsere Verteidigergebühren zu ersetzen. Bei 14 Verteidigern machte das einen Betrag von DM 7.000,– aus.

Es gab langen Beifall von allen Seiten.

Das Ehrengericht bestätigte uns, daß die beanstandeten Textstellen weder eine Aufforderung an die Parteien zur unwahren Aussage enthielten, noch den Parteiverrat propagierten. Zum Schluß der Entscheidung sprach uns das Ehrengericht noch indirekt ein Lob aus:

„Schließlich ist für die Beurteilung des Verhaltens der 14 Rechtsanwältinnen der Gesamteindruck der Broschüre maßgeblich, nicht der von zwei herausgegriffenen Textstellen. Die Broschüre in ihrer Gesamtheit gesehen trägt nach Ansicht des Ehrengerichts, wie im übrigen auch der Kammervorstand unter Ziffer 4 des Rügenbescheides einräumt, eher zur Förderung des Ansehens der Rechtsanwaltschaft als zu seiner Schädigung bei."

Presse und Rundfunk berichteten ausführlich über unseren Erfolg. Eine Zeitung überschrieb ihren Artikel „Ohrfeige für Anwaltskammer".

Die Kammer konnte ihre öffentliche Niederlage nicht verwinden. Schon am 9. November 1979 erschien im offiziellen Kammerrundschreiben eine Erklärung zu unserem Prozeß unter der Überschrift: „Presseveröffentlichung über ein Rügeverfahren". Darin wiederholte die Kammer die alten Vorwürfe, von denen uns das Ehrengericht gerade freigesprochen hatte. Außerdem hieß es in der Stellungnahme:

„Der Vorstand sieht sich veranlaßt, die Kammermitglieder darauf hinzuweisen, daß ein Verhalten, welches den oben zitierten Empfehlungen der 14 Kolleginnen folgt, gegen gesetzliche und standesrechtliche Vorschriften verstößt und Maßnahmen der Standesaufsicht zur Folge haben muß."

Wir verlangten von der Kammer eine Gegendarstellung im nächsten Rundschreiben. Der Vorstand lehnte ab. Wir gingen vor Gericht und setzten uns mit einer einstweiligen Verfügung durch.

Die Auseinandersetzung mit der Anwaltskammer hat uns viel Spaß gemacht, auch wenn damit oft viel Arbeit verbunden war. Der Prozeß vor dem Ehrengericht hat uns auch die Möglichkeit gegeben, noch einmal öffentlich zu machen, weshalb wir den Scheidungsratgeber geschrieben haben und für wen wir ihn geschrieben haben.

Unser Anliegen war nicht, uns als Juristinnen zu profilieren, sondern die juristischen Fragen bei Trennung und Scheidung für Frauen so einfach und verständlich wie möglich darzustellen, um ihnen zu helfen, ihre Ängste davor abzubauen. Wir haben dieses Buch zwar mit juristischem Sachverstand, aber in erster Linie als Frauen im Rahmen unseres Engagements in der Frauenbewegung geschrieben. Wichtig war uns dabei auch unsere Zusammenarbeit als Frauengruppe. Für viele von uns war es das erste Mal, daß wir in der Gruppe über unsere Ängste im Beruf offen miteinander sprechen konnten und das sonst übliche Konkurrenzverhalten plötzlich keine Rolle mehr spielte. Wir konnten Erfahrungen aus unserem Berufsalltag austauschen, uns gegenseitig beraten und emotional stärken.

Wir haben bei unseren Treffen viel gelacht und uns dabei vom Streß des Tages erholt. Das soll nicht heißen, daß es in unserer Gruppe keinerlei Konflikte und keinerlei Konkurrenzverhalten gegeben hätte. Wir haben aber trotz dieser „Rückschläge" viel aus der Zusammenarbeit für uns selbst gelernt und bei den meisten hat sich dies auch auf die individuelle Berufsperspektive ausgewirkt. Eine von uns beschreibt dies für sich so:

„Ich war zum Zeitpunkt der Arbeit an der ersten Auflage des Scheidungsratgebers noch Referendarin und bin über meine Mitarbeit dazu gekommen, mich mit einer Kollegin aus der Gruppe zu einem Frauenbüro zusammen zu tun. Ich arbeite daneben im Frauenhaus und in anderen Graueninitiativen wie ‚Notruf' und ‚BIFF' mit. Für meine konkrete Berufspraxis bedeutet das, daß ich fast ausschließlich Frauen vertrete und schwerpunktmäßig Familiensachen übernehme.

Diese Spezialisierung ist einerseits eine Einschränkung meiner Tätigkeit, auf der anderen Seite konnte ich dadurch besondere Erfahrungen sammeln und die Frauen kommen mit einem gewissen Vertrauensvorschuß zu mir, weil ihnen meine Mitarbeit in den Frauenprojekten bekannt ist.

Meine Kolleginnen und ich haben übrigens die Erfahrung gemacht, daß wir als Autorinnen des Scheidungsratgebers als Prozeßgegnerinnen gefürchtet sind, weil wir den Ruf genießen, kämpferische Spezialistinnen zu sein. Das ist ein gutes Gefühl."

Sabine Wendt, geb. 1949,
Rechtsanwältin

Erfahrungen mit linken Rechtsanwälten

Ich will von meinen Erfahrungen als Rechtsanwältin in einer linken Anwaltssozietät berichten, in der ich als Berufsanfängerin angefangen habe. Meine beiden männlichen Kollegen waren schon acht Jahre als Anwälte tätig.

Es geht in meinem Beitrag nicht darum, konkrete Diskriminierungserlebnisse im Sinne einer Ungleichbehandlung darzustellen — die gab es nicht. Ich will vielmehr berichten, wie linke Kollegen darauf reagieren, wenn man ihnen von spezifisch weiblichen Problemen des Juristinnendaseins erzählt.

Da ein Linker nach meinem Selbstverständnis jemand mit einer besonderen Sensibilität für die offene oder versteckte Diskriminierung von Bevölkerungsgruppen sein sollte, richtete ich auch an meine Kollegen die Erwartung, meinen Erfahrungen mit Interesse und Solidarität zu begegnen. Ich merkte aber, daß ein „linkes Bewußtsein" eben nicht dazu ausreicht, um als Mann ohne weiteres weibliche Erfahrungen verstehen zu können. Dazu einige Beispiele:

1.
Ich berichte meinem Kollegen, daß in Frankreich bald 1/3 der Richter Frauen sein werden und daß zur Zeit sogar 50% der Absolventen der Richterakademie in Bordeaux Frauen sind. Die Zeitung „Le Monde" knüpfte an diese Tatsachen in einem Artikel interessante Überlegungen, inwieweit diese Entwicklung das Gesicht der französischen Strafjusitz und Familiengerichtsbarkeit

verändern wird. Der Autor, selbst Lehrer an der Richterakademie, ging davon aus, daß Frauen auf Grund ihrer anderen gesellschaftlichen Erfahrungen juristische Sachverhalte anderes bewerten als ihre männlichen Kollegen. Mein Kollege reagierte jedoch skeptisch. Nach seiner Erfahrung seien die Frauen häufig die strengeren Strafrichter oder Staatsanwältinnen, so daß ihre steigende Beschäftigung in der Justiz nicht zu einer Demokratisierung der Rechtsprechung führen würde. Es sei ihm im übrigen gleich, ob eine Frau oder ein Mann Recht spreche, ihn interessiere nur, ob sich diese Rechtsprechung an den Interessen der Arbeiterklasse orientiere.

Mein Kollege macht sich also keine Gedanken darüber, wie es dazu kommt, daß manche − keineswegs alle − Frauen meinen, es sei für die richterliche Durchsetzungskraft erforderlich, möglichst strenge Bewertungsmaßstäbe anzulegen, um keine „weibliche Schwäche" zu zeigen. Eine Antwort darauf hätte er bei einer Lektüre von Simone de Beauvoir finden können. Sie schreibt in „Das andere Geschlecht" einiges zu diesem Phänomen. Sie sieht die Ursache in dem ursprünglichen Minderwertigkeitskomplex der berufstätigen Frau (als Ergebnis ihrer geschlechtsspezifischen Erziehung und gesellschaftlicher Unterlegenheitserfahrung), der zu einer Abwehrreaktion führt, eben dem übertriebenen Herauskehren der Autorität.

2.
Ich habe an einer Tagung der Rechtsanwaltskammer über Fragen des Unterhaltsrechts teilgenommen. Sehr frustriert kehre ich zu meinen Kollegen zurück, und berichte ihnen darüber. Bei einer Teilnahme von 90% Männern war die Diskussion davon geprägt, daß man gemeinsam überlegte, wie man die Frauen am besten um ihre Unterhaltsansprüche bringt. So wurden Tips gegeben, wie sich der Mann aus der Affaire ziehen kann, wenn die Ehefrau studieren will, und deshalb auch nach der Scheidung nicht in dem erlernten Beruf arbeiten will, sondern erst das Studium beenden möchte mittels Unterhaltszahlungen des geschiedenen Ehemanns. Empört berichte ich darüber und erwarte Zustimmung von Seiten meiner Kollegen. Aber weit gefehlt − diese belächeln mein Engagement und meinen altväterlich, es sei doch für mich am wichtigsten, solche Tricks zu lernen. Das sei schließlich der Sinn solcher Tagungen.

3.
Jetzt war das vieldiskutierte Thema „dürfen linke Anwälte Vergewaltiger verteidigen?" Anlaß eines Streitgesprächs. Es begann mit einer Information meinerseits, daß ich eine neue italienische Gesetzgebung begrüße, die die Vergewaltigung in der Ehe strafbar macht. Darauf erfolgte ein Aufschrei meiner Kollegen: Jetzt wollt ihr auch noch die Ehemänner vor Gericht zerren. Ihr fühlt euch ja schon vergewaltigt, wenn euch einer auf der Straße hinterherpfeift.
Typisch, daß Du als Unverheiratete das forderst. Schließlich passiert das in jeder Proletarierehe, daß der Mann mal trinkt, und dann auch gewalttätig zu seiner Frau wird. So bedauerlich das ist − da sollte man den Staatsanwalt nicht einschalten. Hinterher bereuen es die Frauen dann, wenn sie ihren Mann ins Kittchen gebracht haben.
Mein Einwand, daß die Unverletzlichkeit des Körpers und die sexuelle Selbstbestimmung auch und gerade in einem besonderen Vertrauensverhältnis, wie es die Ehe darstellt, respektiert werden muß, bleibt unbeachtet.

Die Übernahme eines Mandats für die Verteidigung eines Vergewaltigers bietet für sie keine Probleme: schließlich gehört es zu den wichtigsten Grundsätzen der Rechtsstaatlichkeit, das jeder ein Recht auf Verteidigung hat — unbestritten. Das löst aber nicht das Problem, ob man selbst oder nicht irgend ein anderer, der eben keine Skrupel hat, die Verteidigung übernimmt. Mit der gleichen Argumentation lehnen meine Kollegen nämlich die Verteidigung von Alt- oder Neonazis vor Gericht ab. Die Skrupel, die Zeugin der Anklage und zugleich das Opfer als Lügnerin darstellen zu müssen, die übertreibt oder den Mann zu der Vergewaltigung ermutigt hat, scheint es für sie nicht zu geben. Stolz berichten sie mir, daß sie beide während ihrer Ausbildung in einer entsprechenden Strafkammer niemals einen Mann wegen eines solchen Delikts ins Gefängnis geschickt hätten.

Nach einem dreiviertel Jahr trennte ich mich von meinen Kollegen — die Verständigung war immer schwieriger geworden, und ich fand in D. eine Tätigkeit, in der ich mein geschmähtes feministisches Engagement besser einbringen konnte.

Ingeborg Grieb, geb. 1948; seit 1973
die I., seit 1978 die II. juristische
Staatsprüfung; seit Januar 1979
eigene Rechtsanwaltspraxis (halb-
tags); verheiratet; Tochter 11 und
Sohn 6 Jahre alt

Von inneren und äußeren Fronten

Nachdem ich einige Überlegungen hinsichtlich meiner Berufswahl angestellt hatte und als Ergebnis zum ersten Mal laut verkündete, ich dächte daran, Jura zu studieren, reagierte meine Mutter spontan: ,,Das ist kein Beruf für eine Frau, das Studium ist zu schwer. Eine Frau, die dort ,,ihren Mann stehen" will, muß ihre Weiblichkeit aufgeben."
Zwei Dinge wurden mir dabei schnell klar, zum, einen, daß es offensichtlich zwei Kategorien von Abiturienten gab, nämlich die weiblichen, die es zumindest nach der Ansicht meiner Mutter bestenfalls mit einem Lehrerstudium versuchen konnten, bis auf wenige unweibliche Ausnahmen, und die männlichen Abiturienten, die weiter entwickelte Fähigkeiten haben mußten, die ihnen Tür und Tor zu allen anderen Studiengängen öffneten. Zum anderen wurde mir bewußt, daß ,,Frau" wohl nur eins sein kann, nämlich Frau, was soviel bedeutete wie zurückhaltend, weich, sorgend und anschmiegsam, untergeordnet, zur Durchsetzung eigener Bedürfnisse angewiesen auf Tricks. Alles andere bedeutete eine strebsame Suffragette zu sein, die sich ihren Weg mit verbissenem Intellekt, Brille und Ellenbogen bahnen muß. Daß ich letzteres nicht sein wollte, wußte ich. Aus all diesen Gründen entschloß ich mich zunächst, doch lieber Erziehungswissenschaften zu studieren. Nur kurz, um dann in einem Aufwall von Protest zu wechseln. Ich durchlief den langen Weg einer Frau in wechselnden Rollen.
Die von meiner Mutter ausgeworfenen Vorurteile habe ich wiedergetroffen. Selten so direkt ausgedrückt, aber oft gespürt. Einmal allerdings fand ich sie

doch noch übertroffen. Als eine Kollegin nach dem Examen eine Stelle als angestellte Anwältin suchte, fand sie in der ganzen Stadt keine. Zuletzt fragte sie auch bei einem renommierten Büro nach und erhielt die klare und offene Antwort: „Frauen stellen wir grundsätzlich nicht ein." Sie hat sich darüber nicht mehr aufgeregt, denn hier war nur ausgesprochen worden, was die anderen sich nicht gewagt hatten, laut zu sagen. Sie hat dann in der Arztpraxis ihres Mannes mitgearbeitet.

Diese offene Form der Diskriminierung ist jedoch wie gesagt selten. Im juristischen Alltag läuft sie subtiler ab, oft ist es fraglich, gilt sie meiner Person als „weiblichem Organ der Rechtspflege", oder liegt es daran, daß ich eine junge Kollegin bin, die viele Erfahrungen noch nicht gemacht hat. Würde ein junger Kollege in derselben Situation ebenso behandelt werden? Stimmt es, wenn ich angegriffen werde, daß ich als juristisch arbeitende Frau angegriffen werde? So zumindest kommt es aber bei mir an, wobei ich nicht in Vorurteile verfallen will. Die Situationen, die ich dazu erlebt habe, zeigen für mich kein eindeutiges Bild. Ich weiß, daß meine Unsicherheit ein altes Problem ist, daß ich in die Situation mit einbringe; bereits lange bevor ich im Gerichtssaal aufgetreten bin, habe ich gelernt, als „Frau-an-sich" weniger wert zu sein.

Mit diesem Studium, mit diesem Beruf, bin ich in eine Welt eingedrungen, die auch heute noch dem Mann gehört. In unserer Stadt sind laut letztem Anwaltsverzeichnis ca. 90 Rechtsanwälte zugelassen und nur 8 Rechtsanwältinnen. Zwei oder drei von ihnen sind in ihrem Beruf gar nicht tätig, und ich wüßte keine, die in demselben Umfang arbeitet wie die meisten männlichen Kollegen. Welche Gründe auch immer dafür verantwortlich sind, zumindest scheint es auch für die Zukunft gewährleistet zu sein, daß der Justizbereich eine Domäne der Männer bleibt. Daran wird auch auf absehbare Zeit die Tatsache nichts ändern, daß erheblich mehr Frauen dieses Studium ergreifen. Solage das Rollenverständnis sowohl der Männer als auch der Frauen so festgelegt ist, werden viele Frauen den Versuch gar nicht erst wagen, in diesem Beruf zu bestehen. Schon durch ihr eigenes anerzogenes Verhalten fühlen sie sich zur doppelten Leistung gezwungen, um gegenüber den männlichen Kollegen bestehen zu können.

Sich in dieser Männerwelt zu behaupten, erfordert eine Durchsetzungskraft, die es für mich zu erreichen gilt, ohne Wut bekommen zu müssen, ohne in jene arrogante Überheblichkeit verfallen zu müssen, die vielen männlichen, älteren Kollegen eigen ist, ohne mich auf einen Kampf einlassen zu müssen, auf den ich als Frau nie vorbereitet wurde; ich will mich, kurz gesagt, nicht verhalten müssen wie ein Mann. Diese typischen Formen der männlichen Auseinandersetzung — früher im offenen Kampf — hier zur verbalen Perfektion getrieben, in bissigen Schriftsätzen gipfelnd, halte ich nicht für erstrebenswert. Dennoch sehe ich mich oft dazu gezwungen.

In einer Strafverhandlung griff ein Kollege meinen Mandanten an, unsinnig, denn der Angriff konnte seinen Mandanten nicht retten, im Gegenteil, alle an dem Verfahren Beteiligten waren unangenehm berührt. Als er sein Plädoyer beendet hatte und ich an die Reihe kam, rückte der ältere joviale Richter seinen Stuhl zurecht, er wollte mich direkt im Blickfeld haben. Seine gesamte Körperhaltung drückte seine fragende Erwartung aus: „Wie wird sie sich dagegen wehren?" Für mich war es keine Frage an die unerfahrene Kollegin, sondern eine Frage an die Frau, die ihren „Mann" stehen muß. Ich habe „meinen Mann gestanden", ich habe Stellung bezogen, mit dem unguten Gefühl, bei einem lächerlichen Schattenboxen mitzuwirken, ohne eigene Betroffenheit. Ich habe mich auf die männlichen Kampfmechanismen eingelassen und fühlte mich leider nur teilweise unwohl. Irgendwie war ich auch stolz dafür, daß ich mich schon angepaßt habe und aufpassen muß, daß ich mich nicht weiter fangen lassen.

In dem eben geschilderten Fall war ich aufgrund der unpassenden Äußerungen des Kollegen aufgefordert worden, mich zu wehren. Oft ist die Situation umgekehrt. Ich bin betroffen, ich reagiere ärgerlich, bin sauer über die Machtausübung der Richter und wehre mich ehrlich. Bilde ich es mir nur ein oder ist wirklich ein Umschwung im Verhalten zu erkennen? Die nette Art der — jungen — Kollegin gegenüber verschwindet plötzlich, sei schlägt um in ein kurzes ungläubiges Aufflackern in den Augen des Richters, daß diese Frau es wagt, knallhart zu sagen, daß sie da nicht mitmacht, die Frage des Staatsanwaltes nicht zugelassen haben will, die Vorschläge — mehr ein Versuch, die Verhandlung in einen Markt umzuwandeln — des Richters als mit rechtsstaatlichen Prinzipien auf der untersten Ebene nicht mehr für vereinbar hält oder einfach keinen Antrag stellt, weil sie es nicht verantworten kann, irgendeine Bestrafung für ihren Mandanten zu fordern. Ich spiele dann ein Spiel, bei dem es feste, eingeübte Regeln gibt, nicht mehr mit. Mein Verhalten wird mit Distanz, Ablehnung beantwortet. Die Phase des Ärgerlichwerdens verkrafte ich noch recht gut, aber das Gefühl, abgelehnt zu werden, nicht mehr. Ich glaube wieder, mich in einen Bereich eingeschlichen, eingedrängt zu haben, der mir nicht zusteht. Ich hänge wieder in dem Zustand meiner wechselnden Rollen. Ich will die mühsam gewonnene und akzeptierte Rolle als Frau ausbauen, weil ich glaube, daß es sich lohnt. Wenn ich meine, es nicht mehr vereinbaren zu können, gebe ich den Beruf auf.

*H. P., geb. 1938; 1963 erstes und
1966 zweites juristisches Staatsexamen; danach „Hausfrau und
Mutter", seit Mai 1978 eigene
Anwaltspraxis zusammen mit einer
Kollegin.*

Selbstbilder

Der „Aufruf" regte meine Phantasie an; jetzt, wo ich etwas zu Papier bringen möchte, merke ich, daß es mir, trotz dreijähriger Tätigkeit in unserem „Frauenbüro" an „harten Fakten" fehlt. Vielleicht hängt das damit zusammen, daß ich fast ausschließlich am Familiengericht tätig bin, wo die Atmosphäre etwas lockerer und freundlicher ist. Ich fühle mich dort einigermaßen akzeptiert, was auch damit zusammenhängen mag, daß ich hier ja noch am ehesten rollentypisch agiere, weil es um Ehe, Kinder und Familie geht. Ich fürchte auch, daß ich noch zu oft den Richtern das erwartete freundliche und liebe Gesicht mache, was wiederum mit meinen Autoritätsängsten, der ungelösten Vaterbeziehung (der auch Richter war) zusammenhängen mag.

Die Konflikte scheinen sich in erster Linie in mir selbst abzuspielen. Darum möchte ich über meine Gefühle, meine Wünsche und Ängste berichten, weniger als „Beitrag", vielleicht mehr als Anregung für andere, die meinen, mangels einschlägiger Erfahrung sollten und könnten sie keine Berichte liefern. Außerdem beschäftigt es mich ständig, und ich möchte es einmal zu Papier bringen:

Wer bin ich? Wer will ich sein?
1. Für die einen bedeute ich Exotik; Ausspruch eines Richters als ich gegen eine Kollegin auftrete: Na, mal sehen, wie sich jetzt die Frauen streiten. Gelächter der Kollegen. Oder Ausspruch eines Kollegen: Ich finde es „nett", daß es Anwältinnen gibt. Ich bin immer ganz gespannt, wenn auf der Gegenseite eine Anwältin auftritt.
2. Für andere bin ich angstmachend: Ganz schnell geraten in die Auseinandersetzung scharfe Töne. Ich habe das Gefühl, daß hier ganz persönlich gekämpft wird, ein Mann will es einer Frau zeigen. Das führt manchmal zu Überreaktionen und zur Einnahme von Positionen, die sich nicht halten lassen, was dem Anwalt-Mann bei vernünftiger Überlegung auch hätte klar sein müssen. Auch die Ehemänner spielen dabei mit, wollen es ihrer Frau zeigen. Wenn sie sich verbal nicht gewachsen fühlen, spielen sie mit mir das WER-GUCKT-ALS-ERSTER-WEG-Spielchen.
3. Wieder andere laden mich ein zum Männer-Frauenspiel nach festgesetzten Regeln zu meinen Lasten: Höflich, bis zur Schmierigkeit freundlich, gnädige Frau hier und Tür aufgehalten da und in den Mantel geholfen dort. Mit dieser Kategorie werde ich innerlich und äußerlich am ehesten fertig.

Wenn ein Kollege Angst vor mir hat, schmeichelt mir das. Es befriedigt meine Macht- und auch Rachegelüste. Auch ich will es den Männer zeigen, nicht nur ebenbürtig sein, nein, überlegen, Macht ausüben. Aber das ist nicht alles. Der Triumph bleibt auch irgendwo schal. Ich möchte nicht gefürchtet, sondern respektiert werden, ich möchte gemocht werden. Ich möchte ernst genommen werden. Eine Frau die „gemocht" wird, ist kein ernsthafter Gegner. Gibt es einen Weg durch diese abgezirkelten Gehege männlichen und weiblichen Rollendiktates? Solange ich diesen Weg nicht finde, will ich lieber nicht gemocht werden, will ich kämpfen, mich auf die Hinterbeine stellen, will Hexe, Xantippe und Furie sein. Beim Gang zum Gericht lege ich meine Rüstung an, meine Stärke und Kraft, meine Hartnäckigkeit und Zähigkeit. Ich merke langsam, daß ich Lust zum Kämpfen habe, und daß ich stark bin. In mir bleibt Trauer, daß ich nicht alles sein darf, was ich auch noch bin.
Ergänzung zu meinem Bericht:
Diese Zeilen habe vor einem Jahr geschrieben. Seitdem habe ich Neues für mich erfahren. Ich habe nicht mehr in diesem Maße das Gefühl, daß ich alles, was ich selbst an mir mag, meine „weiblichen Eigenschaften" − meine Freundlichkeit und Sanftmut, meine Fähigkeit zu vermitteln und neben den rechtlichen auch die menschlichen Aspekte deutlich zu machen, mein Gefühl für Fairneß − auch dem Gegner gegenüber − unterdrücken muß, um in diesem Beruf bestehen können.
Ich habe erfahren, daß ich mit diesen Gaben Verfahren etwas menschlicher und den Umgang mit den Kollegen etwas offener gestalten kann, erste winzige Schritte abseits vom Weg der totalen Konfrontation.
Ob meine Kollegen mich dabei wirklich ernst nehmen können, weiß ich nicht.
Ich jedenfalls lerne langsam, mich selbst ernst zu nehmen.
Es gibt Tage, an denen ich meinen Beruf richtig gern habe.

Ingeborg Rakete-Wille, geboren
10.10.1949; nach dem Abitur
abgeschlossene Ausbildung zur
ReNo-Gehilfin; I. Juristisches
Staatsexamen 1976, II. 1979; seit
März 1979 Rechtsanwältin in
Anwaltssozietät.

Vom Umgang mit ... Behandlung von ... – Verhaltensweisen gegenüber Rechtsanwältinnen

I.

Der ältere Richter im Amtsgericht will uns einen Vergleich nahelegen. Er beginnt: „Nun, meine Herren, was machen wir denn in dieser Sache." Der mir bekannte junge „linke" Kollege auf der Gegenseite merkt nichts – ich will nicht eigen sein und tue erst einmal so, als sei mir ebenfalls nichts aufgefallen.

Nachdem diese allgemeine Anrede zum dritten Mal fällt, frage ich höflich, ob ich mich angesprochen fühlen darf. Erstaunte Blicke von Richterbank und Gegenseite. Der Richter: „Aber Frau Rechtsanwältin, wer wird denn so empfindlich sein, außerdem, bei Ihren kurzen Haaren ..."

Es mag sein, daß die schwarze Robe Frauen und Männer zu Neutren macht, aber sie macht aus mir jedenfalls keinen Mann, soviel ist sicher.

II.

Ich komme 15 Minuten nach Terminsbeginn ins Anwaltszimmer gehetzt. Der Kollege, um die 50, aber keineswegs gesetzt, kommt auf mich zu, hilft mir, ohne daß ich mich wehren kann, in die Robe („Frau Kollegin, darf ich Sie anziehen"), reißt die Tür auf und läßt mir den Vortritt; jetzt nimmt er meinen Arm, kommt näher, offensichtlich, um mir etwas Vertrauliches mitzuteilen.

Mir ist die Berührung unangenehm, ich kenne ihn nicht, habe ihn niemals vorher gesehen. Ich mache mich los, das „Vertrauliche" erzählt er mir dennoch, als wir durch die Gänge des Gerichts gehen. Er sei vorhin bereits einmal im Verhandlungssaal gewesen und habe bei dieser Gelegenheit auf dem Flur eine ausnehmend attraktive Schwarze vor Saal 131 sitzen sehen. Wir nähern uns Saal 131. – Er stößt mich an „Dort links – sehen Sie selbst, was sagen Sie?"

Die Frau ist tatsächlich attraktiv, vielleicht gerade 20 Jahre alt. Mir ist das ganze peinlich, ein älterer Kollege, den ich nicht kenne, will mich auf diese Art und Weise ins Vertrauen ziehen – ein kollegiales Verhalten, das unter Männern üblich sein mag, gerade unter Kollegen, wieso aber sollte ich eine junge Frau mit seinen Augen taxieren? Ich lege ihm nahe, öfter in Diskotheken zu verkehren. Er meint, aus dem Alter sei er wohl raus. – So deutlich habe ich das gar nicht sagen wollen.

Nach der Verhandlung, in der das Gericht deutlich machte, daß es meinem Antrag folgen wolle, gratuliert er mir. „Herzlichen Glückwunsch, Frau Kollegin, Sie haben ja wohl gesiegt!", hilft mir aus der Robe „Frau Kollegin, darf ich Sie ausziehen?"

III.

Ich telefoniere mit einem bekannten Kollegen, Vermieteranwalt und mir –

nicht nur politisch – unsympathisch. Nachdem ich meine Vorstellungen erläutert habe, unter denen ich bereit wäre, von einem gerichtlichen Verfahren Abstand zu nehmen, nennt er mich am Telefon väterlich „Mäuschen". Ich bin so perplex, daß mir nicht einmal eine passende Antwort einfällt.

IV.

Ich sitze im Anwaltszimmer gleich am Tisch links in der Ecke und lese die Zeitung. Vier Kollegen im Raum, von welchen einer – mit dem Rücken zu mir – Zoten erzählt. Die anderen drei sehen mich, lachen, aber ihnen ist die Sache offensichtlich peinlich. Plötzlich bemerkt er mich doch, redet leiser. Nach einiger Zeit kommt er an meinen Tisch „Entschuldigen Sie, Frau Kollegin, ich wußte nicht, daß eine Dame im Raum ist."
Ich denke: Entweder Witze sind gut, dann will ich sie hören, oder sie sind schlecht – anwesende Dame hin oder her. Die Entschuldigung war jedenfalls das Peinlichste an der Geschichte. Im Anwaltszimmer im Landgericht kann man sich eben benehmen wie beim Herrenabend, Frauen sind selten. Ob die Kolleginnen überhaupt in diesen Klub aufgenommen werden wollen?

V.

Ein Mandant kommt ins Büro und will die Kollegin sprechen, die vorher dort arbeitete, jetzt aber eine eigene Praxis betreibt. Ich sage ihm das und will ihm die Anschrift geben. Er will wissen, ob ich auch Rechtsanwältin sei, und nachdem ich das bejahe, will er mir seine Sache übertragen. Ihm komme es hauptsächlich darauf an, von einer Frau vertreten zu werden. Das kenne ich von weiblichen Mandanten, nicht aber von männlichen und erwarte nun eigentlich eine Sache, in der die berühmten weiblichen Fähigkeiten verlangt werden. Nichts da, eine Ehescheidung, noch dazu eine der einfachen Sorte, Ehevertrag, ges. Güterstand aufgehoben, alles klar, nur noch ein paar kleine Streitereien. Nachdem ich das höre, frage ich, warum er denn auf die Vertretung durch eine Frau besonderen Wert lege. Er sagt, er habe die Befürchtung, daß seine Frau noch irgendwelche Gemeinheiten plane, und Derartiges könne eine Frau besser voraussehen und wissen. Das wolle er ausnutzen.
Na bitte, so rum geht es also auch.

VI.

In dem Prozeß geht es um eine mangelhafte Einbauküche im Werte von DM 12.000,–. Meine Mandantin hat einen Teil des Kaufpreises zurückgehalten, bis alle Leisten fest sind und alle Fugen gerade. Nun ist sie die Beklagte.
Der gegnerische Anwalt kommt zu spät und entschuldigt sich damit, daß sein Porsche auf dem Ku-Damm verreckt sei und zwar direkt vor BMW, wo er sich dann erst einmal einen Wagen leihen mußte. Als ob es keine Taxis gäbe.
In der Verhandlung führt er aus, meine Mandantin sei pingelig, bemängele unwesentliche Kleinigkeiten, es handele sich um eine relativ billige Küche, da könne sie solche Feinheiten nicht verlangen.
Hier verliert die vorsitzende Richterin die Geduld. Ob der Herr Rechtsanwalt eine Küche für 12.000,– DM billig fände – diesen Betrag solle er erst einmal abessen – und erläßt einen Beweisbeschluß.
Was, wenn dort ein Richter gesessen hätte, der nicht Hobbykoch gewesen wäre?

Rechts: Mona Fischer, 1982

« DARF ICH SIE AUSZIEHEN, FRAU KOLLEGIN ? »

VII.

Als ich meine Referendarstation beim Landgericht begann und mich bei der — vollständig mit Männern besetzten — Kammer vorstellte, war eigentlich die erste Frage: „Sind Sie verheiratet?" Ich bejahte dies, fragte aber doch nach, wofür das von Bedeutung sein solle. Nun, wenn ich verheiratet sei, müßte ich sicher mittags meistens nach Hause, kochen. Ich klärte die Kammer darüber auf, daß bei uns mein Mann koche, da er Hausmann sei (er schrieb damals an seiner Dissertation). Von da ab wurden mir täglich süffisante Fragen gestellt — was denn mein Mann wohl heute wieder Nettes gekocht habe, und meine direkten Antworten hierauf wurden im wesentlichen belächelt, so nach dem Motto: Entweder der Mann ist verrückt, oder die Frau herrschsüchtig, oder aber er ist ein Pantoffelheld, oder noch viel besser — alles zusammen.

VIII.

Ich habe Verhandlung beim Landgericht. Meine Mandantin ist eine Frau, auf der Gegenseite eine Anwältin und deren Mandantin. Ausgerechnet geht der Streit auch noch um einen Kosmetiksalon. Wir müssen warten, die vorherige Verhandlung müht sich um einen Vergleich. Der vorsitzende Richter entschuldigt sich bei den Kollegen, die bereits im Saal warten, weil sie nach uns dran wären, mit der Bemerkung, daß erst die Damen dran seien und er eine temperamentvolle Auseinandersetzung erwarte. Offensichtlich bekommen sich Frauen wie Megären in die Haare, Männer machen eine ganz andere „Figur".

Elisabeth Kmölniger, „Vergewaltigt", 2-teilige Federzeichnung 1979, aus dem Katalog „Der häßliche Jurist" der Galerie Hamburg, Klosterallee 102, 2000 Hamburg 13

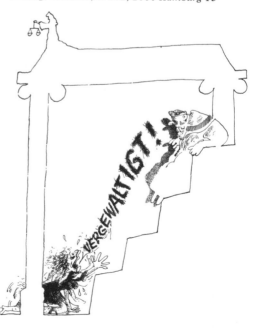

Sabine Berghahn

Zum Beispiel Rechtsanwältin . . .

An welchen Vorbildern kann sich eine junge Juristin orientieren? Bei „Vorbild" denke ich nicht so sehr an eine ältere berühmte Juristin, sondern gefragt sind vielmehr Beispiele „real-existierender" Juristinnen, die es geschafft haben, sich in diesem männerdominierten Beruf zurechtzufinden, und die sich wohlfühlen, ohne Schaden an der Persönlichkeit zu nehmen.

Wie sich in Beiträgen zu diesem Buch zeigt, gibt es zwar Juristinnen der älteren Generation, die in diesem Sinne durchaus „Vorbild" sein können; man/frau lernt sie jedoch in Studium und Ausbildung kaum kennen, die übliche juristische Literatur befaßt sich nicht mit der weiblichen Juristenidentität und auch die Juristensoziologie sparte Frauen weitgehend aus. In Film und Fernsehen kommen gelegentlich auch Juristinnen vor, in Scheidungsserien beispielsweise, aber der Prototyp des Richters, Staatsanwalts oder Rechtsanwalts im klassischen Justizfilm ist − wohl aus Gründen des historischen und „statistischen Realismus" − natürlich ein Mann.

Dieses bildliche Vakuum wurde mir bewußt, als ich selber vor der Entscheidung stand, welchen juristischen Beruf ich ergreifen und wie ich ihn anpacken sollte. Da ich am ehesten zur Rechtsanwältin neigte, wollte ich mir die mögliche Bandbreite der Daseinsformen einer Rechtsanwältin einmal vor Augen führen. Die Gelegenheit bot sich bei Interviews zu einer Rundfunksendung[1]; ich unterhielt mich mit insgesamt sieben Rechtsanwältinnen aus München und Berlin, die − nach dem Kriterium erwarteter Vielfalt und Redefreudigkeit ausgesucht − bestimmt nicht repräsentativ sind, aber Eindrücke von der Juristinnen-Realität geben und insofern auch Mosaiksteinchen zur Entstehung des eigenen Berufsbildes liefern.

Ulrike K., von mir auf Anfang 40 geschätzt, arbeitet als einzige Frau in einer modern-gediegenen Kanzlei in der Münchner City. Ihr Auftreten ist äußerst selbstbewußt, ihre Stimme ist rauh und tief, aber nicht männlich. Mit prägnanten Formulierungen und definitiven Urteilen vermittelt sie den Eindruck, jeder Herausforderung gewachsen zu sein, so daß mir meine Frage, ob sie Schwierigkeiten als Frau im Anwaltsberuf (gehabt) habe, schon fast larmoyant vorkommt. Entsprechend lautet die Antwort:

„Nie, ich hatte überhaupt nie Schwierigkeiten mit Männern, weder beruflich, noch sonst!"

Sie vermutet, daß ihre Sicherheit im Umgang mit Männern aus der „wahrhaft emanzipierten und gleichberechtigten Erziehung" ihres Elternhauses herrührt. Sie stammt aus einer „preußischen Beamtenfamilie"; der Vater war Jurist, der die Juristerei als die „einzig geistige Tätigkeit überhaupt" ansah. Insofern war er auch recht froh, daß die Tochter dann doch Jura studierte, denn auf der Modeschule, wo sie immer hin wollte, „kann man ja nicht promovieren".

Zurück zu meiner Eingangsfrage nach eventuellen Schwierigkeiten mit Männern im Beruf! Ulrike K. verneint kategorisch jeglichen Anpassungszwang an männliche Verhaltensweisen im Anwaltsberuf:

„Ich war von Anfang an der Ansicht, wenn ich irgendetwas habe, was mich möglicherweise beruflich besser hinstellt, dann ist das die Ausnahmesituation, eine Frau zu sein. Das würde ich auch immer mit allen Mitteln einsetzen ... Wenn ich die mir gemäße Entscheidung dadurch kriegen kann, daß ich besonders freundlich zu dem Herrn Richter bin . . ., dann würde ich das einsetzen. Ich hab zu keinem Zeitpunkt das Gefühl gehabt, ich müßte jemandem etwas beweisen."

Viel schwieriger, räumt Ulrike K. ein, ist die Situation der Anwältin gegenüber den Mandanten:

„Die Firma Krupp, die zu einer jungen Anwältin geht, die müßte noch gegründet werden."

Sie hält diese Vorbehalte, die ihr auch Mandanten der Kanzlei entgegenbringen, ebenso wie die umgekehrte Vorstellung, daß eine Frau in Familien- und Jugendsachen „besser" sei, für „Unsinn".

Noch weiter gehen die Äußerungen einer anderen Münchner Anwältin, die zugibt, daß sie — obwohl sie es schon mehrmals tat — eigentlich „keine Frauen verteidigen" könne. Auch sie, etwa Mitte 40, gehört jener „mittleren Juristinnengeneration" an, die in den fünfziger oder beginnenden sechziger Jahren studiert hat und schon im Berufsleben stand, als die Studentenbewegung und später die Frauenbewegung Unruhe und Zweifel an Rollen und Normen unter die Akademiker(innen) brachten.

Ilse R. neigt — wie andere berufstätige Frauen jener „Mittelgeneration" — dazu, das scheinbar rationale Auftreten von Männern, das Gefühle lieber draußen läßt, auch für das sinnvollere zu halten, weshalb sie mit Frauen, die ein solches Verhalten vermissen lassen, offenbar keine guten Erfahrungen gemacht hat.

Welchen Anspruch hat Ilse R. bei der Ausübung ihres Berufes?

„Politische Interessen waren bei mir nie vorhanden, soziale im Grunde auch nicht; mir haben die Leute leid getan und ich muß sagen, ich hab am Anfang unheimlich viel geglaubt. Wenn da jemand gekommen ist und gesagt hat: ‚Frau Rechtsanwalt, ich bin ganz unschuldig!' — dann hab ich das geglaubt, und er hat mir furchtbar leid getan, daß er deswegen im Gefängnis sitzt."

Nach 15 Jahren Berufstätigkeit hat sie längst gelernt, Lüge und Wahrheit aus dem Munde ihrer Mandanten zu unterscheiden; jeder Fall ist für sie „eine Mathematikaufgabe", ein Problem, das zu lösen ist. Ihre Strafsachen reichen „von der Beleidigung bis zum Mord", wobei sie allerdings viele sexuelle Delikte bearbeitet und unter ihren Mandanten zahlreiche Homosexuelle hat, weil letztere „leichter zu einer Frau gehen".

Sollte es ihrer Meinung nach also doch geschlechtsspezifische Qualifikationen im Anwaltsberuf geben? Ilse R. verneint die Frage. Für den Mandanten zähle in erster Linie der Erfolg; eine erfolgreiche Anwältin werde genauso weiterempfohlen wie ein Mann, und auf was man sich spezialisiere, hänge eher vom Zufall ab.

Auch sie betont, daß sie nie Schwierigkeiten mit Männern — weder mit Mandanten noch mit Kollegen — gehabt habe. Zwei Sätze später erzählt sie allerdings von ihrem schwierigen Berufsanfang. Sie hatte sich bei einigen Kanzleien beworben und war ausnahmslos sofort mit der Begründung abgewiesen worden, man könne keine Frauen brauchen. So blieb ihr nichts anderes übrig, als sich „mit 200,– DM in der Tasche" und einem Hilfsarbeiter-Nebenjob selbständig zu machen. Über eine Reihe von Pflichtverteidigungen baute sie sich alsbald eine Strafkanzlei auf, obwohl sie — und das belegt ihre These vom Zufall der Spezialisierung — eigentlich nur Zivilrechtsanwältin hatte werden wollen.

An der Strafverteidigung fand sie dann aber großen Gefallen. Allerdings nicht aus einem rechtspolitisch liberalen Anspruch heraus wie etwa Ulrike K., der das „Gegen-Angehen" Spaß macht, der Kampf gegen die von vornherein bestehende Überlegenheit der „staatlichen Macht". Ilse R. macht am meisten Spaß der Erfolg!

„Den brauch' ich für mich selber, nicht so sehr für den Mandanten, den brauch' ich für mich. Wenn so ein richtig schönes Urteil rauskommt, wenn ich das erreiche, was ich mir vorgestellt habe."

Solche Zufriedenheit mit der der Anwältin zugedachten Rolle ist im Kreise meiner Interviewpartnerinnen unübertroffen. Am ehesten heran reicht da vielleicht die Zufriedenheit der Münchner Rechtanwältin Regina R. mit der von ihr erreichten Aufteilung von Beruf und Familie. Sie ist ca. Ende 30 und mit einem Juristen verheiratet, hat zwei Kinder und vereint Wohnung und Kanzlei in einer komfortablen Villa.

Die Einheit von Wohnen und Beruf teilt sie mit Ilse R.; auch einen politischen oder sozialen Anspruch scheint sie im Beruf nicht zu verfolgen, aber im Gegensatz zu den beiden vorher vorgestellten Anwältinnen schreibt sie einer Rechtsanwältin größere Einfühlungsfähigkeit in die Belange von weiblichen Mandanten zu. Dementsprechend „macht" sie gerne Scheidungen, bestärkt dabei die Frauen in ihrer Entwicklung zur Selbständigkeit und ist immer wieder entsetzt darüber, wieviel Unterdrückung und Gewalt gegen Frauen es gibt — auch in den „höheren" Gesellschaftsschichten, die einen Großteil ihrer Mandantinnen ausmachen.

Während auch Regina R. — ähnlich wie Ilse R. — aus der Not, als Berufsanfängerin nirgends eingestellt zu werden, eine Tugend machte und sich gleich als selbständige Anwältin niederließ, setzte sich Edda S., Mitte 30, erst längere Zeit der Erfahrung als Angestellte in einer großen, renommierten Kanzlei in München aus. Zunächst ging es darum, in sie gesetzte Erwartungen zu erfüllen, indem sie sich als noch leistungsfähiger, noch „besser" als vergleichbare Männer erwies. Auf die erreichte Position war sie eine Zeitlang stolz, aber

dann reichte der „Hebel des Geldes" und das Bewußtsein, in einer Elite-
kanzlei zu arbeiten, nicht mehr. Der Streß der enormen Arbeitsbelastung,
die Abhängigkeit von fremden Zielsetzungen, das Sich-nicht-so-recht-identi-
fizieren-Können mit den Karriere- und Erfolgsvorstellungen der anderen veranlaßte sie schließlich, sich selbständig zu machen.
Sie betreibt nun in der eigenen Wohnung eine Kanzlei und beschäftigt sich
vornehmlich mit Scheidungs- und Familienrecht. Diese Materie empfindet
sie als „ihr gemäßer", ihrem Interesse an „Lebensgeschichten" beispielsweise,
in weibliche Mandanten könne sie sich besser einfühlen, dort könne sie die
Konflikte auch auf der nichtjuristischen Ebene ansprechen, auf der sie eigentlich entstanden sind. Männliche Mandanten weigern sich dagegen oft,
die wirklichen Ursachen der Konflikte zu sehen und verlangen ihrer Anwältin daher ein allzu juristisches, formalistisches und hartes Auftreten ab; in
diesem Sinne habe sie manchmal Schwierigkeiten mit Männern.
Aber auch was Frauen angeht, mußte Edda S. die Vorstellung relativieren,
daß sie als Anwältin die Konflikte wirklich lösen könne; gerade Frauen, die
jahrelang der traditionellen passiven Frauenrolle entsprochen haben, belasten
nun ihre Anwältin mit ihrer Unselbständigkeit. Es bedürfe pragmatischer und
geduldiger Strategien, sie mit kleinen Schritten zu mehr Selbständigkeit zu
veranlassen.
Diesem Ziel, durch Hilfe zum Selbständigwerden die Benachteiligung und
Unterdrückung von Frauen zu bekämpfen, haben sich auch die drei weiteren
Rechtsanwältinnen verschrieben, z.T. einige Nuancen kämpferischer und politischer als die zwei zuletzt vorgestellten Frauen. Roswitha W. aus München,
ca. Ende Dreißig, und Margarete F.-B. und Ingrid L. aus Berlin, beide etwa
Anfang Dreißig, Vertreterinnen der jüngeren Rechtsanwältinnengeneration,
geprägt von 68 und der anschließenden Frauenbewegung.
Alle drei Frauen sind hauptsächlich auf Familien- und Scheidungsrecht spe-
zialisiert und vertreten lieber weibliche Mandanten, weil diese ihnen gegenüber offener seien, bereitwilliger, den Konflikten auf den Grund zu gehen und
weil sich die Anwältin besser in die Situation einer Frau hineinfühlen und sich
eher identifizieren könne. Ingrid L., die in einer Frauenkanzlei mit pronon-
ciert feministischem Anspruch arbeitet, vertritt ausschließlich Frauen:
„Das große Plus an unserer Arbeit . . . hier ist, daß wir moralisch immer im
Recht sind; ich kann mich mit meiner Arbeit identifizieren, ich finde es richtig, was ich tue; ich kann die Frauen bei dem, was sie wollen, durch's Gericht
voll unterstützen . . ."
Ähnlich wie Ulrike K. macht ihr die Kampfstimmung im Verfahren Spaß, im
Gegensatz zu dieser aber, die „den Männerhaß der Frauenbewegung" für „abartig" und „gefährlich" hält, reizt es Ingrid L., Männer, sowohl die Gegner
ihrer Mandantinnen als auch Richter, Staatsanwälte und andere Anwälte zu
„ärgern", indem sie als Frau selbstbewußt und kämpferisch auftritt. Sie hat
das „starke Geschlecht" offenbar als nicht-lernfähig und uninteressant abge-
schrieben. Eine Zusammenarbeit mit jungen linken Kollegen schließt sie aus,
weil diese es „nicht ertragen können, mit ihrem Selbstbewußtsein nicht vereinbaren können, daß neben ihnen eine Frau arbeitet, die auch Selbstbewußtsein hat. Um mit ihnen gut auszukommen, hätte ich entweder mit ihnen rum-
schäkern oder ihnen dreimal auf die Schulter klopfen und sagen müssen: ‚Du
bist der Größte überhaupt!' – dann sind die Schwierigkeiten abgebaut, dann
kann man normal miteinander umgehen!"
Margarete F.-B. und Roswitha W. sind weniger radikal. Daß sie lieber Frauen

vertreten, heißt noch nicht, daß sie nicht auch männliche Mandanten haben, wenn Roswitha W. beispielsweise politische Strafsachen „macht" oder Kriegsdienstverweigerer vertritt und Margarete F.-B. gerne Strafverteidigungen übernimmt und Ausländer vertritt. Mit letzteren hat eine Anwältin im Vergleich zu einem männlichen Anwalt offenbar zusätzliche Schwierigkeiten, wenn es sich um Ausländer aus stark patriarchalisch geprägten Ländern handelt; beispielsweise geben Türken i. d. R. keiner Frau die Hand zur Begrüßung, andererseits überfordern sie ihre Anwältin mit der Erwartung, daß diese ihre Rechtsprobleme, die wegen der Rigidität des Ausländerrechts meist auch existentielle Lebensprobleme sind, aus der Welt schaffen möge. Margarete F.-B., die über die „Doppelqualifikation" eines Psychologiediploms verfügt, verkraftet solche Widersprüche, aber in der Zusammenarbeit mit den Kollegen und männlichen Richtern fühlt sie sich manchmal „belächelt", nicht ganz ernst genommen und damit unter Druck gesetzt, sich ständig mit den Verhaltenserwartungen der anderen auseinanderzusetzen.

Roswitha W., die keine offene Ablehnung oder Diskriminierung als Frau in ihrem Beruf verspürt, meint aber auch, daß vorhandene Vorbehalte bei Kollegen und Richtern sich heute „versteckter" äußerten, subtiler, daß die Anwältin meist erst „hintenrum" davon erfahre.

Während einige der jüngeren Rechtsanwältinnen bedauernd feststellen, daß die Umgangsformen bei Gericht, gerade im Strafgericht, immer noch sehr „männlich" geprägt seien, „eine bestimmte Gestik, Mimik, ein Schau-Machen" notwendig sei, meint die schon über 15 Jahre berufstätige Anwältin Ilse R., daß sich der Verteidigungsstil in den letzten 20 Jahren bereits sehr vorteilhaft verändert habe, jedenfalls weniger pathetisch geworden sei:

„Es ist heute nicht mehr üblich, daß man mit dem Feuerzeug unter den Tisch leuchtet und die Fenster aufreißt und ruft: ,Wo bleibt denn hier die Gerechtigkeit?' . . . Man macht es heute ganz anders . . ., leiser, sachlicher. "

Sachlichkeit und eine angenehme Atmosphäre lassen die jüngeren Anwältinnen als Beschreibung für die Familiengerichte gelten.

Margarete F.-B.:

„Ich muß sagen, daß ich ausgesprochen gerne zum Familiengericht gehe; die Richter und auch die Anwälte nehmen einfach zur Kenntnis, daß die Mandanten tiefe und schwierige Lebensprobleme haben und daß hier eine Lösung gefunden werden muß, die . . . über Jahre akzeptabel ist für das Ehepaar. Alle am Prozeß Beteiligten sind in der Tendenz doch bemüht, in einer angemessenen Form, d.h. für mich auch in einem emotional angenehmen Klima, diese Lösung zu finden. Dieses Sich-Präsentieren, dieses Sich-Darstellen und ein Stück weit auch Schau-Machen wird von den Anwälten eigentlich doch unterlassen. "

Haben die Juristinnen in ihrer nicht immer ganz freiwillig gewählten Domäne, dem Familienrecht, schon soviel verändert?

Oder liegt es vielleicht an der Materie des Familienrechts, die wegen der starken emotionalen und psychisch eingreifenden Implikationen auch der Justiz einen zwischenmenschlicheren Umgangston aufdrängt, oder ist es einfach eine Zeiterscheinung — wie Ilse R. meint — wenn es heute „leiser und sachlicher" am Gericht zugeht? Wahrscheinlich kommen alle drei Erklärungen zusammen der Wahrheit nahe.

Fasse ich nun meine Eindrücke von den unterschiedlichen Typen, Temperamenten und Berufsbildern der interviewten Rechtsanwältinnen zusammen und ziehe Vergleiche, so drängt sich eine grobe Unterscheidung von zwei

Gruppen nach dem Alter bzw. der Studienzeit auf. Wie schon angedeutet, ist es meiner Ansicht nach von entscheidender Bedeutung, ob eine Juristin noch in den fünfziger Jahren oder Anfang der sechziger Jahre studiert hat, als es sehr wenige Frauen im Studium und noch weniger im Beruf gab, als die Gleichberechtigung der Frau noch als reine Anpassung an männliche Möglichkeiten und Verhaltensweisen interpretiert wurde, und als die gesellschaftliche Benachteiligung von Minderheiten oder Mehrheiten wie der Frau kaum die Gemüter bewegte.

Mit der Studenten- und Frauenbewegung kam dann vieles ins Rollen; heute, wo die realen Schwierigkeiten für Frauen im Studium und Beruf sicherlich geringer einzuschätzen sind als noch vor 15−20 Jahren, ist es aber auch leichter geworden, Vorurteile und Vorbehalte anzuprangern und zu bekämpfen, weil sie nicht mehr so massiert auftreten, nicht mehr so offen und selbstverständlich geäußert werden, sondern eher mit schlechtem Gewissen, und weil mit der quantitativen Zunahme von Frauen in Studium und Beruf auch mehr Solidarität möglich geworden ist.

Die Rechtsanwältinnen der „Mittelgeneration", Ilse R. und Ulrike K., machen auf mich den Eindruck von siegreichen Einzelkämpferinnen, die sich allerdings auch „zusammennehmen" und Widriges verdrängen mußten, um sich nicht mit dem Rücken zur Wand fühlen zu müssen.

Wer nach dem Krieg in männerdominierte Berufe eindringen wollte, mußte mit einem gesunden Selbstbewußtsein ausgestattet sein. Sätze wie der von Ulrike K.:

„Um uns zu beweisen, daß Frauen logisch denken können, gab's für mich nur einen einzigen Weg und das war die Juristerei" − oder auch Ilse R.'s Hervorhebung, daß sie „keine Frauen verteidigen" könne, vermutlich weil diese sich zu emotional, zu unlogisch verhielten, deuten an, daß hier Rationalität einseitig hervorgehoben wird und männliches mit logischem Denken gleichgesetzt wird. Wenn aber männliches Verhalten die Norm ist, kann man sich natürlich auch nicht zugestehen, „jemals Schwierigkeiten mit Männern" gehabt zu haben.

Bei den jüngeren Interviewpartnerinnen mag vieles ähnlich angefangen haben, was ihre Grundhaltung bestimmte, aber in ihrer Studien- und Berufsanfängerzeit wurden diese Einstellungen bereits demontiert. Die Frauenbewegung hat dann schließlich neben einer radikalen Trennungsideologie männlicher und weiblicher Bereiche − wie sie hier tendenziell von Ingrid L. vertreten wird − auch integrative Verhaltensmodelle hervorgebracht, die heute z.T. sogar von Männern aufgegriffen werden.

Während die Anwältin der „Mittelgeneration" grundsätzlich zu einem „männlichen" Verhalten als Berufsqualifikation fähig sein mußte und allenfalls durch „weibliche" Strategien diese Haltung verfeinern konnte, darf sich die jüngere Anwältin durchaus zugestehen, daß sie weder so gut „Schau-Machen" und Bluffen kann noch können will. Geschlechtsspezifische Berufsqualifikationen wie Einfühlsamkeit und bessere Befähigung der Frau für Bereiche, in denen es auf so etwas ankommt, streitet die eine Anwältin energisch ab, während es die andere positiv hervorhebt.

Entsprechend unterschiedlich fällt die Beurteilung des Nutzens der Frauenbewegung aus. Ulrike K. assoziiert „Männerhaß", „Zickigkeit" und „Blaustrümpfigkeit", Ilse R. hat mit der Frauenbewegung überhaupt nichts zu tun,

Rechts: Mona Fischer, „Sieh' mal an, das Fräulein Kollegin . . .", 1982

von den anderen fühlen sich einige jedoch als Teil der Frauenbewegung oder betrachten sie doch zumindest als hilfreich bei der Suche nach einem eigenen, nicht fremdbestimmten Selbst- und Berufsbild.

Eine Gretchenfrage, mit der die Frauenbewegung in den Reihen der Anwälte mit linkem, sozialengagiertem Anspruch Zwietracht ausgelöst hat[2], und die auch hier von den jüngeren Rechtsanwältinnen nicht einheitlich beantwortet wird, ist die Frage nach der Verteidigung eines Vergewaltigers.

Während für Ilse R. jeder Mandant „ein Fall, eine Mathematikaufgabe" ist, der sie persönlich nicht berühren kann, und sie sogar oft „Notzucht"-Fälle verteidigt, wollte Ulrike K. jahrelang kein solches Mandat übernehmen. Schließlich hat sie es doch getan und „würde es immer wieder tun". Für sie spielte der sexuelle Charakter der Tat keine Rolle, sondern vielmehr die Tatsache, daß es sich um einen Gewalttäter handelt. Heute sind ihr aber die sozialen und psychischen Hintergründe einer solchen Tat klargeworden und sie fühlt sich in der Lage, ohne eigenen Identifikationskonflikt dem Mann zu seinen prozessualen Rechten zu verhelfen.

Die Gegenposition nimmt Ingrid L. ein:

„Ich würde nie in meinem Leben so tief runtersinken und einen Mann als Vergewaltiger vertreten. Mir geht es nicht darum, daß ich dagegen wäre, daß er überhaupt verteidigt wird, aber nicht durch mich. Eine Verteidigung eines Vergewaltigers führt zwangsläufig dazu – wenn man nicht ein Geständnis ablegt –, daß man die Glaubwürdigkeit der Frau angreifen muß. Und entsprechend sind ja auch die herkömmlichen Verteidigungen so, daß man die Frau diskriminiert und daß versucht wird, sie als Prostituierte, als rachsüchtiges Wesen, als Mitschuldige, die die aggressive Brutalität geradezu herausgefordert, also auch verdient hat, oder einfach als Frau hinzustellen, die zu ihrer eigenen Sexualität nicht stehen kann."

Margarete F.-B. dagegen hält es für möglich, einen Vergewaltiger zu verteidigen, ohne den Angeklagten auf Kosten des Opfers „rauszuhauen", wie es viele Kollegen ohne Hemmungen leider ja täten.

„Ich würde auf alle Fälle mit einem Vergewaltiger ein Gespräch führen. Es gibt Geschichten, wo Männer Kontakt mit Frauen hatten, der so furchtbar war für sie, daß sie einfach in dieser Tat versuchen, mit diesem Problem umzugehen oder diesen Druck loszuwerden. Ich kann mir durchaus vorstellen, daß ich so einen Mann verteidige, wo ich schon auch im Gespräch versuche rauszukriegen, ob ich mit ihm zusammenarbeiten kann. Wenn ich das Gefühl habe, er haßt die Frauen so weit, daß er mir das auch in der Verteidigungssituation immer wieder signalisiert, dann würde ich das wahrscheinlich ablehnen, weil ich es emotional nicht schaffe!"

Mir scheint, daß die Rechtsanwältinnen der „jüngeren Generation" emotional sehr viel „schaffen", d.h. verkraften müssen.

Während ihre älteren Kolleginnen und erst recht die Pioniergeneration der Juristinnen gegen massive äußere Hindernisse, die sich ihnen in der Arbeitswelt entgegenstellten, ankämpfen mußten, bedeutet der Anspruch der Jüngeren, den Umgang mit Mandanten und Recht verändern zu wollen, realitätsangemessener und menschlicher machen zu wollen, eine erhebliche Belastung mit fremden Problemen. Statt auf klassisch-juristische Weise den „Fall" vom Menschen zu trennen, sollen nun die juristisch-relevanten Tatsachen mit den politischen, sozialen und psychischen Aspekten in Zusammenhang gebracht werden, „Lebensberatung" statt reiner Rechtsberatung ist gefragt.

Dies ist ein Anspruch, den sicherlich nicht allein Frauen vertreten und der auch nicht auf die Justiz beschränkt ist, der aber die einzelne Person leicht überfordert. Es besteht die Gefahr, daß sie übergroße Erwartungen ihrer Mandanten durch eine Art „Helfer"-Verhalten noch weiternährt oder außer Acht läßt, daß die Strukturen von Recht und Justiz in unserer Gesellschaft einem solchen integrativen Konfliktlösungsmodell enge Grenzen setzen. Der hohe Anspruch ist daher vielleicht nicht nur ein „Generationsproblem" von Rechtsanwältinnen, sondern hängt auch mit ihrer Berufsanfängersituation zusammen. Mit zunehmender Berufserfahrung mag sich eine gelassenere Haltung breitmachen, es werden zugunsten des eigenen Wohlbefindens der Selbstbelastung Grenzen gesetzt. Etwas Distanz zu den Mandanten, sich nicht so involvieren zu lassen, kann also auf einsichtigen Erfahrungen basieren. Ulrike K.:

„Als Jurist arbeite ich im Rahmen eines Systems, das ich eigentlich nicht in Ordnung finde, ich arbeit beispielsweise mit Fiktionen, nicht mit Tatsachen. Nur ist das mein Beruf, und vom Handwerk her ist das etwas ungeheuer Reizvolles. In meinem privaten Leben lehne ich all sowas ab. Da lasse ich die Dinge auf mich zukommen, bin der Ansicht, daß man alles erfahren muß, daß man . . . alles machen muß, alles kennen muß; und zwar nicht in Regeln eingepfercht, sondern eben gerade mal schauen, was hinter den Regeln ist. Das führt zwangsläufig dazu, daß man zweigleisig fährt. Wir haben ja auch ein Standesrecht; da sind Dinge, die viele Menschen machen können, und für den Anwalt ist das plötzlich standeswidrig . . . Wir haben schon einen der konservativsten Berufe, die es gibt."

Sieben Rechtsanwältinnen — bei aller grundsätzlichen oder auch nur in Nuancen bestehenden Unterschiedlichkeit der Berufs- und Lebensauffassungen haben meine Interviepartnerinnen einen gewissen beruflichen Erfolg und ein erhebliches Selbstbewußtsein gemeinsam. Vor allem dieses Selbstbewußtsein steht in wohltuendem Gegensatz zu meinen Eindrücken, die ich in Studium und Referendarzeit von mir selbst und meinen wenigen Kolleginnen gesammelt habe. Offenbar tut das Berufsleben als Anwältin der Persönlichkeitsentwicklung wirklich gut.

Selbstbewußtes Auftreten und engagiertes, kämperisches Arbeiten im Beruf, meist unter enormer Streßbelastung, hat natürlich — nicht immer nur positive — Auswirkungen auf das Privatleben von Anwältinnen. Besonders im Verhältnis zu Männern scheinen die o.g. Eigenschaften nicht immer begeistert aufgenommen zu werden. Nur zwei der sieben Rechtsanwältinnen sind verheiratet, einige geschieden; Beziehungen halten oft nicht lange, eine hat sich von vornherein zwischen Beruf und Mann für den Beruf entschieden, eine andere gegen Männer überhaupt. Die einen sehen dies als Preis einer erfolgreichen Berufskarriere an, die anderen fühlen sich — nicht zuletzt durch den traurigen Einblick in die zerrütteten Ehen ihrer Scheidungsmandanten — positiv angeregt, neue Formen des Zusammenlebens zu finden.

Zwei der Frauen haben ihre Kinder allein erzogen, eine davon mit Unterstützung von Wohngemeinschaften, beide Mütter hatten ein permanent schlechtes Gewissen; ob sie beim Kind oder in der Kanzlei waren, irgendetwas kam immer zu kurz. „Aber", so betont Ulrike K.,

„Für mich war klar, daß ich immer einen Beruf haben würde, niemals auch nur vier Wochen — außer aus Gründen der Krankheit — zu Hause bleiben würde. Für mich war immer klar, daß ich niemals Hausfrau sein würde — ich hasse es, Hausfrau zu sein — und dann war das Kind eines Tages unterwegs und da hab ich entschieden . . . daß man es unter einen Hut bringen kann,

Kind und Beruf! Ich bin gerade von Frauen fürchterlich dafür angegriffen worden, aber im Ernstfall sollte immer der Beruf vorgehen: weil das mein Leben ist; und weil ein Kind von einer Mutter, die nicht ihr Leben hat, gar nichts hat . . .!"

Das allgemeine Dilemma einer berufstätigen Frau ist also für eine Rechtsanwältin zwar nicht zu beseitigen aber doch wenigstens ohne Selbstaufgabe zu handhaben.

Zurück zur Eingangsfrage nach den ,,Vorbildern", an denen sich eine junge Juristin orientieren könnte!

Natürlich wird die Frage hier nicht mit dem Verweis auf eine bestimmte Rechtsanwältin aus der Reihe meiner Interviewpartnerinnen beantwortet. ,,Vorbild" war ja auch mehr im Sinne von einer Reihe von Beispielen gemeint, die man vor Augen hat, um die Möglichkeiten und Alternativen für die eigene Berufs- und Lebensgestaltung zu erkennen. Gerade wo es an solchen Vorbildern mangelt, weil Frauen dort keine lange Tradition haben, ist eine Orientierungshilfe wichtig, um den ,,Neuen" Mut zu machen, Solidarität zu fördern und notwendige Veränderungen des Berufes zu forcieren.

Was Rechtsanwältinnen in diesem Sinne ,,schaffen" und wie sie sich dabei persönlich entwickeln, ist dazu angetan, nicht nur mir Mut zu machen, sondern auch auf eine langsame, aber stetige Veränderung des Berufsstandes und der Justiz hoffen zu lassen.

Anmerkungen

1 RIAS-Sendung: ,,Selbstauskünfte — Beruf: Rechtsanwältin", von Sabine Berghahn, Redaktion: Friedhelm Jeismann, Erstsendung am 24.10.1980; die Zitate der RA'-innen sind daraus entnommen.

2 Sebastian Cobler, ,,So einen verteidigt man nicht!", Kursbuch 60, 1980, S. 97 ff.

Frauen
in der Justiz

4

Im hoheitsvollen Amt des Richters oder Staatsanwalts stellt sich wohl kaum ein(e) Bürger(in) auf Anhieb eine Frau vor. Das personelle Bild der Richterschaft wird heute aber bereits zu 13,6 % im Bundesdurchschnitt (siehe Anhang II, Zif. 1, nach dem Interview mit der Justizministerin Inge Donnepp) von Frauen bestimmt. Noch höhere Anteile findet man in den unteren Instanzen und vor allem in bestimmten Gerichtszweigen wie z.B. an den Familiengerichten.

Ändert diese statistische Tatsache auch etwas am Erscheinungsbild der Justiz, an den Formen und Inhalten der Rechtsprechung? Die Kritik, daß die Justiz sich autoritär, formalistisch und in einer Sprache, die dem Normalmenschen unverständlich ist, über die ihr Unterworfenen erhebt, ist auch eine Kritik an den die Justiz vertretenden Personen. Frauen identifizieren dieses Verhalten häufig als typisch „männlich". Heißt das, daß sie sich als Richterinnen und Staatsanwältinnen völlig anders verhalten als ihre z.T. gleichfalls jungen und justizkritischen männlichen Kollegen? — Wohl kaum, denn dann müßten sie schon bestimmte autoritäre Strukturen des Rechts — besonders deutlich im Strafrecht — außer Kraft setzen können — soviel Antriebskraft ist der weiblichen Sozialisation nun wohl doch nicht zuzuschreiben.

Jedoch bemühen sich die hier berichtenden Frauen, mit dem eigenen Verhalten einige Akzente etwas anders zu setzen. Beispielsweise bringt die Familienrichterin Christa Ditzen bewußt eigene Erfahrungen als Frau in rechtliche Beurteilungsspielräume ein, Merve Brehmc, eine andere Familienrichterin, setzt sich in einer Balint-Gruppe von Gerichtskollegen(innen

— es sind überwiegend Frauen) der Erfahrung aus, psychologisches Wissen in der Praxis an sich selbst „wirksam werden zu lassen" — eine Haltung, die sicherlich auch ein sensibles und realitätsangemessenes Umgehen mit den Parteien fördert.

Gisela Krehnke, eine weitere Familienrichterin, befürwortet persönliches Engagement im Richterberuf, bejaht ihre eigene Emotionalität, sieht aber auch die Gefahr der Anmaßung gegenüber den Parteien und hat es daher gelernt, „sich nicht mehr so in die Probleme der Parteien einzumischen", ihre selbst-getroffenen Regelungen eher gelten zu lassen.

Wir haben u.a. drei Familienrichterinnen etwa gleichen Alters interviewt — nicht, um Repräsentativität herzustellen, was mit der geringen Anzahl auch nicht möglich wäre, sondern um den Versuch zu machen, über einen „typisch weiblichen" Bereich auch etwas Typisches auszusagen. Tatsächlich wird die allgemeine Annahme, daß das Familiengericht — sein Umgang mit den zwischenmenschlichen Beziehungen der Parteien, mit Kindern — den durch die weibliche Sozialisation geförderten Fähigkeiten und Interessen von Frauen sehr entgegenkommt, von den vorliegenden Aussagen bestätigt. Eine einfühlsame und behutsame Haltung, das Ansprechen von nichtjuristischen Konflikten mag im familienrechtlichen Verfahren auch von den Rechtsinhalten und Verfahrensnormen erleichtert werden, aber möglicherweise können Richterinnen auch anderer Bereiche auf ähnliche Weise leichter als Männer das Klima der Justiz insgesamt verändern und dieser damit auch einen Teil des Schreckens nehmen.

Daß sich Parteien bzw. Angeklagte allerdings auch täuschen, wenn sie automatisch von jeder Frau „Milde" erwarten, zeigt die Schilderung der Staatsanwältin Hannelore Riebschläger, die nicht auf „nettes Grinsen" hereinfällt. Solche Mißverständnisse auszuräumen und daraus resultierende Unverschämtheiten an sich abprallen zu lassen, erfordert schon ein erhebliches Stehvermögen.

So sind Frauen in der heutigen Justiz nicht unangefochten. Zwar wurde wohl nur noch wenigen jungen Frauen nach dem Krieg so vehement mit dem Hinweis auf die „Unweiblichkeit" des Berufes vom Jurastudium abgeraten wie der heute 36jährigen Sozialrichterin Brigitte Schäfer; daß man sie aber bei der Einstellung eher strenger mustert als die männlichen Kollegen, daß sie unter höherem Leistungsdruck stehen, daß sie länger und genauer von den Vorgesetzten „überhört" worden sind, können viele der in diesem Buch Berichtenden bestätigen. Daß eine offensive Haltung und der Zusammenschluß mit anderen die Lage aber entscheidend verbessern können, ist auch eine mehrfach geäußerte Erkenntnis; die junge Richterin Katharina Jung überschreibt ihren Bericht beispielsweise mit der Parole: „Jetzt kämpfst Du!"

Die von der Richtertätigkeit Betroffenen, Parteien, Angeklagte oder Zeugen, akzeptieren trotz des oft entgegenkommenden Verhaltens von Richterinnen nicht immer ohne weiteres, daß sich ihnen statt des erwarteten grauhaarigen Richters eine Richterin präsentiert, die ihre Bedürfnisse nach einer unbedingten Autorität und Respektsperson offenbar nicht so befriedigt. Daß „ihr gesetzlicher Richter" i.S.d. Art 101 Abs. 1 S. 2 Grundgesetz auch eine Frau sein kann, hat — wie die Amtsrichterin Ingrid Gülzow darstellt — schon manche Partei nicht glauben wollen.

Beherrschendes Thema vieler Berichte und damit Hauptproblem auch der heutigen Richterin oder Staatsanwältin ist die Doppelbelastung durch Beruf und Familie. Die vom Gericht zu Kind und Kochtopf hetzende junge Richterin ist also durchaus kein Ausnahmefall. Auch in den modernen Ehen der jüngeren Richterinnen bleibt auf den Frauen meist die Hauptlast von Hausarbeit oder Kinderbetreuung oder beidem hängen, u.a. weil es auch hilfswilligen Männern offenbar schwerer gemacht wird als Frauen, familiengünstige Arbeitszeiten oder gar eine Halbtagsstelle durchzusetzen. Zum Teil dürfte aber auch dieses Argument nur ein Vorwand sein, denn beispielsweise sind am Berliner Familiengericht zwar eine Reihe verheirateter Richterinnen teilzeitbeschäftigt, aber kein einziger Richter, obwohl auch sie als Väter eine solche Stelle in Anspruch nehmen könnten.

Junge Ehen oder Beziehungen scheitern heute im Zeichen steigender Scheidungszahlen und wenig verbindlicher Beziehungen vielleicht gerade besonders häufig an der Unverträglichkeit der beiderseitigen Ansprüche an die Arbeitsteilung in der Beziehung. Bei den Ehemännern der „Mittelgeneration", also der Richterinnen zwischen 40 und 50, besteht aber offenbar nicht einmal die Bereitschaft, bei der Kindererziehung und im Haushalt zu helfen, wie die Richterin Ditzen selbst erfahren mußte; bei den juristischen „Pionierinnen", die heute im Ruhestand leben, wurde sogar „übermenschliche" Pflichterfüllung in beiden Bereichen, Beruf und Familie, gefordert.

Aber nicht nur in der mangelnden Mithilfe der jeweiligen Partner liegt die Benachteiligung der Richterin oder Staatsanwältin gegenüber ihrem männlichen Kollegen, der sehr oft mit einer Hausfrau verheiratet ist, die ihm „den Rücken freihält"; vielmehr wird das männliche Eineinhalb-Personen-Karriere-Modell einfach bedenkenlos als Anforderungsmaßstab an die Frau angelegt. Ob sie alleinstehend ein Kind versorgen muß oder mehrere Kinder ohne oder mit Hilfe des Mannes betreut, spielt im Beruf keine Rolle. Vorher aber, bei der Einstellung, gereicht ihr bereits die Tatsache, daß sie ein Kind hat, zum Einstellungserschwernis, wie die Beschreibungen von Bewerbungssituationen deutlich machen. Stellt man sie dann ein, so muß sie beweisen, daß sie genausoviel wie oder gar noch mehr leistet als ein männlicher Kollege ohne Kinder-Sorgeverpflichtung.

Die Richterin ist im Vergleich zur selbständigen Anwältin oder zur Angestellten in der Wirtschaft privilegiert, denn im Öffentlichen Dienst gilt es — wenigstens formell — einen gleichen Anspruch auf Zugang zum Richteramt bei gleicher Qualifikation; es gibt die Möglichkeit von Halbtagsstellen, was die Staatsanwältin Riebschläger in Berlin auch für den Bereich der Staatsanwaltschaft durchgesetzt hat, und i.d.R. gibt es auch keine Präsenzpflicht außerhalb der Gerichtsverhandlungen. Die Richerin Ditzen hat wegen all dieser Vorteile den Richterberuf ergriffen, weil sie damit ihre vier Kinder durchbringen konnte; ohne ihre Familie wäre sie „vielleicht Bürgermeisterin in einem kleinen Ort" geworden.

Dennoch werden die Erleichterungen des Öffentlichen Dienstes, die eine wirkliche Gleichstellung der Frau beispielhaft für andere Bereiche verwirklichen könnten, inoffiziell unterlaufen, z.B. indem Verhandlungen vom Kammervorsitzenden „familienunfreundlich" terminiert werden oder der Betroffenen besonders viel Arbeit aufgeladen wird, damit sie erst einmal die bestehenden, männlichen Zweifel an ihrer Belastbarkeit zerstreuen möge. Z.T. erscheinen, diese Probleme als typische Berufsanfängerschwierigkeiten; aber bei Frauen kommt erschwerend hinzu, daß sie in der Berufsanfängerphase auch gerade oft mit Familienproblemen belastet sind.

Man hat Frauen den Zugang zu männerdominierten Berufen eröffnet, Diskriminierung ist — was die Vorschriften betrifft — im Öffentlichen Dienst weitgehend abgeschafft; eine wirkliche Gleichberechtigung in Form von mehr

Rücksichtnahme auf die besondere Situation der „doppelbelasteten" Frau kann aber das Gesetz allein nicht erzwingen; hier müssen Frauen persönlich und im Zusammenschluß weiterkämpfen.

Das Ein- und Vordringen der Frauen in den Richterstand ist zwar eine Nachkriegserscheinung, die es aber nicht gegeben hätte, wenn nicht schon vorher Frauen sich auf das Neuland der juristischen Ausbildung gewagt hätten, obwohl sie während und in der Zeit des herannahenden Nationalsozialismus ganz und gar unsichere Berufsperspektiven vor Augen hatten. 1922 waren Frauen zum Richteramt zugelassen worden, das Studium konnten sie seit 1919 mit dem ersten Staatsexamen abschließen und den Vorbereitungsdienst seit 1921 antreten. Zehn bis zwölf Jahre währte diese Zeit der Ausbildungs- und Berufsfreiheit, die allerdings auch nicht frei von administrativen Behinderungen und persönlicher und politischer Diskriminierung durch männliche Kollegen war, bis das Nazi-Regime durch Änderung von Ausbildungs- und Zulassungsordnungen die Frauen weitgehend wieder aus den juristischen Berufen ausschloß.[1] Ob eine Juristin fünf Jahre früher oder später – im Hinblick auf die Machtübernahme der Nazis – studierte, machte einen großen Unterschied im Ausbildungsklima und konnte entscheidend sein für den gesamten Berufs- und Lebensverlauf der Frau. Während die spätere Strafrichterin Gräfin Yorck von Wartenburg, die schon 1927 ihr erstes Examen ablegte keine Benachteiligung als Frau im Studium empfunden hat, ebensowenig wie Anne-Gudrun Meier-Scherling, eine spätere Richterin am Bundesarbeitsgericht, die etwa zur gleichen Zeit studierte, beschreibt Charlotte Schmitt, eine spätere Richterin am Bundesverwaltungsgericht, die erst 1936 ihr erstes Examen ablegte, ein äußerst frauenfeindliches und antisemitisches Klima in der Universität. Ihr Durchhaltewillen, was die eigentlich sinnlos gewordene Ausbildung angeht, ist bemerkenswert angesichts der ohnehin schwierigen Situation von Personen, die dem Regime kritisch gegenüberstanden, in einer Ausbildung, die auf staatliche Machtausübung vorbereitet, dem politischen Anpassungsdruck standzuhalten. Die Tatsache, daß die Nazis, zusammen mit konservativen Kreisen, die Juristin aus dem Beruf in eine Außenseiterrolle drängten, mag die Bereitschaft der Betroffenen zum politischen Mitläufertum sehr eingeschränkt und sogar aktiven Widerstand gefördert haben, wie man am Beispiel von Frau von Yorck sehen kann. Ihr freiwilliger Berufsrückzug und die Unterstützung des Ehemanns bei dessen Widerstandstätigkeit im „Kreisauer Kreis" geschahen sicherlich nicht nur aus ehelicher Rücksicht und Verbundenheit.

Die Lebensläufe der älteren Richterinnen – wie auch der älteren Anwältin im vorangegangenen Kapitel und einiger nachfolgender Autorinnen – beschreiben die Pionierzeit der Juristinnen; sie machen deutlich, wie weit das Dritte Reich auch die Gleichberechtigung der Frau zurückgeworfen hat und welchem harten Ausleseprozeß berufsorientierte Frauen gerade in der Juristerei ausgesetzt waren, denn der leichtere Weg wäre wahrscheinlich doch der der traditionellen, nicht-berufstätigen Ehefrau und Mutter gewesen. Im Gegensatz zu ihren Müttern war den Juristinnen der Zugang zu einem bürgerlich-angesehenen Berufsleben und damit die Wahlmöglichkeit überhaupt erst zugestanden worden, so daß sie schon deshalb dankbar und ohne Klagen den neuen Weg beschreiten mußten; aber im Gegensatz zu den traditionellen Hausfrauen und Müttern ihrer Generation wurden sie immer wieder gezwungen, ihre „weiblichen Qualitäten" unter Beweis zu stellen, um sich gegen den Vorwurf der „Abartigkeit" und des Suffragettentums zu wehren.

Auch die einzigartigen Nachkriegskarrieren von Frauen in der Justiz waren
– wie besonders das Beispiel der ehemaligen Landgerichtsdirektorin Ingeborg
Becker zeigt – nicht auf Watte gebettet. Der Vorteil, politisch unbelastet
durch die Nazi-Zeit zu sein, stand dem Nachteil gegenüber, als Richterin erst
einmal beweisen zu müssen, daß Frauen auch die vormals rein männlich
besetzten Denk- und Entscheidungsqualifikationen besitzen können. Diesem
Übersoll an Sachlichkeit, Leistung und Zurückhaltung von Gefühlen, stand
außerdem oft die Forderung gegenüber, daß zuallererst die Familie ordentlich versorgt und emotional betreut sein wollte. Derartig widersprüchliche
Erwartungsebenen der Umwelt beeinflußten die Lebensverläufe der Pionierinnen und mögen daher auch als Erklärungsansatz dienen für die merkwürdig
bescheidene, nicht klagende und selbst-geschilderte, Benachteiligungen eher
bagatellisierende Haltung vieler älterer Richerinnen.
Widersprüchlichkeit schlug ihnen auch entgegen in politischer Hinsicht. Juristinnen wurden nach 1945 u.a. wegen ihrer „weißen Weste" eingestellt,
alsbald aber „rauschten" ehemalige NSDAP-Mitglieder bei der Beförderung an
ihnen „vorbei", wie es Frau Schmitt so anschaulich darstellt. Die „Gegnerschaft zum Nationalsozialismus" war sehr bald geschwunden u.a. zugunsten
eines breiten Antikommunismus. Die für den Wiederaufbau der Justiz ent-
scheidenden fünfziger Jahre dürften in der einen oder anderen Weise auch das
politische Bewußtsein der älteren Richterinnen geprägt haben. So beschreibt
Frau Dr. Ingeborg Becker sehr kritisch und eher resignativ ihre Karriere und
die anderer Juristinnen in der Justiz. In ihrem Märchen bzw. Inneren Monolog bezeichnet sie sich und andere Juristinnen als „Esel", als Lastenträger,
die im Bedarfsall einspringen und sich zugunsten von „Kriegsteilnehmern"
wieder ausbooten lassen. Einen Großteil dieser frauenfeindlichen Personal-
politik führt sie zurück auf die personelle und insgeheim auch inhaltliche Kon-
tinuität von der „braunen Vorzeit" zur bundesrepublikanischen, demokra-
tisch legitimierten Justiz.
Die älteren Richterinnen befinden sich heute im Ruhestand. Wie stehen sie
„ihren Töchtern", den heute tätigen Richterinnen gegenüber? Erfüllt es sie
mit Stolz, ihnen den Weg geebnet zu haben?

Die Botschaft des „Esels Baldewin" enthält diesbezüglich kaum Ermunte-
rung, die drei anderen Richterinnen erwarten jedoch, daß „ihre Töchter"
ihnen nachfolgen mögen auf dem eingeschlagenen Weg. Es erfüllt sie auch
ein wenig mit Stolz, wenn ihre Nachfolgerinnen Frauen in der Justiz selbstverständlicher gemacht haben und wenn sie weiter und verstärkt „weibliche"
Elemente in der Rechtsprechung zum Tragen bringen, die „ihre Mütter"
überhaupt erst einzuführen wagten.

1 Stefan Bajohr / Kathrin Rödiger-Bajohr, Die Diskriminierung der Juristin in Deutschland bis 1945, in: Kritische Justiz, 1980, S. 39ff.

Allgemeine Verfügung vom 5. Mai 1919 über die Zulassung weiblicher Personen zur ersten juristischen Prüfung.

Weibliche Personen preußischer Staatsangehörigkeit, die das im § 2 Abs. 2 des Gerichtsverfassungsgesetzes angeordnete Rechtsstudium auf einer Universität erledigt haben, sind, um ihnen einen Abschluß des Studiums zu gewähren, zur ersten juristischen Prüfung zuzulassen, wenn nicht im Einzelfalle besondere Bedenken obwalten.

Ihre Ernennung zu Referendaren erfolgt nicht.

Die Prüfung ist — nach Wahl des Prüflings — abzulegen entweder

a) bei der Kommission, in deren Bezirk der Prüfling zuletzt während mindestens eines Jahres seinen Wohnsitz hatte, oder

b) bei der Kommission, in deren Bezirk die Universität belegen ist, an der er das letzte und mindestens ein früheres Studienhalbjahr zugebracht hat.

Im übrigen gelten die Vorschriften der Prüfungsordnung und der dazu erlassenen Verfügungen.

Berlin, den 5. Mai 1919.

Der Justizminister.
Dr. am Zehnhoff.

Justiz-Ministerial-Blatt für die preußische Gesetzgebung und Rechtspflege, 1919

Allgemeine Verfügung vom 17. Januar 1921 über die Zulassung weiblicher Personen zum Vorbereitungsdienste und zu den juristischen Prüfungen.

1. Die Prüfungsordnung sowie die sonstigen Verfügungen über den Vorbereitungsdienst und die juristischen Prüfungen in Preußen finden auch auf Personen weiblichen Geschlechts Anwendung. Die Allgemeine Verfügung vom 5. Mai 1919 (JMBl. S. 288) wird aufgehoben.

2. Zur selbständigen Wahrnehmung der Dienstgeschäfte eines Richters, Staatsanwalts oder Gerichtsschreibers sowie zur Vertretung eines Rechtsanwalts dürfen Personen weiblichen Geschlechts nicht bestellt werden, jedoch, soweit es sich um die Wahrnehmung der Dienstgeschäfte eines Gerichtsschreibers handelt, unbeschadet der Vorschriften im § 9 des Gesetzes vom 3. März 1879, betreffend die Dienstverhältnisse der Gerichtsschreiber (GS. S. 99).

Berlin, den 17. Januar 1921.

Der Justizminister.
Dr. am Zehnhoff.

Justiz-Ministerial-Blatt für die preußische Gesetzgebung und Rechtspflege, 1921

Verhandlungen der 14. Vertreterversammlung des Deutschen Anwaltvereins am 28. und 19. Januar 1922. Die Vertreter beschlossen die Annahme des Antrages mit 45 gegen 22 Stimmen:

Die Frau eignet sich nicht zur Rechtsanwaltschaft oder zum Richteramt. Ihre Zulassung würde daher zu einer Schädigung der Rechtspflege führen und ist aus diesem Grunde abzulehnen.

Gesetz über die Zulassung der Frauen zu den Ämtern
und Berufen der Rechtspflege. Vom 11. Juli 1922.

Der Reichstag hat das folgende Gesetz beschlossen,
das mit Zustimmung des Reichsrats hiermit verkündet wird:

Artikel I

Die Fähigkeit zum Richteramte kann auch von
Frauen erworben werden.

Ebenso können Frauen zu Handelsrichtern,
Amtsanwälten, Gerichtsschreibern und Gerichts-
vollziehern ernannt werden.

Artikel II

Das Gerichtsverfassungsgesetz wird dahin geändert:

Im § 156 treten

bei I Nr. 2 an die Stelle der Worte „seine
Ehefrau" die Worte „sein Ehegatte",

bei II Nr. 2 an die Stelle der Worte „Ehemann der" die Worte „Ehegatte des".

Artikel III

Die Zivilprozeßordnung wird dahin geändert:

1. Im § 41 Nr. 2 treten an Stelle der Worte
„seiner Ehefrau" die Worte „seines Ehegatten".

2. Im § 1032 Abf. 3 fällt das Wort „Frauen"
fort.

Artikel IV

Die Strafprozeßordnung wird dahin geändert:

Im § 22 Nr. 2 tritt an die Stelle des Wortes
„Ehemann" das Wort „Ehegatte".

Artikel V

Das Gesetz über die Angelegenheiten der freiwilligen Gerichtsbarkeit wird dahin geändert:

Im § 6 Nr. 2 treten an die Stelle der Worte
„seiner Ehefrau" die Worte „seines Ehegatten".

Artikel VI

Die Rechtsanwaltsordnung wird dahin geändert:

Im § 14 werden vor den Worten „in gerader
Linie verwandt" die Worte „verheiratet ist
oder gewesen ist oder" eingefügt.

Artikel VII

Soweit in Reichsgesetzen oder in Landesgesetzen
auf Vorschriften des Gerichtsverfassungsgesetzes, der
Zivilprozeßordnung, der Strafprozeßordnung, des
Gesetzes über die Angelegenheiten der freiwilligen
Gerichtsbarkeit und der Rechtsanwaltsordnung ver-
wiesen wird, finden die Vorschriften dieses Gesetzes
Anwendung.

Artikel VIII

Ist vor dem Inkrafttreten dieses Gesetzes eine
Frau auf Grund der ersten juristischen Prüfung
in einer Weise dienstlich beschäftigt worden, die
sachlich einem ordnungsmäßigen Vorbereitungsdienst
entsprach, so gilt diese Beschäftigung als Vorbereitungsdienst im Sinne des § 2 des Gerichtsverfassungsgesetzes.

Artikel IX

Gleichzeitig mit dem Inkrafttreten dieses Gesetzes
tritt die Bekanntmachung über die Verwendung
weiblicher Hilfskräfte im Gerichtschreiberdienste
vom 14. Dezember 1916 (Reichsgesetzbl. S. 1362)
außer Kraft.

Freudenstadt, den 11. Juli 1922.

Der Reichspräsident
Ebert

Der Reichsminister der Justiz
Dr. Radbruch

Ingrid Gülzow, Richterin am Amts-
gericht (Zivilprozeß), Berlin,
seit 1974 Richterin, Mitglied der
Fachgruppe Richter und Staats-
anwälte in der ÖTV, zwei Kinder.

Bei den Überlegungen zu dem Bericht bin ich bei zwei Problemen hängengeblieben, die eigentlich für eine Juristin nicht berufsspezifisch sind, weil sie wohl jede Frau betreffen, die in einem — zumindest ehemals — typischen Männerberuf ausgebildet worden ist und arbeitet, die mir aber wohl doch zu schaffen machen.

Zum einen habe ich durchgängig in Studium, Referendarzeit und während des Probedienstes einen sehr starken Leistungsdruck verspürt. Waren wirklich höhere Anforderungen als den Männern gegenüber vorhanden, oder habe ich das nur so empfunden, entsprechend durch Gesellschaft und Erziehung geprägt? Mit dem Gefühl, daß eine Frau im juristischen Beruf immer sehr viel besser sein muß, um als „gleichwertig" anerkannt zu werden, stehe ich allerdings nicht allein da. Ein konkretes Beispiel, an dem ich festmachen könnte, daß dieser Druck tatsächlich von außen von anderen erzeugt wird und nicht nur ein „Gefühl" ist, fällt mir dazu allerdings nicht ein.

Ausschlaggebend war dabei sicher auch der Anteil der Frauen an der juristischen Fakultät während meines Studiums (durchschnittlich 10 %) und während der Referendarausbildung in den Arbeitsgemeinschaften (ca. 3 Frauen von 20 Referendaren). Bereits durch die geringe Präsenz von Frauen, die zu besonderem Hervorheben oder völligem Übersehen durch Dozenten und Ausbilder führte, waren wir häufig in einer besonderen Lage. Darüber hinaus sind mir typische Halbsätze männlicher Juristen über andere Frauen im Gedächtnis geblieben, wie „. . . *aber* die kann wirklich was" oder „. . . obwohl sie gar nicht wie eine Juristin aussieht" oder auch „. . . und schreibt sogar brauchbare Schriftsätze". Insgesamt wird häufig hervorgehoben, wenn eine Frau „gute Arbeit" leistet. Über Männer habe ich solche Erklärungen selten gehört, erwartet „man" von diesen vielleicht gar keine „gute Arbeit"?

Das andere Problem, mit dem Frauen in anderen Berufen ebenso konfrontiert werden, besteht im mangelnden Verständnis der Kollegen und Mitarbeiter in den Verwaltungen für die Schwierigkeiten, Berufstätigkeit und Kinderbetreuung zusammenzubringen bzw. zu bewältigen.

Dazu ein Beispiel: bei meiner ersten Vorstellung in der Senatsverwaltung fragte mich der Referent, wie ich meine geplante Tätigkeit als Richterin (mit halber Stelle!) mit der Betreuung meiner Tochter vereinbaren könnte, ob denn die Betreuung des Kindes schon geregelt sei und wie denn? Ich hatte das Gefühl, ich würde bei nicht befriedigender Antwort die Bewerbungsunterlagen gar nicht erst ausgehändigt bekommen. Natürlich traute ich mich nicht, danach zu fragen, wie er denn die Betreuung seiner damals auch noch nicht allzu großen Kinder mit seinem full-time-Job mit fester Dienstzeit vereinbare. Warum wird das immer noch allein zu einem Problem der Frauen gemacht? Kein Mann wird routinemäßig befragt, wie seine Kinder versorgt werden, wenn er arbeitet, geschweige denn, daß er Rechenschaft darüber ablegen müßte, wie dies geregelt sei.

Im übrigen steht mein Mann, der sich die Betreuung der Kinder mit mir teilt, häufig vor dem entgegengesetzten Problem, wenn er bei Terminabsprachen auf die Vereinbarung mit der Kinderbetreuung hinweist und von Zeit zu Zeit Termine daher verlegen möchte, stößt er — häufig gerade bei Kollegen mit mehreren eigenen Kindern — immer wieder auf Unverständnis, daß dies für ihn ein ernstzunehmender Faktor ist.

Als Beisitzerin verschiedener Landgerichtskammern hatte ich in der Regel Kollegen, deren Ehefrauen „natürlich" oder „glücklicherweise" nicht berufstätig waren. Von diesen Kollegen gab es zwar auch Anerkennung, „das alles so zu schaffen", aber angesichts der unbefriedigenden Überbelastung meines halben Dezernats immer nur den Ratschlag, die halbe Stelle besser gegen eine ganze einzutauschen, da ich auf der halben ohnehin zu viel arbeiten müsse. Dies traf zwar am Landgericht zu, lag aber einzig und allein an der Terminierung des Vorsitzenden, der trotz mehrfacher Hinweise und Beschwerden mit der halben Stelle nicht umgehen konnte und gleichmäßig viel für· alle Beisitzer terminierte. Eine Unterstützung der Kollegen gab es nicht, nur immer wieder mit mitleidigem Blick den Rat, „nehmen Sie doch eine ganze Stelle".

Das alles ist am Amtsgericht besser, die Verständigung, die anteilige Arbeitsbelastung und das gesamte Arbeitsklima. Bei uns waren zeitweise von den vier Prozeßabteilungen drei mit Frauen besetzt, insgesamt arbeiten im ganzen Haus ohnehin mehr Frauen als Männer.

Auch Anwälte und Parteien lassen sicher teilweise vorhandene Vorbehalte gegen eine Frau als Richterin diese nicht oft erkennen, sind immer freundlich, teils freundschaftlich, manchmal auch betont respektvoll oder übertrieben zuvorkommend. Übertriebene Höflichkeit läßt dann teilweise doch das Gefühl aufkommen, als Richterin vielleicht nicht ernst genommen zu werden.

Dabei sind allerdings ab und zu nicht vertretene Parteien offener in ihrem Mißtrauen einer Richterin gegenüber, z.B. begann ein Beklagter so: „Das letzte Mal saß hier doch ein *Herr* Amtsgerichtsrat! Sie lehne ich als befangen ab!" — „Warum?" — „Das letzte Mal saß hier ein Herr Amtsgerichtsrat!" — „Ihre Ablehnung müssen Sie schon begründen." — „....? Das mache ich dann schriftlich!" In der schriftlichen Begründung stand dann natürlich nichts von einem Vorbehalt gegen eine Frau.

Als Vormundschaftsrichterin (ohne Robe) übersah mich eine ältere Dame eine Weile und fragte dann nach *dem* Richter. Sie sah sich dabei suchend in meinem kleinen Zimmer um. Nach einem fast einstündigen Gespräch, das offensichtlich nicht zu ihrer Zufriedenheit ausgegangen war, erklärte sie, „dann werde ich mich eben an ‚den' Richter wenden, dann soll der Richter entscheiden". Daß ich ihr Richter war, hatte sie nicht verstanden oder wollte sie offenbar nicht verstehen.

In einer Glosse der 2. Ausgabe der Justizblätter Berlin, den Mitteilungen der Fachgruppe der Richter und Staatsanwälte in der ÖTV-Berlin, zu den Auseinandersetzungen um eine Anzeige Berliner Richter und Staatsanwälte war von den Autoren der Glosse als Verfasserin eines Briefes an den Senatsdirektor eine Richterin erdacht worden mit dem bedeutungsvollen Namen „K. Leines-Licht", die naiv und um ihre Beförderung besorgt, ihre Unterschrift zur Anzeige widerruft — ausgerechnet eine Frau, ein kleines Licht! So einfach scheint es mit der Beseitigung Jahrhunderte lang genährter Vorurteile wirklich nicht voranzugehen.

Katharina Jung, Richterin
Mitglied der ÖTV, Fachgruppe
Richter und Staatsanwälte, Mitglied
der Vereinigung Demokratischer
Juristen

„Jetzt kämpfst du . . .“

Seit mehreren Jahren bin ich Richterin. Fast wäre ich es nicht geworden, d.h. fast hätte ich meinen Beruf gewechselt. Ohne den starken Rückhalt bei Freunden, einigen Kollegen, insbesondere aber bei meinem jetzigen Ehemann hätte ich alles wohl nicht durchgestanden.

Äußerlich fing alles vielversprechend an· Ich wurde Richterin auf Probe in der Gerichtsbarkeit, bei der ich mich beworben hatte. Allerdings hatte ich mir Illusionen darüber gemacht, was es bedeutet, täglich 160 km zu pendeln. Und das mit einem 3jährigen Kind zuhause. Das hieß: morgens zum Kinderladen hetzen, unterwegs noch ein anderes Kind auflesen. Dann den Zug erreichen. Viel zu spät am Vormittag an meiner Arbeitsstelle einzutreffen. Am Nachmittag mußte ich das Gericht zu früh verlassen, um mich wieder um meine Tochter zu kümmern. Ich war nämlich allein für sie zuständig, denn meine damalige Ehe war bald nach meinem Berufsanfang gescheitert. Ich zog mit meiner Tochter an den Ort meines Arbeitsplatzes.

Meine Leistungen wurden stark beobachtet. Sie waren wechselnd. Hinzu kam, daß ich bald als „rot“ eingestuft wurde. War doch bekannt, daß ich in einer Wohngemeinschaft gelebt hatte und daß ich zu .den wenigen Mitgliedern der Fachgruppe Richter und Staatsanwälte in der ÖTV in meiner Gerichtsbarkeit gehörte. Rüdiger Lautmanns „Justiz, die stille Gewalt“, in der er sich mit der Entscheidungsfindung von Richtern auseinandersetzt, fand ich beachtlich. Und hatte das auch gesagt. Außerdem bildete ich angeblich mit einem Kollegen eine „rote Zelle“. Der lachte sich kaputt. Ich mich zunächst auch.

Meine Zeugnisse waren miserabel. Schließlich sollte ich mich an einem anderen Gericht „bewähren". Weder der Hinweis auf meine Tochter, die durch die Scheidung einen Knacks bekommen hatte, noch auf die beabsichtigte neue Eheschließung konnten die Versetzung verhindern. Mit meinem Einverständnis ließ ich mich also versetzen. Denn rausfliegen wollte ich ja nicht. Wieder pendelte ich 160 km täglich. Abends kam ich abgekämpft nach Hause. Die Tochter ging auf dem Zahnfleisch. Sie kam mit dem neuen Mann nicht zurecht, und er nicht mit ihr. Zwischen beiden rieb ich mich auf. Tag für Tag hieß es im Beruf: Leistung, Leistung. Ich war nicht gegen Leistung. Aber angeblich war ich eine Niete. Da half es mir wenig, daß ich meine Urteile von Kollegen meiner und anderer Gerichtsbarkeiten prüfen ließ. Ständig wurde ich in meinen mündlichen Verhandlungen „überhört", selbstverständlich ohne vorherige Ankündigung. Meine „Richterpersönlichkeit" wurde in Frage gestellt. Was das eigentlich ist, kam nie zur Sprache.

Ich trug mich mit dem Gedanken, in ein Rechtsanwaltsbüro einzutreten. Gespräche liefen bereits. Nach einer inquisitorischen Anhörung höheren Ortes war eines Tages eine erneute Bewährung fällig. Wieder ließ ich mich versetzen. Aber schon während der Inquisition hatte ich beschlossen: länger hältst du nicht still, jetzt kämpfst Du! Schließlich wußte ich ja, warum ich den Beruf der Richterin ergriffen hatte.

Jetzt trat ich offensiver auf. Ich aktivierte meine Gewerkschaftsmitgliedschaft. Ich arbeitete in anderen Organisationen. Den Kontakt zu mir gewogenen und sympathischen Kollegen verstärkte ich. Sie waren mit der Art und Weise, wie mit mir umgesprungen wurde, nicht einverstanden. Ihre Unterstützung tat mir gut. Mein Mann bestärkte mich weiter durchzuhalten.

Und eines Tages war alles wie weggeblasen. Die „Überhörungen" hörten auf, das nächste Zeugnis war besser. Ich bekam meine Urkunde als Richterin auf Lebenszeit. Das feierte ich mit den Kollegen. Die Männer meinten, sie seien von meiner Durchhaltekraft beeindruckt.

Inzwischen arbeite ich wieder am Gericht in meinem Wohnort. Ich fühle mich wohl. Ich wurde in den Richterrat gewählt. Demnächst wollen wir ÖTV-Mitglieder am Gericht, Richter, Beamte und Angestellte, mit der gewerkschaftlichen Betriebsarbeit beginnen.

Warum ich das aufschreibe? Warum ich meine, daß diese Geschichte in diese Sammlung gehört?

Weil es mehreren meiner Kolleginnen ähnlich ging und geht. Eine hat nicht durchgehalten. Von einem vergleichbaren Fall eines Kollegen ist mir nichts bekannt. Offensichtlich muß eine Frau mehr Richterpersönlichkeit haben als ein Mann — was immer das ist —.

Rechts: Mona Fischer, „Steine in den Weg legen . . .", 1981

Brigitte Schäfer, geb. 29.9.1946.
1966 Beginn des Studiums in
Münster, Ende 1970 I. Examen,
Ende 1974 II. Examen, seit Januar
1975 Richterin beim Sozialgericht
in Münster, seit Januar 1978 in
Gelsenkirchen.

Ich habe etwa in der Obersekunda den Entschluß gefaßt, Jura zu studieren. Konkrete Vorstellungen hatte ich eigentlich nicht, aber ich glaubte, daß ich damit etwas für mehr Gerechtigkeit tun könnte. Wahrscheinlich war auch ein Grund — das ist mir aber erst viel später bewußt geworden —, daß ich endlich dem reinen Frauenbetrieb entfliehen wollte. Ich war auf einem reinen Mädchengymnasium, und für meine Eltern war eigentlich von meiner Einschulung an klar, daß ich Lehrerin werden würde, wie die Mehrzahl meiner Mitschülerinnen.

Positive Reaktionen auf meine Entscheidung gab es nicht viele. Die meisten Bekannten und Verwandten reagierten entsetzt. „Das ist doch nichts für ein Mädchen." Das ist doch viel zu trocken. Ein früherer Lehrer: „Zu einer Juristin würde ich nie gehen, die handelt doch nur nach dem Gefühl."

Dieses Entsetzen erlebe ich auch heute noch sehr oft. Wenn ich die Frage nach meinem Beruf beantworte. Die Vorurteile gegen Juristinnen sind offenbar immer noch immens. Sie ist gefühllos, unattraktiv, Mannweib, hart, kurz: keine richtige Frau. Muß der Betreffende dann feststellen, daß die vor ihm stehende Juristin diesem Bild nicht entspricht, ist sie eben keine richtige Juristin.

Meine Erfahrungen während des Studiums entsprachen sehr stark dem Artikel der Studentin im Kursbuch „Frauen". Es scheinen somit keine Erfahrungen zu sein, die typisch sind für Jurastudentinnen, sondern verallgemeinerbar. Vielleicht sind sie beim Jurastudium aber noch stärker, weil Frauen noch seltener sind (zu meiner Studienzeit ca. 10%). Viele Professoren waren ganz offensichtlich gegen Juristinnen. Sie versuchten, die Frauen in der Vorlesung oder Übung lächerlich zu machen. Ein Beispiel:

Ich bin zu einem ziemlich offiziellem Fest eines Studentenheimes des Studentenwerkes eingeladen. An meinem Tisch sitzt ein jüngerer Professor, bei dem ich gerade den kleinen Schein im bürgerlichen Recht mache. Er kennt mich natürlich nicht bei den Hunderten von Übungsteilnehmern. Er fordert mich zum Tanz auf, fragt mich beim Tanzen nach meinem Studium. Entsetzen, als er von dem Jurastudium erfährt. Sofort nach Beendigung des Tanzes bringt er mich zum Tisch zurück und redet kein Wort mehr mit mir. In der nächsten Übungsstunde sitze ich mitten in der Menge. Es wird ein schwieriges Problem erörtert; er stellt eine sehr schwierige Frage. Kein Mensch meldet sich. Hämisch grinsend kommt er mit ausgestrecktem Finger auf mich zu und fragt: „Was meinen Sie denn dazu?" Offensichtlich ist er enttäuscht, als mir in der Schrecksekunde doch tatsächlich noch die richtige Antwort einfällt.

Für die Kommilitonen waren die Frauen Gegenstand ständiger kritischer Beobachtung und Bemerkungen. Brachte die Frau gute Leistungen, hieß es: „Die ist ja keine richtige Frau", „das ist aber eine Streberin" etc.. Sagte sie etwas Falsches oder hatte sie eine schlechte Leistung gebracht: „Ach ja, das ist ja auch eine Frau." Ich habe mich überhaupt nicht mehr getraut, etwas zu sagen und mich möglichst unauffällig verhalten, obwohl die schriftlichen Arbeiten recht gut ausfielen. Ich hatte weniger Selbstbewußtsein während und am Ende des Studiums als während der Schulzeit. Das habe ich erst durch politische Arbeit, Berufstätigkeit und Arbeit in einer Frauengruppe bekommen.

Von der Referendarzeit kann ich nichts berichten. In dieser Zeit habe ich keine besonderen diskriminierenden Beobachtungen gemacht, ich kann mich zumindest nicht erinnern. Ich war allerdings im Vorstand des Sprecherrates auf Landgerichts- und auf Landesebene − der halb offiziellen Referendarvertretung (später wurden Personalräte für Referendare gesetzlich eingeführt), gegenüber Kollegen und Ausbildern aber relativ exponiert.

Daß Juristinnen auch wie Frauen allgemein im Berufsleben diskriminiert werden, erfuhr ich dann direkt wieder, als ich mich um eine Stelle nach dem 2. Staatsexamen bewarb. Die meisten Stellen waren nur für „Juristen" ausgeschrieben, besonders in der „Wirtschaft" und bei Anwälten. Ich habe mich trotzdem − schon aus Protest − auf mehrere solcher Stellen beworben, aber die Unterlagen entweder kommentarlos oder gar nicht zurückgeschickt bekommen.

In meinem Beruf spielt sich meine tägliche Arbeit wohl auch nicht anders ab als die der männlichen Kollegen. Ich kann zwar nicht beurteilen, ob sich die Prozeßbeteiligten bei mir anders verhalten, weil ich eine Frau bin, als bei den Kollegen, weil ich Verhandlungen der Kollegen ja gar nicht erlebe. Ich bin überzeugt, daß in aller Regel kein Unterschied gemacht wird. Die Beteiligten wollen ja auch etwas von mir? Ausnahmen bestätigen natürlich die Regel. Beispiele:

1. Ich habe in den ersten Jahren in einer Kammer für Kriegsopferangelegenheiten nach dem BVG gearbeitet. Hierauf bin ich mehrfach angesprochen worden sowohl von Kollegen als auch von Beteiligten, ob ich diese Dinge denn wohl richtig beurteilen könnte, weil ich doch nicht Soldat werden könne. Bei jungen Kollegen, die ebenfalls weder den Krieg erlebt hatten noch Soldat gewesen waren, wurde diese Frage nicht gestellt. So war es damals eine ausgesprochene Ausnahme, daß eine Frau ein derartiges Referat bekam.

2. Während meiner Einarbeitungszeit, während der ich auch an den Sitzungen des mich einarbeitenden Kollegen teilnahm, wurde ich von einem Vertre-

ter der Beklagten als zukünftige Kammervorsitzende vorgestellt. Reaktion, die mir die Sprache verschlug: „Dann können wir demnächst ja die Prozesse mit Flirten erledigen."
Im übrigen gibt es auch außerhalb der eigentlichen Arbeit Dinge, die mich besonders betroffen machen. Da ist vor allem das übersteigerte Selbstbewußtsein sehr vieler Kollegen, die anmaßende Arroganz — auch der Rechtsanwälte und anderer beruflicher Prozeßvertreter — mit der sie auftreten, über Kollegen und Prozeßbeteiligte herziehen, sich selber als fast unfehlbar darstellen. Bei Frauen habe ich derartiges bisher eigentlich nicht erlebt.

Gisela Krehnke, geb. 1940, 1963 erstes und 1968 zweites Staatsexamen; seit 1971 Teilzeitbeschäftigung als Rechtsanwältin; seit 1974 in der Ordentlichen Gerichtsbarkeit; seit 1976 Halbtagsbeschäftigung, seit 1977 Richterin am Familiengericht; 1965 Heirat und Geburt des ersten Kindes, 1967 Geburt des zweiten und 1969 Geburt des dritten Kindes.

Über das Gespräch mit Frau Krehnke (K), das Frau Fabricius-Brand (F) im November 1981 führte, wurde folgendes Gedächtnisprotokoll angefertigt:

F.: Warum haben Sie Jura studiert?
K.: Seit meinem 10. Lebensjahr hatte ich Medizin studieren wollen. Kurz vor dem Abitur bekam ich Angst, ich könnte das wegen der naturwissenschaftlichen Anforderungen nicht schaffen. Da ich keine spezifischen Begabungen hatte, bot sich das Jurastudium an, zumal mein Vater auch Jurist war. Allerdings wollte ich auf keinen Fall wie er in die Verwaltung gehen, weil ich glaubte, daß man dort mehr mit Akten als mit Menschen zu tun hat. Als ich mich zum Jurastudium entschlossen hatte, war mir von vornherein klar, daß ich Richterin, und zwar Jugendrichterin, werden wollte. Genaue Vorstellungen von diesem Beruf hatte ich allerdings nicht. Später, in der Amtsgerichtsstation, kam ich als Referendarin zu einer Jugendrichterin, die ich in bester Erinnerung behalten habe. Sie war wohl früher Fürsorgerin gewesen. Obwohl sie Junggesellin war, war sie sehr mütterlich und verfügte über so viel Lebenserfahrung, daß sie sich gut in die Jugendlichen und ihre Situation hineinversetzen konnte. Es hat mich sehr beeindruckt, wie engagiert sie ihren Beruf ausgeübt hat.

F.: Finden Sie das geschlechts-spezifisch?
K.: Ich finde es immer enttäuschend, wenn jemand seinen Beruf so unbetei-

ligt ausübt. Ich habe diese Haltung eher bei Männern gefunden. Das ist aber auch kein Wunder, weil es zahlenmäßig sehr viel mehr Männer in der Justiz gibt.

F.: Hatten Sie Vor- oder Nachteile in der Ausbildung?

K.: Ich muß sagen, daß ich nichts derartiges empfunden habe. Der Anteil der Studentinnen war in Berlin vielleicht 1 : 5, in München 1 : 10. Ich nahm das zur Kenntnis. Es hatte aber keinen Einfluß auf mein Befinden. Als das Studium anfing, ernst zu werden, wollte ich allerdings zum Medizinstudium wechseln. Das war im 5. Semester und fiel mit meiner Rückkehr nach Berlin zusammen. Ich hatte zuvor zwei sehr abwechslungsreiche Semester in München und Innsbruck verbracht. Dort war ich nur recht oberflächlich juristischen Studien nachgegangen. In Innsbruck hatte ich einige medizinische Vorlesungen gehört. Da der Antrag auf Umschreibung innerhalb des Semesters abgelehnt worden war, entschloß ich mich, doch lieber das Jurastudium zu beenden.

Ich kann mich auch nicht an Nachteile im Referendardienst erinnern. In der Verwaltungsstation gab mir ein Ausbilder eine schlechte Note. Ich erwartete damals mein 1. Kind, aber ich glaube, die Beurteilung hatte nichts mit der Schwangerschaft zu tun. Wir kamen eben nicht so gut miteinander aus. Im Gegensatz dazu hatte ich bei einem Ausbilder in einer anderen Arbeitsgemeinschaft das Gefühl, daß er mich aus persönlichen Gründen bevorzugte. Ich fand meine Leistungen überhaupt nicht besser als die der anderen Referendare; trotzdem bekam ich von allen die beste Note.

Durch die Geburt der 1. und 2. Tochter während der Referendarzeit trat die Ausbildung für mich etwas in den Hintergrund. Ich wollte das Assessorexamen schaffen, um eine abgeschlossene Ausbildung zu haben. Mein Mann studierte damals noch, und wir wohnten bei meiner Schwiegermutter. Ich konnte zu den Sitzungen, zum Repetitor und in die Büchereien gehen, ohne mich um die Unterbringung der Kinder sorgen zu müssen. Insgesamt blieb mir — glaube ich — genügend Zeit für sie. Da das Examen für mich nicht so ungeheuer wichtig war, ging ich viel gelassener daran als viele Kollegen, die ich beobachtete. Ich stützte mich mehr auf meinen Verstand als auf eine möglichst umfassende Kenntnis der neuesten Rechtsprechung und bin damit ganz gut gefahren.

F.: Spielte Ihr Frau-Sein bei der Berufswahl eine Rolle?

K.: Für mich war die Entscheidung dadurch gefallen, daß ich verheiratet war und drei Kinder hatte. Da war ich zunächst einmal Mutter und Hausfrau. Ich bin in den 50er Jahren herangewachsen und hatte die damals noch herrschende Vorstellung akzeptiert, daß eine Frau zwar einen qualifizierten Beruf erlernt, ihn aber zu Gunsten der Familie nicht ausübt. Ich hatte mit den Kindern zunächst genug zu tun und wollte mich den bekannten Belastungen der Assessorenzeit nicht aussetzen. Ich war auch froh, mich nach dem 2. Examen ganz den Kindern widmen zu können und nicht dauernd etwas lernen oder arbeiten zu müssen. Mit der Zeit verflüchtigte sich mein Zufriedenheitsgefühl. Ich arbeitete zunächst zweimal jeweils im April und Mai in einem Lohnsteuerberatungsbüro. Dann beantragte ich die Zulassung als Rechtsanwältin. Ich wollte den Anschluß an eine spätere Berufstätigkeit nicht verlieren und hoffte, dies am ehesten durch eine zumindest sporadische Betätigung als Anwältin zu schaffen. In der Folgezeit übernahm ich Urlaubsvertretungen, fühlte mich dabei aber sehr unsicher. Aus meiner dreimonatigen

Tätigkeit als Referendarin in der Anwaltsstation kannte ich nicht alle Tätigkeiten, die ein Anwalt erledigen muß. Zu diesem Gefühl der Unsicherheit
kam hinzu, daß mir die einseitige Interessenvertretung, die ein Anwalt für
seinen Mandanten wahrnehmen muß, nicht so liegt. Ich bin mehr auf den
Ausgleich widerstreitender Interessen aus. Das ist einmal eine Frage des Tem-
peraments, zum anderen wird man in der Referendarzeit auch mehr für die
Arbeit als Richter ausgebildet.

Als mir klar wurde, daß ich mich intensiver beruflich betätigen wollte –
unser jüngstes Kind kam in die Vorschule –, bewarb ich mich um Einstellung
in den Justizdienst. Das Vorstellungsgespräch habe ich in merkwürdiger Erinnerung. Zunächst wurde mir das Gefühl vermittelt, daß die Justiz auf eine
Bewerberin wie mich eigentlich verzichten könnte. Mit der Zeit schmolzen
die Vorbehalte dahin aus Gründen, die in meiner Herkunft aus gutbürger-
lichem Hause lagen und in keiner Weise mein persönliches Verdienst waren.

Während der Assessorenzeit arbeitete ich u.a. als Vormundschaftsrichterin.
Ich bewarb mich dann auf eine Stelle am neu errichteten Familiengericht.
Ich wäre in der damaligen Situation wahrscheinlich auch gegen meinen Willen dorthin gekommen. Ich meldete mich „freiwillig", weil mich das Gebiet
interessierte und ich glaubte, daß ich dort meinen Fähigkeiten entsprechend
arbeiten könnte.

F.: Hat es bei der Ausübung Ihres Berufes eine Bedeutung, daß Sie Frau sind?
Ich denke an das Verhältnis zu den Parteien, Kolleginnen und Kollegen sowie
sonstigen Mitarbeitern.
K.: Noch als Assessorin beantragte ich die Herabsetzung meines Dienstes auf
die halbe Stundenzahl, was mir anstandslos bewilligt wurde. (Beim Familiengericht sind 5 Richterinnen halbtags und eine Richterin 3/4tags beschäftigt;
alle männlichen Kollegen sind voll berufstätig.) Ich bin mit dieser Lösung sehr
zufrieden.
Wenn meine Tätigkeit als Familienrichterin mein ganzer Lebensinhalt wäre,
fände ich das zu bedrückend. Denn wir haben hier doch eher negative und
traurige Lebenssachverhalte zu regeln. Ich würde mich wohl um Versetzung
in eine Zivilabteilung bemühen, in der man nicht so unmittelbar mit den persönlichen Problemen der Menschen befaßt ist. Im Laufe der Berufsjahre bin
ich geduldiger geworden und habe gelernt, mich nicht so sehr in die Probleme der Parteien einzumischen. Sie regeln ihre Verhältnisse oft anders als
man es sich als Außenstehender vorstellt. Man gerät auch zu leicht in die Gefahr, befangen oder gar parteilich zu sein, wenn man sich nicht immer vor
Augen hält, daß man nur zu einer Entscheidung in einer akuten Situation
aufgerufen ist, daß man die dem Konflikt zu Grunde liegenden Verhältnisse
aber nicht beeinflussen kann.

F.: Ist dadurch Ihr Verhältnis zu Ihrem Beruf zynischer geworden?
K.: Nein, das würde ich nicht sagen. Ich sehe doch jedes Mal, daß ich einen
anderen Menschen vor mir habe. Ich fühle mich aber nicht mehr so ausgeliefert an den Beruf wie früher. Ich denke, daß ich den Aufgaben einer Familienrichterin jetzt besser gewachsen bin. Ich kann mir z.B. die Lebenssachverhalte,
um die es geht, ganz gut vorstellen. Da ich Kinder mag und gern mit ihnen
umgehe, hilft mir das bei Angehörigen im Verfahren. Ich glaube allerdings,
daß das kein Privileg von Frauen ist.
Wenn ich an das Verhältnis zu den Parteien denke, so möchte ich voraus-
schicken, daß ich nicht so resolut und bestimmt auftrete. Ich glaube, daß

manche Rechtsanwälte dieses Verhalten als Unvermögen interpretieren. – Wenn ich tatsächlich unsicher bin, finde ich, daß sie recht haben. – Oft bin ich allerdings der Meinung, daß ein Fall noch nicht so weit entwickelt ist und daß ich den Parteien noch die Möglichkeit geben muß, ihren Konflikt zu verhandeln oder ihre Situation zu erklären. Ich meine, daß in solchen Fällen Ungeduld und Eile schädlich sind. Was die Parteien sonst darüber denken, wenn sie eine Richterin vor sich haben, kann ich nicht sagen. Gelegentlich kommt es vor, daß Frauen sagen: ,,Sie sind eine Frau. Ihnen kann ich ja das und das sagen" oder ,,Sie werden das ja verstehen!" Im allgemeinen stört es mich nicht, wenn die Parteien sich streiten und auch mal sehr laut werden. Ich finde die Situation, in die ein Scheidungsverfahren die Eheleute bringt, ist gefühlsmäßig so belastend, daß ich ihnen heftige Reaktionen zubillige. Der Streit stört mich nicht, obwohl ich immer froh bin, wenn es friedlich zugeht.

Was mein Verhältnis zu den Kolleginnen und Kollegen angeht, so bin ich immer gut mit meinen männlichen Kollegen ausgekommen. Ich freue mich aber auch, daß wir hier am Familiengericht so viele Frauen sind. Ich glaube, daß Richterinnen sich schneller verständigen können, da ihre eigene private Situation eher vergleichbar ist und man von Anfang an ein größeres Einverständnis miteinander herstellen kann.

Was die nicht juristischen Mitarbeiter angeht, so ist mein Verhältnis zu ihnen auch gut. Zwischen einer erfahrenen Rechtsanwältin und einem solchen Rechtsanwalt mache ich wohl keinen Unterschied – wenn, dann ist dies unbewußt. Vielleicht bin ich Berufsanfängerinnen gegenüber etwas sanfter, weil sie mich an meine ersten Versuche als Rechtsanwältin erinnern.

Merve Brehme, geb. 1939 in Hamburg; Oktober 1963 Erste juristische Staatsprüfung in Hamburg, Dezember 1971 Zweite juristische Staatsprüfung in Berlin, seit April 1972 Halbtagstätigkeit als Assessorin, ab April 1975 als Richterin am AG in der Ordentlichen Gerichtsbarkeit, seit 1.7.1977 richterliche Tätigkeit am Familiengericht; März 1964 Heirat und Übersiedlung von Hamburg nach Berlin, März 1965 Geburt der Tochter.

Über das Gespräch mit Frau Brehme (B), das Frau Fabricius-Brand (F) im November 1981 führte, wurde folgendes Gedächtnisprotokoll angefertigt:

F.: Warum studierten Sie Jura?

B.: Mein Großvater mütterlicherseits war Jurist; er muß recht gern Prozesse geführt haben, erzählte nach meiner Erinnerung auch oft davon, wobei er die Rolle des Beklagten zu bevorzugen schien. Entscheidender für meine Berufswahl ist aber wohl der bestimmende Einfluß meines Vaters gewesen. Ursprünglich hätte ich lieber Kunstgeschichte studiert. Mein Vater, der nach dem Krieg schnell den ökonomischen Aufsieg geschafft hatte, wollte mich und meine knapp ein Jahr jüngere Schwester unbedingt für leitende Positionen in seinem verzweigten Betrieb qualifizieren, so sollte ich Juristin und meine Schwester Ökonomin werden. Zugleich wollte mein Vater sich durch mich wohl einen selbst gehegten Berufswunsch erfüllen lassen. Er hatte kein Abitur und hatte sich seinen Traum, Jurist zu werden, nicht erfüllen können.

Damals noch sehr angepaßte und brave Tocher, begann ich also im Sommersemester 1959 mit dem Jura-Studium an der Universität Hamburg.

Bereits während meines ersten Semesters faßten meine Eltern – nach lange krisenhaft gewesener Ehe – den Entschluß, sich scheiden zu lassen. Meine Mutter, die von Anfang an in den Betrieben meines Vaters mitgearbeitet hatte (Wareneinkauf und Magazinverwaltung für zwei Hotels und mehrere Restaurants und Schnellgaststätten), erwies sich – für mich damals überraschend – als total unselbständig. Ich sah, wie wenig sie ihre eigenen Angelegenheiten regeln konnte und wie abhängig sie von meinem Vater gewesen sein mußte, bei all ihrer – auch beruflichen – Tüchtigkeit. Eine derart abhängige Existenz wollte ich für mich nicht, das ist mir damals klar geworden. Diese Einsicht verhalf mir auch dazu, das mehr oder minder aufgezwungene Jurastudium für mich als richtig anzunehmen. Ich fand es damals gar nicht so schlecht, sich als Frau in einem so männlich geprägten Bereich auszukennen.

F.: Hatten Sie Vor- oder Nachteile in der Ausbildung, im Studium bzw. der Referendarzeit?

B.: Bezogen auf mein Frau-Sein muß ich beides bejahen.
Es gab z.B. an der Uni Hamburg den längst emeritierten, damals wohl schon über 80jährigen Professor Raape, der Frauen in einem Jura-Studium für grundsätzlich fehl am Platze hielt und dies auch wiederholt und deutlich in seinen Vorlesungen und Seminaren zum Ausdruck brachte. Während ich Schuldrecht bei ihm mit viel Gewinn gehört habe, weil er ein wirklich guter Didaktiker war, erlaubte er Frauen in seiner Vorlesung über Römisches Recht nicht, Klausuren mitzuschreiben bzw. weigerte sich, solche Klausuren zu korrigieren. Ein relativ leicht zu erringender kleiner Schein war damit für mich nicht erreichbar. Beschwerden zusammen mit anderen betroffenen Studentinnen beim Dekan führten zu nichts, wir wurden auf das nächste Semester verwiesen; der dann lesende Professor stellte jedoch erheblich höhere Anforderungen und war auch didaktisch nicht mit Raape vergleichbar, ich ließ es also.
Auch in einem anderen Bereich habe ich mich als Frau ziemlich wehrlos gefühlt: ich hörte bei Repetitor Peters, der seinen Unterricht ständig mit sog. ,,Herrenwitzen" aufzulockern bestrebt war, was die männlichen Kommilitonen amüsierte, mich und die anderen Frauen aber erheblich störte. Aus Angst als ,,Blaustrümpfe" und als humorlos diskriminiert zu werden, hielten wir den Mund und ärgerten uns weiter.
Beide Beispiele sind wohl heute kaum noch denkbar; Frauen sind inzwischen doch wehrhafter geworden. Damals studierten in meinem Semester aber auch nur 10% Frauen, wir waren schon zahlenmäßig damit nicht gerade stark.
Immerhin war ich damals deutlich angepaßter als ich es heute bin; ich ließ mich von männlichen Kommilitonen gern umflirten und versäumte mit ihnen gemeinsam manche Vorlesung, wobei ich wieder aus Furcht vor dem Blau-

Strumpf-Vorwurf meine Lernbereitschaft und Strebsamkeit verleugnete. Immerhin machte ich Examen nach dem 8. Semester; in dem Zusammenhang erinnere ich mich an keine durch mein Frausein bedingten Vor- oder Nachteile.

Meine Referendarzeit habe ich im August 1964 in Berlin begonnen und wegen der Geburt meiner Tochter im Mai 1965 bis Oktober 1968 unterbrochen. Die Zeit als Nur-Hausfrau und Mutter habe ich als ziemlich belastend und unbefriedigend erlebt, auch die wirtschaftliche Abhängigkeit von meinem Mann hat mich erheblich gestört.

Im Juni 1968 hatte ich in einem privaten Kindergarten einen Platz für meine Tochter gefunden und seitdem die Fortsetzung meiner Referendarzeit vorbereitet; und zwar gegen den massiven Widerstand meines Mannes, der mir unsere gemeinsame Tochter als „mein Problem" andiente. Es hat anstrengende und langwierige Diskussionen gekostet, um meinen Mann von seiner männlichen Rollenfixierung (an die ich ja auch noch etwas glaubte) abzubringen. Hilfreich war sicher, daß mein Mann damals im Uni-Klinikum tätig war und oft von jüngeren Mitarbeitern bzw. Studenten Meinungen zu hören bekam, die eher meinen Standpunkt unterstützten. Er gab den Wunsch, unbedingt wie sein eigener Vater als Patriarch in der Familie zu fungieren, nach und nach auf und hat mich später bei der Vorbereitung meines Assessorexamens sehr unterstützt, indem er drei Monate lang die volle Versorgung der Tochter übernahm. Seit September 1970 hatte ich überdies Unterstützung durch meine Schwester, die von Hamburg zu uns gezogen war, halbtags berufstätig war und sich im übrigen Haushalt und Kinderversorgung mit mir teilte. Dennoch mußte ich manche Klausur, die um 8.00 Uhr beginnen sollte, später beginnen, weil der Kindergarten frühestens um 8.15 Uhr seine Tür öffnete. Bis auf eine Ausnahme, wo ein Ausbilder mir von sich aus anbot, die zu Beginn verlorene Zeit am Ende nachzuholen, während er wartete, wurde mir sonst eher signalisiert, daß ich wohl die Belange meiner Tochter hinter die beruflichen Anforderungen zu stellen hätte.

Allerdings habe ich mich darauf nicht eingelassen, sondern meinen Standpunkt, daß meine Tochter im Zweifel Vorrang haben müsse, beibehalten. Ich glaube auch, die Selbständigkeit und gute Stabilität meiner Tochter auf meine dreijährige berufliche Pause und ihre verteidigte Vorrangigkeit während meiner Ausbildung zurückführen zu können. In mancher Hinsicht habe ich sie gegen das Erziehungsvorbild meiner Eltern aufwachsen lassen und habe ihr dadurch sicher die Ablösung von mir besser ermöglicht als diese mir selbst von meinen Eltern ermöglicht worden ist.

F.: Spielte Ihr Frau-Sein bei der Berufswahl eine Rolle?

B.: Mir war sehr bald klar, daß ich Richterin werden wollte, wobei mich der amtsgerichtliche Bereich mit seiner größeren „Volksnähe" am meisten reizte, hier dann sehr bald auch die Vormundschaftsbarkeit wegen ihres sozialen Bezugs. Da mein Mann als Arzt beruflich voll eingespannt war, nahm ich von Anfang an den Richterdienst mit halbem Dezernat auf. Meine Verbeamtung wurde dadurch nicht verzögert, ich lernte auch, ökonomisch zu arbeiten. Allerdings mußte ich auf so manches Kollegengespräch verzichten, manche Arbeit unterbrechen, weil die Belange der Tochter dies erforderten, und bei Krankheit der Tochter brach regelmäßig mein System der Arbeitsteilung zusammen und mußte neu organisiert werden.

Andererseits habe ich die Entwicklung meiner Tochter intensiv verfolgen können, konnte für sie da sein und dadurch von mir selbst etwas wegkommen, was zum emotionalen Auftanken wohl beigetragen hat.

F.: Damit sind wir schon bei der Ausübung ihres Berufes. Welche Bedeutung hat es hier, daß Sie eine Frau sind – ich denke da an das Verhältnis zu den Kolleginnen und Kollegen, den Parteien, Anwälten und nichtjuristischen Mitarbeitern?

B.: Ich gehörte zu denen, die sich freiwillig meldeten, um Richterin an dem im Jahre 1977 neu errichteten Familiengericht zu werden. Ich fühlte mich gerade dieser Tätigkeit gewachsen, da ich als Vormundschaftsrichterin am Amtsgericht Zehlendorf mehrere Monate mit Professor Winter zusammenarbeiten konnte und von ihm viel gelernt habe. Später habe ich am Amtsgericht Schöneberg u.a. Vormundschaftssachen bearbeitet (von Oktober 1973 bis Juli 1977). Außerdem war die langjährige Erfahrung mit meiner Tochter von Vorteil für mich. Ich versprach mir darüber hinaus einen positiven Gruppengeist unter den Richtern, die gemeinsam in der neuen Institution von vorn anfingen. Diese Erwartung ist zum großen Teil auch erfüllt worden. Je älter meine Tochter wurde, desto mehr konnte ich das Fachgespräch mit den Kolleginnen und Kollegen aufnehmen, desto eher fand ich Zeit, mich weiter zu qualifizieren. Meine berufliche und private Tätigkeit machte mir immer deutlicher, daß ich mir die notwendigen psychologischen Kenntnisse aneignen sollte, um die Altersfragen besser zu lösen. Bei der Aneignung des psychologischen Fachwissens orientierte ich mich an den realen Problemen von Menschen und nicht an Schulen, Systematiken oder ähnlichem. Meine Erfahrung ist, daß sich viele Theoriestreitigkeiten bei Überprüfung durch die Praxis relativieren. Besonders wichtig fand ich es, mein psychologisches Wissen in der Praxis an mir selbst wirksam werden zu lassen. Deswegen setzte ich mich mit einigen Kollegen auch für die Durchführung einer Balint-Gruppe an unserem Gericht ein (Balint-Gruppe: In einer Kleingruppe unter Leitung einer psychologisch geschulten Fachkraft bearbeiten Angehörige einer Berufsgruppe – in der ursprünglichen Form Ärzte – ihre persönlichen Konflikte am Arbeitsplatz unter Berücksichtigung der unterschiedlichen Beziehungen und Rollen im komplexen Berufsfeld –). Diese Gruppe empfinde ich als sehr hilfsreich; ich lerne, psychische Vorgänge, die zunächst unbewußt wirksam sind, mir klar zu machen, außerdem komme ich den anderen Gruppenmitgliedern näher, was die Vereinzelung am Gericht wieder ein Stück weit aufhebt. Unsere Gruppe besteht aus dem leitenden Therapeuten, 8 Kolleginnen und einem Kollegen; zuvor waren 2 Kollegen und eine Kollegin abgesprungen. In unserer Gruppenzusammensetzung sehe ich ein geschlechtsspezifisches Problem; ich glaube, Männer fühlen sich durch die Psychologie eher bedroht als Frauen. Dabei akzeptiert unser Gruppentherapeut, daß wir in manchen Situationen die Hintergründe von Konflikten nicht aufklären, „Reste stehen lassen", weil wir als Kolleginnen und Kollegen weiterhin eng zusammenarbeiten müssen. Ich glaube, die positiven Erfahrungen der Gruppenmitglieder wird weitere Kolleginnen aber auch Kollegen für eine solche Arbeit interessieren. Um auf Ihre Frage nochmals einzugehen, generell genieße ich es, daß ich jetzt, wo meine Tochter fast erwachsen ist, mehr Zeit habe, mich um die Personen zu kümmern, mit denen ich täglich zusammenarbeite. Dabei glaube ich, daß der Kontakt zu den Kolleginnen einfacher herzustellen ist, da wir oft die gleiche Erfahrungsebene und Arbeitsweise haben. Aber auch mit den Kollegen läuft es gut, wobei ich den Kontakt öfter herstelle, weil ich ihren Rat in Fragen des Unterhaltsrechts und des Versorgungsausgleichs suche, wo die Richter im Durchschnitt besser Bescheid wissen als in schwierigen psychischen Konstellationen, bei Zuweisung des Sorgerechts an einen Elternteil. Was den Kontakt zu den Parteien angeht, bin ich sicher, daß Ausländer zum Beispiel lieber einen Mann an meiner Stelle sitzen sähen; es ist mir sogar schon passiert, daß ein Ausländer (Kurde) den Sitzungssaal verließ, weil er sich von einer Frau nicht „verurteilen" lassen wollte. Oft ist es ja auch so, daß außer dem Mandanten und seinem Rechtsanwalt nur Frauen am Scheidungsverfahren teilnehmen. In solchen Konstellationen nehme ich Rücksicht auf die Ängste der Männer vor „weiblicher Indoktrination" und beauftrage zum Beispiel mit der Begutachtung einen männlichen Psychologen. Was die Rechtsanwälte angeht, denke ich, daß es autoritären Kollegen, die ich eher in der älteren Generation finde, nicht recht ist, daß so viele Richterinnen am Familiengericht sind. Ich bemühe mich bei solchen Kollegen, ihre Abneigung nicht noch zu verstärken. Irgendwelche Besonderheiten kann ich aber nicht berichten; das gilt auch für das Verhältnis zu den nichtjuristischen Mitarbeitern.

Christa Ditzen, geb. 10.02.1938;
1962 erstes und 1968 zweites juristi-
sches Staatsexamen; seit 1969 in der
ordentlichen Gerichtsbarkeit, 1972
Verbeamtung, seit 1977 Richterin am
Familiengericht Berlin; 1963 Geburt
von Zwillingen, 1964 Annahme eines
Pflegekindes, 1965 Geburt der Tochter
und 1975 Geburt eines Sohnes

„Ohne meine Familie wäre ich vielleicht Bürgermeisterin in einem kleinen Ort geworden . . ."

Über das Gespräch mit Frau Ditzen (D), das Frau Fabricius-Brand (F) im November 1981 führte, wurde das folgende Gedächtnisprotokoll angefertigt:

F.: Warum haben Sie Jura studiert?
D.: Eine besondere Begabung hatte ich nicht; Ärztin wollte ich nicht und Lehrerin sollte ich nicht werden; ich kann kein Blut sehen, und als Lehrerin würde ich noch besserwisserischer, meinte meine Großmutter. Da das Studium aber angesehen sein sollte, entschied ich mich für Jura.

F.: Hatten Sie Vor- oder Nachteile in der Ausbildung?
D.: Ich schätze, wir waren nur 15 % Jurastudentinnen, einen Unterschied zu den Kommilitonen habe ich aber nicht wahrgenommen. Da ich während des ganzen Studiums als Hilfskraft im juristischen Seminar arbeiten mußte, hatte ich auch Kontakt mit Assistenten; auch von ihnen fühlte ich mich für voll genommen, obwohl ich mich immer als Frau empfunden und auch benommen habe.
Im Referendardienst wurde ich schwanger, was schon sehr früh unübersehbar war, weil ich Zwillinge erwartete. Nebenbei bemerkt erfuhr ich das erst bei der Geburt. Nachdem ich meinen AG-Leiter über die Gründe meines Leibesumfanges aufgeklärt hatte, meinte er, „ach, sie armes Mädchen". „Ich finde mich nicht arm, sondern ich finde das schön", war meine Antwort,

Christa Ditzen: „Typische Situation an meinem Schreibtisch. Ich möchte diktieren – Sohn Benjamin ,besingt' stattdessen mein Band"

woraufhin er mich im Zeugnis mit den Worten lobte, „sie hat ihre Schwangerschaft mit großer Tapferkeit getragen". Vielleicht hat ihn auch beeindruckt, daß ich nur einmal gefehlt habe.

F.: Wurden Mütter mit unehelichen Kindern zur damaligen Zeit nicht schief angesehen?

D.: So generell stimmt das nicht; ich glaube, daß die Umwelt der unehelichen Mutter die Achtung entgegenbringt, die ihrer eigenen Wertschätzung entspricht. Ich heiratete und unterbrach den Referendardienst bis Juli 1966. Der Wiederbeginn – ich hatte mittlerweile 4 Kinder zu versorgen – war etwas bitter. Mein Stationszeugnis, das ich von meiner damaligen Ausbilderin, einer Staatsanwältin, Ende 30 und geschieden, erhielt, war das Schlechteste, was ich in meiner ganzen Referendarzeit erhalten habe; ich rief sie an, weil ich die Benotung ungerecht fand, zumal die AG-Note auch „gut" war. Daraufhin sagte sie mir, „Sie mit Ihrer Kinderbelastung, was wollen Sie denn noch, die Note ist doch gut genug". Während des Assessorexamens lebte mein Mann aus beruflichen Gründen nicht mit der Familie zusammen. Deswegen hatte ich nur die Versorgung der 4 Kinder zu organisieren; sie müssen nämlich wissen, daß die Männer meiner Generation keine Hilfen, sondern zusätzliche Anspruchsteller waren. Ich wurde zur damaligen Zeit oft gefragt, wie ich das denn schaffen wolle; meine Antwort war, „ich überlege mir, wie ich das morgen mache"; die Kinder waren von 9.00 bis 12.00 und von 14.00 bis 17.00 Uhr im Kindergarten, die Nacht zum Arbeiten ist lang und schließlich kam auch meine Mutter, um mir beim Tippen der Arbeit zu helfen. Ich hatte das Justizprüfungsamt ausdrücklich gebeten, mir keinesfalls die Hausarbeit im August zu schicken, da meine Haushaltshilfe dann im Urlaub sei. An ihrem ersten Urlaubstag kam die Hausarbeit.

F.: Spielte Ihr Frau-Sein bei der Berufswahl eine Rolle?
D.: Ich denke schon, ohne Familie wäre ich vielleicht Bürgermeisterin in einem kleinen Ort mit 30 000 Einwohnern geworden. In meiner Verwaltungsstation war ich bei der Kommunalverwaltung in einem kleinen Ort bei Frankfurt, ich fand die vielfältigen Aufgaben des 1. Beigeordneten oder Bürgermeisters sehr spannend; ich glaube, diese gestaltende Tätigkeit hätte mir sehr viel Spaß gemacht. Statt dessen bewarb ich mich bei der Arbeitsgerichtsbarkeit. Eigentlich wollte ich überhaupt nicht zur Justiz, weil ich erhebliche Ressentimentes hatte, ich fand als Referendarin z.b. das Verhältnis zwischen Vorsitzenden und beisitzenden Richtern oft devot und unerfreulich. Andererseits hatte ich gehört, daß man bei der Arbeitsgerichtsbarkeit wenig zu tun hätte. Ich mußte mich bei einem leitenden Ministerialrat vorstellen; Tage vorher übte ich schon, um den langen Titel fehlerfrei aussprechen zu können. Bei dem Vorstellungsgespräch fragte er mich, „glauben Sie denn, daß Sie diesen Beruf bei 4 Kindern ausfüllen können?". Ich brachte den Titel nicht über meine Lippen, stolperte noch beim Hinausgehen und beschloß, dort nicht zu arbeiten. Ich ging dann als Assessorin zur ordentlichen Gerichtsbarkeit, ich wurde an 2 Gerichten, 5 verschiedenen Kammern eingesetzt und fuhr in einem Jahr 40 000 Kilometer, wie das eben für Assessoren so üblich ist. Ich arbeitete auch bei einer Präsidialkammer, wenn der Präsident Beratungen auf den Nachmittag ansetzte, sagte ich allerdings, daß ich nicht anwesend sein könne, da meine Haushaltshilfe weg sei. Ich konnte einfach nicht kommen, und er hat es auch akzeptiert, obwohl er mich nicht sonderlich geschätzt hat. Ich glaube, auch hier kommt es darauf an, wie jemand auftritt, wenn ich erst groß gefragt oder gebeten hätte, wäre seine Entscheidung vielleicht anders ausgefallen, und ich hatte ja keine Wahl.
Nach meiner Scheidung im Jahre 1976 ging ich für ein Jahr mit meinen Kindern nach Australien, danach beantragte ich meine Versetzung nach Berlin. Angeboten wurde mir eine Stelle als Straf- oder Familienrichterin. Ich ging zum Vorstellungsgespräch nach Moabit (Kriminalgericht). Als man mir hier nach der Leibesvisitation die Nagelschere abgenommen hatte, beschloß ich, in diesem Zweig der Justiz auf keinen Fall tätig zu werden. So wurde ich Richterin am Familiengericht. Ich will Ihnen sagen, daß ich gern Juristin bin, am Familiengericht fühle ich mich aber juristisch unterfordert; wenn ich so einen ganzen Vormittag mit einverständlichen Scheidungen verbracht habe, fühle ich mich wie ein umgekehrter Standesbeamter, andererseits schätze ich den Zeitvorteil der Routine, weil ich mich ausgiebig um meine Kinder kümmern kann.

F.: Ist es bei der Ausübung Ihres Berufes von Bedeutung, daß Sie eine Frau sind? Ich denke an das Verhältnis zu den Parteien, Kolleginnen und Kollegen sowie sonstige Mitarbeiter.
D.: Zu Beginn meiner Richtertätigkeit fiel mir auf, daß viele Rechtsanwälte mir gegenüber ein bestimmtes Gehabe an den Tag legten, ich weiß nicht, wie ich es beschreiben soll, ich hatte den Eindruck, sie vergrößerten ihr männliches Volumen noch mehr. Je mehr Berufserfahrung ich bekam, desto mehr verlor es sich aber. Im Verhältnis zu den Kolleginnen fühle ich mich sicher, ich kann da nichts spezifisches bezüglich Frausein feststellen. Was die nicht juristischen Mitarbeiter angeht, so möchte ich sagen, daß mein Durchsetzungsvermögen nicht so gut ist, ich weiß aber nicht, woran das liegt. Was die Parteien angeht, so möchte ich Ihnen ein Beispiel nennen. In einem Scheidungsverfahren habe ich einmal zu einer Frau gesagt, sie habe großes Pech,

da es so viele Richterinnen am Familiengericht gibt. Wir sind ca. die Hälfte Richterinnen und fast alle versorgen Mann und Kind, d.h. sie müssen sich überdurchschnittlich anstrengen und mit diesem Anspruch gehen wir an unsere Geschlechtsgenossinnen heran. Als Richter habe ich das Gesetz anzuwenden, das ist für mich ganz klar, nur bei dieser Anwendung entscheide ich aus meinen selbst erlebten Erfahrungen heraus. Denken Sie mal an die Auslegung allgemeiner Rechtsbegriffe bzw. die Ermessensentscheidungen, die wir nach Gesetz fällen müssen. Wenn ich z.B. über „angemessenen Unterhalt" zu entscheiden habe, spielt es eine Rolle, daß ich geschieden bin; ich habe vor Augen, wie eine Scheidung auf Kinder wirken kann. Ausschlaggebend für mich ist die Reaktion des Kindes auf die Trennung und sein Bedürfnis nach Zuwendung; es kann also sein, daß ich eine Ganztagstätigkeit der Mutter für „unzumutbar" halte, auch wenn das Kind schon 16 Jahre alt ist. Mein Verständnis der Situation der Parteien ist von meinem eigenen Erleben als Frau geprägt, und diese Wertungen gehen bei vielen Entscheidungen mit ein.

Frau Hannelore Riebschläger, geb. 06.06.1941; 1967 Referendar- und 1970 Assessorexamen; seit 1971 Staatsanwältin in Moabit (Kriminalgericht); 1971 Geburt des ersten Kindes, 1973 Geburt von Zwillingen; seit 1978 Halbtagstätigkeit

„Mal sehen, was die verträgt"

Über das Gespräch mit Frau Riebschläger (R), das Frau Fabricius-Brand (F) im November 1981 führte, wurde folgendes Gedächtnisprotokoll angefertigt:

F.: Warum haben Sie Jura studiert?

R.: Ich hatte schon früh ein ausgeprägtes Gerechtigkeitsgefühl und versuchte in diesem Sinne auch meine drei Jahre jüngere Schwester zu beeinflussen. Dennoch wollte ich zunächst Lehrerin werden, weil ich gern mit Kindern umgehen wollte. Später stellte ich mir vor, ich bekäme reine Mädchenklassen zum Unterrichten, das gefiel mir immer weniger, weil mein Kontakt mit Jungen besser war. Meine Erfahrungen als Vertrauensschülerin und im Schülerparlament brachten mich dann auf die Idee, Jura zu studieren. Ich glaube indirekt hat mich mein Vater, er war von Beruf Kaufmann, meine Mutter war Hausfrau, auch beeinflußt. Er war in der Erziehung immer sehr gerecht zwischen uns beiden Geschwistern. Obwohl er sich einen Sohn gewünscht hatte, war ich seine Lieblingstochter, und ich glaube, er war auch stolz über meine Entscheidung.

F.: Hatten Sie Vor- oder Nachteile in der Ausbildung?

R.: Wir waren zwar nur 10% Jurastudentinnen, aber ich kann mich an Nachteile nicht erinnern. Nun bin ich auch sehr aufgeschlossen und kam mit den Kommilitonen gut klar, außerdem lernte ich früh meinen Mann kennen, der zwei Semester weiter war als ich. Unsere Professoren hatten weder zu den männlichen noch zu den weiblichen Kommilitonen großen Kontakt. Später in der Prüfung war ich die einzige Frau, d.h. wir vier oder fünf Examenskandidatinnen wurden auf die Gruppen verteilt; vielleicht wollten die Prüfer sehen, ob wir uns mit den Kommilitonen messen können, aber das sind Spekulationen. Im Referendariat ist mir mein Ausbilder, ein Jugendstaatsanwalt, nachhaltig in Erinnerung geblieben. „Mal sehen, was die verträgt", war sein Motto, und dann mußte ich ihm alle Einzelheiten in der Jugendschutzsache schildern. Ich weiß nicht, warum ich immer alles so ganz genau schildern sollte, ich glaube, ich sollte seiner Meinung nach genau prüfen und herausfinden, ob ich geeignet bin oder nicht. Dabei hatte ich anfangs richtig Mühe, mit den Begriffen bei den Sexualdelikten umzugehen, aus meinen Erfahrungen waren mir solche Fälle natürlich unbekannt. Beim Landgericht hatte ich nur Männer als Ausbilder, ich kann nichts nachweisen, aber ich spürte deren Haltung, „arbeiten kann sie, argumentieren auch, aber sie sollte lieber Kinder kriegen". Beim Kammergericht kam ich zu einem Beisitzer, dem der Ruf vorausging, daß er Frauen nicht leiden kann; ich hatte keine Schwierigkeiten mit ihm, wahrscheinlich honorierte er, daß er meine Gutachten meistens verwerten konnte. Gegenüber einem AG Leiter, einem Landgerichtsdirektor, fühlte ich mich als Frau etwas benachteiligt, die Referendare verstanden es, durch ihre Art zu reden und aufzutreten – ich weiß es nicht genau – ihn zu beeindrucken, den Frauen gelang dies nicht.

F.: Spielte Ihr Frau-Sein bei der Berufswahl eine Rolle?

R.: Nach meinem Examen, in dem ich weder einen Vor- noch Nachteil durch mein Frausein hatte, bewarb ich mich bewußt bei der Staatsanwaltschaft; ich wollte alle Fälle von Anfang an mitbekommen, um nach einiger Zeit der Erfahrungen mich als Jugendrichterin zu bewerben. Nach der Geburt der Zwillinge blieb ich ein Jahr zu Hause, obwohl ich sehr gern gearbeitet hätte. Ich erinnerte mich aber noch an die sehr hohen Ansprüche, die mein Ausbilder – ein Jugendrichter – mir oft wiederholt hatte: Als Frau gehört man ins Haus, man muß alles perfekt machen, sonst kann man eben nicht arbeiten. Meine Zwillinge haben übrigens für alle Staatsanwältinnen eine Erleichterung gebracht. Während der Schwangerschaft wurden die Sitzungstage immer beschwerlicher, da mein Körperumfang beträchtlich wuchs. Selbst die Kollegen sagten dem Vorgesetzten, es sei unzumutbar, wenn ich mich immer durch die Lücke in der Bank für Richter und Staatsanwälte durchzwängen müßte. Eines Tages, zwei Monate vor dem gesetzlichen Mutterschutz, befreite mich mein Vorgesetzter von den Sitzungen, und diese Regelung ist bis heute für alle Staatsanwältinnen geblieben. Nachdem mir der damalige Justizminister eröffnete, auf unabsehbare Zeit könne ich nicht mit einem Dezernat als Jugendrichterin rechnen, entschied ich mich pragmatisch, Staatsanwältin zu bleiben. Meine Weisungsgebundenheit als Staatsanwältin war mir immer noch lieber als die Tätigkeit einer beisitzenden Richterin.

F.: Ist es bei der Ausübung Ihres Berufes von Bedeutung, daß Sie eine Frau sind? Ich denke an das Verhältnis zu den Angeklagten, Kolleginnen und Kollegen sowie den nichtjuristischen Mitarbeitern.
R.: Wenn sie mal überlegen, daß wir wenige Oberstaatsanwältinnen in Moabit

haben, wird klar, daß Frauen in den Aufstiegschancen benachteiligt sind. Als ich z.b. den Antrag stellte, nur noch halbtags arbeiten zu müssen, wurde mir sofort gesagt, ich könne so nie mit einer Beförderung rechnen. Das war mir gleichgültig, denn zu Hause wurde ich dringend gebraucht, da mein Mann damals mehr als ganztags in der Politik aktiv war und einer einen Rückzieher machen mußte. Es hat übrigens 1 Jahr gedauert, bis ich den Antrag bewilligt bekam, da bis zur Entscheidung über meinen Fall nur Richterinnen diese Vergünstigung gewährt wurde. Ich finde die Halbtagslösung für mich vorteilhaft, da ich berufstätig sein kann und nicht den drei „K's" (Kinder, Küche, Kirche) total ausgeliefert bin. Was das Verhältnis zu den Kollegen, Richtern und Staatsanwälte angeht, so ist festzustellen, daß sich die Zahl der jüngeren Kollegen vergrößert hat, mit der Folge, daß alle viel aufgeschlossener sind. Der Vorsitzende Richter einer großen Strafkammer, der mich nach einem Jahr Mutterschutz fragte, ob ich es denn wirklich nötig habe zu arbeiten, kann nicht mehr beanspruchen, für alle zu sprechen. Ich glaube, Angeklagte haben eher die Vorstellung, da kommt ja „nur" oder „gottlob" eine Frau; sieht ja auch nicht schlecht aus, mal sehen, ob ich die mit einem netten Grinsen für mich einnehmen kann. Wenn ich genau und scharf nachhake, sind sie wohl in ihren Erwartungen, daß Frauen weicher zu sein haben, enttäuscht und reagieren mit einem scharfen Unterton; ich merke das dann immer, wenn sie zum Beispiel nur noch mit Redewendungen wie „selbstverständlich, Frau Staatsanwältin", oder Ähnlichem reagieren. Ein Angeklagter äußerte z.B. einmal, er fände es unzumutbar, daß eine Schwangere die Anklage vertrete; dies würde ich aber als Extremfall bezeichnen.
Im Verhältnis zu den Verteidigern fällt mir generell nichts Nachteiliges ein. Ich glaube, mein gesundes Selbstbewußtsein hilft mir, ihnen jeweils auf der Ebene zu begegnen, auf der sie mich auch ansprechen. Zwei Beispiele fallen mir ein. Neulich verweigerte ich meine Zustimmung zur Einstellung eines Verfahrens gegen einen Polizeibeamten, der ein Kind geohrfeigt hatte; der Rechtsanwalt war wütend über mich und bemerkte spitz, ich hätte wohl keine Ahnung von Kindern. Ich weiß nicht, was er mit diesem unsachlichen Angriff bewirken wollte, konnte ihm aber das Passende erwidern. Ein anderer Verteidiger beantragte die Vernehmung nichtschulpflichtiger Kinder als Zeugen. In solchen Situationen kann und will ich meine Erfahrungen mit unseren eigenen Kindern nicht vergessen. Ich weiß noch genau, wje nervös unsere Kinder auf die Bewachung der Familie reagierten, die ja nun mal wegen der Drohung gegen meinen Mann als ehemaliger Senator nötig war. Ich erinnere mich auch noch, wie unsere Tochter nach der Vernehmung durch die Polizei wegen eines Exhibitionisten tagelang sehr ängstlich und verwirrt reagierte. Diese Erfahrungen, die ich als Frau und Mutter gemacht habe, bringe ich natürlich in meine Berufspraxis mit ein.
Zum Schluß möchte ich kurz zu den nichtjuristischen Mitarbeitern sagen, daß wir alle zusammen arbeiten müssen und das Verhältnis generell gut ist. Wenn mal einer dazwischen ist, der den Anforderungen nicht genügt, dann scheue ich mich allerdings auch nicht, hierüber einen Vermerk gegenzeichnen zu lassen.

Foto-Klintzsch ABCV, Kassel

Dr. Anne-Gudrun Meier-Scherling
Geboren am 26. Juli 1906 in Stendal (Provin Sachsen).
Schulen: In Naumburg (Saale) Mädchenlyzeum von der 1. bis zur 4. Klasse
und Untertertia – Obertertia am humanistischen Domgymnasium (Jungen
schule mit drei Mädchen); Berlin: Obersekunda und halbe Unterprima auf der
Augusta-Schule (humanistisches Mädchengymnasium), zum Schluß halbe
Unterprima und Oberprima im Staatlichen humanistischen Gymnasium für
Jungen in Hamm, dort Frühjahr 1925 Abitur als erstes Mädchen der Schule;
die Ortswechsel jeweils gemäß der Richterlaufbahn des Vaters.
Studium der Rechtswissenschaft in Freiburg, Kiel und Berlin; in Berlin (1929)
Referendar- und (1931) Doktorexamen (Dissertation: ,,Das Recht der Ehe-
wohnung''), Referendarstationen in Berlin, Naumburg und Hamm.
Eheschließung: Frühjahr 1933 mit Gerichtsassessor Heinz Meier, Assessor-
examen im Juli 1933.
Am 1. Oktober 1933 Rechtsanwältin in Naumburg am dortigen Amts- und
Landgericht, gemeinsam mit Ehemann, der sich als Rechtsanwalt am Ober-
landesgericht Naumburg niederließ.
Drei Kinder, 1934, 1936 und 1938 geboren.
Während des Krieges noch Kriegesvertreter für den eingezogenen Ehemann
und zwei weitere zum Heeresdienst eingezogene Kollegen.
Seit Anfang 1947 Witwe, Ehemann im russischen Lager verstorben.
Im Herbst 1945 nach Wiedereröffnung der Gerichte wieder als Rechtsanwältin in Naumburg zugelassen und 1948 zur Notarin ernannt.
1950 Flucht in den Westen. Dort im OLG-Bezirk Hamm zunächst beauf-
tragte Richterin mit einem von Monat zu Monat erneuerten Beschäftigungs-
auftrag, dann als festangestellte Landgerichtsrätin beim Landgericht in Dortmund tätig, später Hilfsrichterin am OLG Hamm und schließlich dort Oberlandesgerichtsrätin in einem Senat für Dienstvertrags- und Werkvertrags-
sachen.
1955 als Bundesrichterin an das Bundesarbeitsgericht in Kassel gewählt und
berufen. Dort tätig im Senat für Kündigungsschutzsachen. Nach Vollendung
des 65. Lebensjahres am 1. Oktober 1971 Eintritt in den Ruhestand. Verleihung des Großen Bundesverdienst-Kreuzes.

Dr. Anne-Gudrun Meier-Scherling 1955 als Bundesrichterin.
(Foto: Christiane Zschetzschingck, Kassel)

Fünf Fragen und fünf Antworten:

1. Sind Sie als Frau in Ihrem beruflichen Werdegang benachteiligt worden?

Nein. Allerdings bedurfte ich einer besonderen Erlaubnis des jeweiligen Provinzial-Schulkollegiums, um die für Jungen vorgesehenen Gymnasien in Naumburg und Hamm besuchen zu können; diese war für Naumburg zunächst mit der Begründung versagt worden, daß ich in Halle oder Jena eine zum Abitur führende Mädchenschule besuchen könne – in Naumburg gab es damals noch keine –, war dann aber auf den Hinweis meiner Mutter, daß sie schon von ihrem in sibirischer Kriegsgefangenschaft befindlichen Mann getrennt sei und ihr deshalb nicht noch die mit einem Schulbesuch in Halle oder Jena verbundene Trennung von der Tochter zuzumuten sei, genehmigt worden.
Eine Benachteiligung im Studium gab es nicht, auch nicht in der Referendarausbildung.
Meine Zulassung als Rechtsanwältin habe ich noch erreicht, ehe die den Juristinnen feindlichen Maßnahmen des N.S.-Regimes einsetzten (vgl. dazu meinen Artikel „Die Benachteiligung der Juristin zwischen 1933 und 1945 in Deutsche Richterzeitung 1975, 10).
Für meine Berufung zum Bundesarbeitsgericht war meine Zugehörigkeit zum weiblichen Geschlecht eher ein Antrieb als ein Hindernis.

2. Konnten Sie Beruf und Mutterschaft vereinen?

Es war gewiß nicht immer leicht, Beruf und die Pflichten einer Ehefrau, Hausfrau und Mutter nebeneinander zu erfüllen. Mein Assessorexamen habe ich im 3. Monat der ersten Schwangerschaft bestanden („voll-befriedigend"). Die Aufbauarbeit in der Praxis fiel mit den letzten Monaten dieser Schwangerschaft zusammen; da war ich Rechtsanwältin, Stenotypistin und Putzfrau in einer Person. Noch in der Nacht vor der Geburt (Kaiserschnitt) habe ich trotz einsetzender Wehen meinen Schriftsatz zu Ende geschrieben.

Auch während der beiden folgenden Schwangerschaften habe ich — ohne Schutzfristen — bis zum Schluß gearbeitet, allerdings dann schon dank des Aufschwungs unserer Praxen mit Hilfskräften im Haushalt und Büro.

Schwierig war die Zeit in Dortmund, als die Kinder — benachteiligt schon durch die Umschulung von Ost nach West — sich im wesentlichen allein behelfen mußten. Ich kochte zwar früh um 6 Uhr das Essen, tat es in die Kochkiste, aus der die Kinder, je nach Dauer des Schichtunterrichts aus der Schule zurückgekehrt, sich das Nötigste abfüllten. Die Säuberungsarbeiten waren verteilt, der Sohn hatte die Treppe zu putzen.

Ich bin froh, daß meine Schlüsselkinder es trotz (oder vielleicht gerade wegen) dieser Schwierigkeiten im Leben geschafft haben. Der Sohn ist Vorsitzender Richter am Landesarbeitsgericht in Frankfurt, verheiratet mit Juristin, 2 Söhne; die ältere Tochter, Studienassessorin, verheiratet mit Juristen (Direktor des Arbeitsgerichts Bamberg), 3 Kinder; die jüngste Tochter, Ärztin, verheiratet mit Astrophysiker, 2 Söhne.

3. Frage: Warum sind Sie Juristin geworden, und haben Sie Freude an Ihrem Beruf gehabt?

Wie mir meine alten Klassenkameraden erzählt haben, soll ich schon in der Schulzeit gegen ungerechte Behandlung von Mitschülern recht energisch eingeschritten sein. Ich weiß es selbst nicht mehr, aber es mag so sein. Mein Vater war Richter und sehr erfüllt von seinem Beruf. Das wird mich wohl zur Wahl des Studiums geführt haben.

Ich bin immer gern Juristin gewesen. Befriedigt hat mich beinahe am meisten die Tätigkeit als Rechtsanwältin, in der ich den unmittelbaren Kontakt zum Menschen hatte und ihnen helfen konnte, gerade auch in schwierigen Lagen.

4. Frage: Hat der Beruf Sie geprägt?

Wie jeder Mensch eine gewisse Prägung durch den Beruf erfährt, so sicher auch ich durch meinen. Vielleicht äußert sich das am ehesten in einer gewissen nüchternen Skepsis gegenüber den Erzählungen der Umwelt: insbesondere von indirekten Zeugen oder Berichten über innere Vorgänge (Beispiel etwa: statt „sie hat sich gefreut" lieber: „sie hat gesagt, sie habe sich gefreut.")

5. Frage: Sind Sie in Juristinnenorganisationen tätig?

Ich gehöre dem Juristinnenbund und dem deutschen Akademikerinnen-Bund an; im Juristinnenbund war ich im Vorstand tätig, die Ortsgruppe Kassel des Akademikerinnenbundes habe ich gegründet. Ich halte den Zusammenschluß der weiblichen Juristen und Akademiker für (noch) nötig.

Charlotte Schmitt, 1909 geboren, Erstes Staatsexamen 1936, Zweites Examen 1940, heute im Ruhestand, war die erste Richterin am Bundesverwaltungsgericht in Berlin. Sie wurde dorthin im Jahre 1953 berufen; vom Mai 1958 bis zu ihrer Pensionierung im Jahre 1977 saß sie dem II. Senat vor, der sich vor allem mit Problemen des Beamtenrechts befaßt.

Foto: Hellmuth Pollaczek, Berlin

Auf die Frage, wie sie sich als einzige Frau in ihrem Senat und jahrelang auch am gesamten Gericht gefühlt habe, antwortete sie: ,,Ich habe nie den Ehrgeiz gehabt, der fünfte Mann in meinem Senat zu sein!"

,,Ich wollte nicht der fünfte Mann in meinem Senat sein!"

Das Gespräch mit der ehemaligen Vorsitzenden Richterin am Bundesverwaltungsgericht, Charlotte Schmitt (C.S.) führten Margarete Fabricius-Brand (M.) und Sabine Berghahn (S.) im Sommer 1981. Das Gespräch ist hier in einer gekürzten und zuletzt von Frau Schmitt rechtlich und stilistisch überarbeiteten Fassung gedruckt.

C.S.: Ich hätte es nie als Tadel empfunden, wenn man mir gesagt hätte: ,typisch weiblich'. Ich finde, daß das manchmal in der Rechtsprechung fehlte. Ja, man sieht die Dinge als Frau nicht selten anders. Ich erinnere mich gerade an einen Beihilfefall; da forderte eine junge Postbeamtin Beihilfe zu den Kosten ihrer Entbindung von einem nichtehelichen Kind. Man wollte ihr die Beihilfe jedoch nur unter der Voraussetzung gewähren, daß sie ihre Forderung auf Erstattung der Entbindungskosten gegen den Kindesvater − unter Namensnennung − abträte an den beihilfepflichtigen Dienstherrn. Sie wollte den Namen des Kindesvaters nicht preisgeben und erhob Klage. Mir schien das Ansinnen der Namensnennung untragbar, zumal die Beamtin dadurch gegebenenfalls in die beschämende Lage gedrängt werden konnte, einen verheirateten Vorgesetzten als Kindesvater benennen und anschließend − nach möglicher Versetzung − bei der Post weiterarbeiten zu müssen.
Man kann sich natürlich fragen, warum hat sie sich mit einem verheirateten Mann eingelassen? Aber ich meine, mit Moral kommt man in diesem Rechtsstreit nicht weiter; Moral und Rechtsfindung lassen sich hier nicht zusammenbinden. Vor allem auch deswegen nicht, weil die Ehe und Familie des − möglicherweise verheirateten − Kindesvaters nach Bekanntgabe des Namens erheblichen Schaden nehmen konnten, da er mit einem Disziplinarverfahren rechnen mußte. Zudem schienen mir die nachteiligen Folgen für die unmittelbar und mittelbar Beteiligten in keinem angemessenen Verhältnis zu dem Interesse des beihilfepflichtigen Dienstherrn an der Ersatzforderung gegen den Kindesvater zu stehen. Diese Überlegungen führten mich zu der Erkenntnis, daß zu der durch das Grundgesetz geschützten Intimsphäre

auch die Entscheidung der Beamtin gehöre, ob und in welchem Umfang sie den Anspruch auf Erstattung der Entbindungskosten gegen den Kindesvater geltend macht und ob sie gegenüber dem beihilfepflichtigen Dienstherrn den Namen des Kindesvaters preisgeben will. — Es hat jedoch einige Mühe gekostet, von der Richtigkeit meiner Meinung zu überzeugen. Wir haben lange darüber diskutiert und gelangten schließlich zu dem Ergebnis, daß die Beamtin in der von mir skizzierten Freiheit der persönlichen Entscheidung vom Dienstherrn grundsätzlich nicht dadurch beeinträchtigt werden darf, daß er an ihre Entscheidung unangemessene wirtschaftliche Nachteile knüpft. Aber der Vorwurf ‚typisch weiblich' erscheint mir demnach nicht gerechtfertigt. Dabei bin ich nicht überzeugt, daß eine Richterin — im Scheidungsverfahren z.B. — immer zugunsten der Frau entscheidet, weil wir uns selbst zu genau kennen. Eine Frau läßt sich von einer anderen nicht so viel vormachen, weil sie sich selbst sehr gut kennt, nicht?

M.: Und Theater erkennt?

C.S.: Ja, das meine ich.

M.: Aber nach dem Beispiel konnten Sie sich dahinein versetzen, *weil* Sie eine Frau waren?

C.S.: Ja, in welche unmögliche, beschämende Situation diese Frau gebracht worden wäre . . .

M.: Ich find' das auch ein tolles Beispiel, daß Frauen vielleicht stärker sein können als die Männer oder differenzierter . . .

C.S.: Ich glaube: differenzierter. Natürlich sind wir mit dem Gefühl dabei; wir überlegen uns auch, welche Folgen die Entscheidung hat, wie sie wirkt.

M.: Wurde Ihnen das auch vorgeworfen?

C.S.: Ach nein, wir haben eigentlich immer sehr sachlich diskutiert; es ist mir nie vorgeworfen worden . . . nein, habe ich nie erlebt.

S.: Hatten Sie jeweils Kontakt zu Ihren männlichen Kollegen?

C.S.: Ja, sehr guten Kontakt . . . Die Gleichwertigkeit meiner Arbeit ist nie in Frage gestellt worden, aber man mußte natürlich etwas vorsichtig diskutieren.

M.: Hat man Sie denn vielleicht mehr akzeptiert, weil Sie verheiratet waren, Mutter von zwei Kindern waren?

C.S.: Nein, das hatte wohl nichts damit zu tun . . .

M.: Sie haben sich aber eher diplomatisch verhalten?

C.S.: Ja, ich hielt es für verkehrt, nicht so vorzugehen. Mir ging es aber nicht darum, daß ich mich in das richtige Licht setzte, sondern darum, daß wir die richtige Entscheidung fällten. Ein gutes Arbeitsklima führt nämlich zu richtigeren Erkenntnissen.

M.: Wie fing Ihre juristische Laufbahn denn an? Sie machten 1929 Abitur, anschließend studierten Sie drei Semester Philologie und Biologie. Wie kam es dann zu dem Entschluß, Jura zu studieren?

C.S.: Er lag nahe, weil mein Vater Jurist war und mein Bruder Jus studierte; es interessierte mich auch sehr. Mein Repetitor sagte später oft, ich sei erblich begabt; also in der Juristerei scheint man auch eine gewisse Begabung vererben zu können.

M.: Was meinte Ihr Vater zum Studium?

C.S.: Mein Vater sagte: ‚Wenn Du schon einen Beruf ausüben willst, dann lerne Ballett.' Das war die Ansicht der alten Herren damals.

M.: Und Ihre Mutter?

C.S.: Ach, meine Mutter gehörte noch zu den Frauen, die immer die Meinung ihres Mannes vertraten oder sich gar nicht äußerten.

S.: Sind Sie stolz, daß Sie so einen Beruf . . .?

C.S.: Aber nein, weil mir immer alles leicht gemacht worden ist. Warum sollte ich stolz sein? Ich habe es zudem immer für selbstverständlich gehalten, daß man im Richterberuf als Frau das gleiche leisten kann wie der Mann.

S.: Sie mußten doch — verglichen mit anderen Frauen — sich als Ausnahme vorgekommen sein?

C.S.: Nein. Ich kannte ja viele tüchtige Juristinnen. Bei meiner Berufung an das Bundesverwaltungsgericht als Bundesrichterin gab es schon an deren Obersten Bundesgerichten, z.B. Bundesgerichtshof Bundesrichterinnen, und am Bundesverfassungsgericht amtierte als Bundesverfassungsrichterin ebenfalls schon damals Frau Dr. Erna Scheffler, eine außerordentlich kluge Juristin, die ich sehr verehrte und verehre. Ich hatte überdies in meiner Laufbahn nicht besondere Schwierigkeiten zu meistern. Nur das Studium war schwer. Ich kam ja in die Zeit des Nationalsozialismus hinein. Damals waren es unter den Frauen in der Regel Jüdinnen, die Jura studierten; diese mußten später ihr Studium vorzeitig beenden, und danach waren wir nur noch zwei, drei, vier Juristinnen in dem großen Hörsaal der Universität Berlin. Wir wurden ganz munter ausgescharrt, wenn wir hereinkamen.

M.: Und wenn Sie etwas gesagt haben?

C.S.: Das habe ich gar nicht; den Mut hatte ich nicht. Ich habe den Mund lieber gehalten.

M.: Und die Prüfungen?

C.S.: Die Prüfungen waren eigentlich — also vom Vorsitzenden her gesehen — ganz normal . . .

S.: Und die Mitstudierenden, wie waren die denn?

C.S.: Wissen Sie, später hatte sich das eingependelt; denn lernte man diesen oder jenen kennen, dann gab sich das auch mit der Aversion gegen die Frauen.

M.: Aber die war auch da?

C.S.: Ja, bei vielen, die so übernationalsozialistisch waren und meinten, Frauen müßten an den Herd, an den Kochtopf. Die gab es natürlich.

S.: Wie waren denn die Mehrheitsverhältnisse hinsichtlich der Einstellung zum Nationalsozialismus?

C.S.: Es gab sehr viele NS-Studenten.

S.: Und als die Juden und Jüdinnen aufhören mußten, was hat das so ausgelöst?

C.S.: Das ist den übrigen Studenten wahrscheinlich gar nicht so bewußt gewesen; die jüdischen Studenten waren dann auf einmal eben nicht mehr da. Aber in der Universität, Unter den Linden . . ., da haben sie sich geprügelt und mit Mappen beworfen; das war schon recht schrecklich. Und am schrecklichsten natürlich dieses Ausscharren und Nicht-Ausredenlassen der Professoren, der jüdischen Professoren; es waren so hervorragende Professoren z.T.

M.: Da ging's den jüdischen Professoren so wie den Frauen, wenn sie hereinkamen.

C.S.: Ja, aber sie wurden noch viel unangenehmer behandelt, unterbrochen, man ließ sie nicht ausreden; das war schlimm.

S.: Als sie dann nicht mehr da waren, merkte man das auch, daß es inhaltlich nun in eine andere Richtung ging?

C.S.: Aber selbstverständlich . . . Bei den Professoren, die ihre bisherige Lehrtätigkeit an der Universität Berlin fortsetzten, nicht so sehr; sie waren ja auch meistens ältere Herren und natürlich der Vergangenheit verhaftet. Sie hielten zwar den Mund gegenüber dem Nationalsozialismus; ich hatte aber den Eindruck, daß sie innerlich sympathisierten. Anders war es mit den Dozenten und Professoren, die erst damals in das Lehramt berufen wurden. Zudem nahm das Niveau ab; denn die vertriebenen Professoren waren ja hervorragende Lehrer gewesen.

M.: Und dann machten Sie im Juli 1936 Referendarexamen. Wie war das denn?

C.S.: Das ging ganz normal. Eliminiert war natürlich das Römische Recht; gegen Fragen aus diesem Bereich konnte man sich wehren. Wir mußten allerdings außerordentlich gut in Geschichte beschlagen sein. Es war extra ein Prüfer für Geschichte und Allgemeinbildung in der Kommission, den die Kandidaten ‚Völkischen Beobachter' nannten. Wenn man in diesen Fächern versagte, so war das beinahe schlimmer, als wenn man weniger vom Juristischen verstand. Da ich schon mein Lebtag Jahreszahlen nicht behalten konnte, habe ich fast mehr Geschichte gebüffelt als Juristerei betrieben. Wir mußten übrigens eine geschichtliche Klausur schreiben; und zwar wurden drei Themen zur Auswahl gegeben: ‚Prinz Eugen und seine Bedeutung für Deutschland', das zweite war ‚Graf Zeppelin', und das dritte Thema war wohl ein völkisches Thema ‚NSV' oder irgendsoetwas. Das dritte Thema wurde übrigens von keinem Kandidaten gewählt, was der Kammergerichtsrat, der die Aufsicht hatte, leicht spöttisch lächelnd zum besten gab. Er freute sich offensichtlich darüber.

M.: Sie waren doch im Juli 1936 bestimmt die einzige Frau?

C.S.: In dieser Prüfung: Ja.

M.: Und da wurde gar nicht . . .?

C.S.: Gar nichts. Sie waren sogar sehr höflich. Wir wurden nach dem Alphabet gesetzt, und ich war danach eigentlich diejenige, an die die erste Frage zuerst zu richten war. Die Prüfer waren aber so höflich, an der anderen Seite anzufangen. Das kann natürlich auch Herablassung gewesen sein.

M.: Aber Sie hatten das Gefühl, daß es ein Nachteil ist . . .?

C.S.: Ach wo! Eine der ersten Fragen, die mir der ‚Völkische Beobachter' stellte, war übrigens, ob ich wisse, aus welchen Bestandteilen ein Automotor bestehe. Nun war es damals mit dem Autofahren der Frauen noch nicht gang und gebe wie heute, und ich hatte wirklich nicht den Schimmer einer Ahnung von einem Automotor. Ich gestand das fröhlich, und es wurde mir gar nicht übel genommen.

M.: Und 1940, wie lief die zweite Staatsprüfung?

C.S.: Das war die Prüfung, in der Herr Freisler (damals Staatssekretär im Reichsjustizministerium) den Vorsitz hatte. In dieser Prüfung spielte der Nationalsozialismus auch keine besondere Rolle. Es ging allerdings wieder ausführlich um Geschichte, den Dreißigjährigen Krieg, Wallenstein, Tilly und Schlachten.

S.: Es ist ja erstaunlich, daß Sie die Ausbildung so durchgezogen haben, obwohl Sie gar nicht wußten, was Sie damit anfangen konnten, wo Frauen im Dritten Reich doch weder Richterinnen noch Rechtsanwältinnen werden durften.

C.S.: Das habe ich meinem Vater gegenüber auch zum Ausdruck gebracht, und er antwortete mir: ‚Glaube ja nicht, daß das ein tausendjähriges Reich wird, das dauert nicht lange, bis Du fertig bist, sieht schon alles wieder anders aus.' Er behielt ja auch recht, d.h. nicht ganz, denn ich war ja schon 1940 fertig ausgebildet.

M.: Und in der Referendarzeit, war das irgendwo schwierig, weil Sie eine Frau waren?

C.S.: Nein, das war auch nicht schwierig. Ich wurde allerdings in einigen Ausbildungsstationen nicht gerade freudig und freundlich begrüßt. Das gilt vor allem für meinen ersten Ausbilder an einem Amtsgericht in der Uckermark, einen Nationalsozialisten. Unter den Richtern habe ich sonst nicht viele Nationalsozialisten kennengelernt. Aber die Beamten im mittleren Justizdienst, vor denen mußte man sich häufig in acht nehmen.

S.: Wie verhielten sich die Referendare politisch?

C.S.: Ich hatte im allgemeinen den Eindruck, daß sie nicht überzeugte Nationalsozialisten waren. Am Amtsgericht in der Uckermark waren wir, wenn ich mich richtig erinnere, vier Referendare; es war, wie sich aus vielen offenherzigen Gesprächen ergab, nicht einer darunter, der überzeugter Nationalsozialist war. Hier in Berlin gaben sich recht viele Referendare nationalsozialistisch; ich gewann jedoch allmählich den Eindruck, daß sie in der Mehrzahl doch wohl nur Opportunisten waren, die also mitliefen und glaubten, daß sie damit etwas erreichen könnten.

M.: Nach Ihrem zweiten Staatsexamen waren Sie in einer Berufsgenossenschaft tätig, und dann haben Sie ausgesetzt . . .?

C.S.: Ja, 43 hörte ich auf, beruflich tätig zu sein. 42 hatte ich geheiratet, und 43 wurde mein erstes Kind geboren. Weil ich nach Potsdam geheiratet hatte, hörte ich mit der Berufsarbeit auf; ich konnte auch wegen der Luftangriffe nicht mehr die Wege nach und von Berlin zurücklegen. Bis 46 habe ich beruflich nichts getan. Dann mußte ich unbedingt wieder Geld verdienen; denn in Potsdam waren meine Konten eingefroren, mein Mann war in Kriegsgefangenschaft, und seine Bezüge wurden nicht mehr gezahlt. Da ich in Potsdam wohnte, in der nachmaligen DDR also, erhielt ich nur die Arbeitserlaubnis für den russischen Sektor in Berlin. Ich wurde Amtliche Vertreterin eines Rechtsanwalts und Notars in Weißensee, der dort von der russischen Besatzungsmacht als Bezirksbürgermeister eingesetzt war. Diese Tätigkeit gab ich kurz nach der Währungsreform auf.

S.: Als Sie dann später mit Ihrem Mann ins Rheinland gegangen waren, hat man es Ihnen schmackhaft gemacht, wieder in den Staatsdienst zu treten?

C.S.: Man hat es mir beinahe als Verpflichtung nahegebracht; denn man suchte damals Richter, die nicht der NSDAP angehört hatten. Vor allem die Verwaltungsgerichtsbarkeit legte Wert darauf, Richter einzustellen, die nicht versippt waren mit der NSDAP. Der Vorsitzende im Senat meines Mannes, ein Verfolgter des Nazi-Regimes, drängte meinen Mann immer wieder: ‚Ihre Frau ist . . . Sie soll sich doch melden!' Zudem gab es für meinen Mann und mich damals finanzielle Engpässe. Wir hatten ja nichts über den Krieg gebracht und mußten uns ganz neu ausstaffieren.

S.: Und als Sie dann im Richterdienst waren, haben Sie da auch gemerkt, daß da wirklich diejenigen, die mit den Nazis gelaufen waren, raus waren, oder war es nicht so?

C.S.: Es war ganz seltsam. Es kam dann bald eine Zeit, in der die Gegnerschaft gegen die Nationalsozialisten nachließ. Ich ärgerte mich, daß eine Anzahl von Kollegen, die der NSDAP angehört hatten, an mir vorbeirauschten. Sie wurden zu Lebensrichtern ernannt, während ich weiterhin in diesen seltsamen Widerrufsverhältnissen tätig blieb, die in der Militärregierungsverordnung Nr. 165 vorgesehen waren. Deswegen habe ich mich seinerzeit auf die Hinterbeine gestellt; dabei hatte ich immer die Unterstützung meines Präsidenten, der sich sehr für die Gleichstellung der Frauen einsetzte. Es bot sich mir seinerzeit geradezu an, aus Gründen der Gleichbehandlung der Frauen auf die Festanstellung zu klagen. Das sagte ich auch dem Staatssekretär des zuständigen Ministeriums; allmählich kam ich mir so ‚zurückgeblieben' vor.

M.: Und der einzige Grund war, daß Sie eine Frau waren?

C.S.: Mir wurde vom Staatssekretär gesagt, die Hemmung habe nichts mit meiner Qualifikation zu tun. Es gehe vielmehr um die Überlegung, daß ich ja durch meinen Mann versorgt sein würde, da ich im Falle seines Todes Anspruch auf eine Witwenpension haben würde. Ich erwiderte ihm, daß ich diesen Grund nicht anerkennen könne, weil dabei ja der Möglichkeit einer Scheidung meiner Ehe nicht Rechnung getragen werde. Die Frage meiner Festanstellung ist dann im Klartext erörtert worden. Die Festanstellung ging anschließend sehr bald über die Bühne. Dem damaligen Ministerpräsidenten (von NRW), Arnold, der sich sehr für die Gleichstellung der Frauen einsetzte, habe ich sie wohl in erster Linie zu verdanken.

M.: Sie wurden dann durch Urkunde vom 18.02.1952 zur Landesverwaltungsgerichtsrätin ernannt und ein Jahr später zur Bundesverwaltungsrichterin. Das ging ja prompt!

C.S.: Für das Amt der Bundesrichterin am Bundesverwaltungsgericht hat mich, wenn ich richtig unterrichtet wurde, der Juristinnenbund, dem ich angehörte, vorgeschlagen.

S.: Und waren Sie dann die erste Richterin am Bundesverwaltungsgericht überhaupt?

C.S.: Ja, aber es gab — wie gesagt — damals schon bei anderen Obersten Bundesgerichten, beispielsweise beim Bundesgerichtshof, Bundesrichterinnen. Meine Ernennung zur Bundesrichterin war also nicht ungewöhnlich. Ich war allerdings die erste Frau, die — 1958 — *Vorsitzende* eines Senats (Senatspräsidentin) bei einem Obersten Bundesgericht wurde. Diese Beförderung wurde übrigens an die große Glocke gehängt — im Fernsehen und durch Fotos in Zeitungen. Ich fand das nicht richtig. Schon damals hätte es selbstverständlich sein müssen, daß wir Frauen auch Vorsitzende an den Obersten Bundesgerichten werden können.

M.: (kramt in Zeitungsausschnitten) Also, das finde ich auch ein bißchen typisch, hier steht: ‚Die Juristin ist Hausfrau und Mutter von zwei Kindern noch im Nebenberuf'. Daß man das erwähnt! Wenn man schreiben würde: ‚Der Jurist ist Hausmann und Vater von zwei Kindern im Nebenberuf', — das ist undenkbar, heute noch.

C.S.: Sie haben recht . . . Sehen Sie, das ist mir damals gar nicht aufgegangen. Ihre Gedankengänge waren mir damals nicht so vertraut.

M.: Und die Familie? Empfanden Sie die jetzt als Belastung, oder war das selbstverständlich?

C.S.: Nein, das war keine Belastung; das war etwas, was mir immer sehr viel Ausgeglichenheit gab. (. . .) Nein, das hätte ich nicht missen wollen. Es ist doch viel Wert, wenn man Belastendes erzählen, mit anderen besprechen kann

Erstmals eine Frau Senatspräsident

Frau Charlotte S c h m i t t hat gestern in Bonn vom Bundesinnenminister Dr. S c h r ö d e r ihre Ernennungsurkunde zum Senatspräsidenten beim Bundesverwaltungsgericht in Berlin erhalten. Sie ist die erste Frau, die ein so hohes richterliches Amt bekleidet. — Frau Schmitt ist 48 Jahre alt, verheiratet und hat zwei Kinder. Sie ist seit 1950 in der Verwaltungs-Gerichtsbarkeit und seit 1953 als Bundesrichterin beim Bundesverwaltungsgericht tätig. Ihr Gatte ist Bundesrichter am Berliner Senat des Bundesgerichtes.

ap-Photo

und es dann heißt: ‚Das darfst Du so nicht sehen, daß mußt Du ganz anders sehen.'

M.: Und wenn Sie sich hauptsächlich um die Kinder und um die Organisation des Haushaltes kümmerten, obwohl Ihr Mann doch zuhause arbeitete, war das für Sie auch selbstverständlich?

C.S.: Ja, das war selbstverständlich. Es war zwar eine Last, wenn ich Urteile abzusetzen hatte, für die man in der Literatur nachgraben und konzentriert sein mußte. Manchmal arbeitete ich wirklich nachts an den Urteilen, weil es dann ruhig war und keiner etwas von mir wollte.

S.: Haben Sie da nicht auch gezweifelt, ob Sie nicht lieber aufhören sollten?

C.S.: Nein, dazu hat mir meine berufliche Arbeit zu große Freude gemacht.

S.: Hatten Sie in Ihren letzten Amtsjahren auch zu tun mit Extremistenangelegenheiten?

C.S.: Ja. Der II. Senat fällte unter meinem Vorsitz die erste Entscheidung, die zur Frage der Übernahme von Extremisten in den Beamtendienst erging. Unsere Meinung ist vom Bundesverfassungsgericht in einer späteren Entscheidung geteilt worden. Ich meine auch heute, daß diese Entscheidung richtig ist. Mit der Verfassung, mit dem Grundgesetz also, ist die Übernahme politischer Extremisten in den Beamtendienst nicht vereinbar. Sie werden das als ‚Berufsverbot' bezeichnen. Aber ‚Berufsverbot' ist sicher nicht die richtige Bezeichnung. Es geht ja um die Frage der Eignung für den Beamtendienst. Wenn ich jemand sage: ‚Du bist für den von Dir gewählten Beruf nicht geeignet, weil Dir die dafür vorgeschriebenen Fähigkeiten und Eigenschaften fehlen', dann kann doch nicht die Meinung richtig sein, es handele sich um ein ‚Berufsverbot'. Eine ganz andere Frage ist, ob man nicht zu viele Angehörige des öffentlichen Dienstes zu Beamten gemacht hat, u.a. den berühmten Lokomotivführer. Übrigens waren früher die Schulhausmeister, soweit sie bei staatlichen höheren Schulen beschäftigt wurden, in das Beamtenverhältnis übernommen; ich habe mich immer nach dem tieferen Sinn gefragt. Bei Lokomotivführern verstehe ich es schon, weil das Beamtenrecht ja den Streik ausschließt . . .

M.: Aber bei den Beamten, ist das nicht eine Gesinnungsprüfung, die man eigentlich besser im Beruf führen könnte, mit den Kollegen dann? Wenn man sie von vornherein rausläßt aus Schulen und Universitäten, dann verhindert man ja auch, daß andere Meinungen diskutiert werden können.

C.S.: Ja, wenn's wirklich Diskussion wäre, die dem anderen ermöglicht, hier den Kindern ermöglicht, sich eine Meinung selbst zu bilden, dann würde ich Ihnen vielleicht zustimmen können. Aber erstens: sind Schulkinder denn schon in der Lage, sich eine eigene Meinung zu bilden? Und zweitens: Ist die von Extremisten vorgetragene Meinung denn nicht immer einseitig?

S.: Wird eine Meinung das nicht immer sein?

C.S.: Sie schauen die Sache bei dieser Erörterung vom Ergebnis her an. Die Gerichte hatten ja nur zu prüfen, . . . wie die Verfassungslage ist, und insoweit vertritt das Bundesverfassungsgericht im Ergebnis die gleiche Meinung wie das Bundesverwaltungsgericht. Man müßte das Grundgesetz ändern, um anders entscheiden zu können.

S.: Ein Punkt fällt mir noch ein. Wie ist das denn mit den sogenannten jungen Juristinnen, die Sie jetzt so heranwachsen sahen und sehen?

C.S.: Sie waren durchaus in Ordnung . . . Zwischendurch war vorübergehend eine Zeit, in der sie mir so ein wenig verspielt vorkamen und nicht mit allem Ernst arbeiteten. Aber das hat sich dann wieder völlig gegeben.

S.: Und wie sehen Sie den Unterschied zwischen sich oder Ihrer Generation von Juristinnen und den heutigen Juristinnen?

C.S.: Das ist sehr schwer zu sagen. Die heutigen Juristinnen sind vielleicht etwas abgelenkter. Es gibt heute so viel Dinge, die eine enorme Rolle spielen, das politische Denken und auch alles mögliche noch nebenbei. So waren wir nicht. Wir waren eigentlich ganz hingerichtet auf die Arbeit, ganz konzentriert, so in dem Gefühl: hier ist noch Terrain zu erobern, Du mußt Dich bewähren, es muß laufen! Aber heute ist die Situation doch wohl schon erheblich anders . . .

M.: Aber abgelenkt werden die Männer ja auch.

C.S.: Sicher werden auch sie abgelenkt. Sie waren auch früher abgelenkt; aber sie arbeiteten anders als wir Frauen auf einem schon damals von ihnen eroberten Terrain. Wir Frauen mußten uns deshalb seinerzeit mehr abfordern. Ich meine zudem, jeder Richter — ob Mann oder Frau — müsse den Ablenkungen mehr widerstehen. Das Richteramt fordert ein sehr hohes Maß an Verantwortungsbewußtsein und Konzentration. Der Richter kann zudem Ablenkungen nicht durch Routinearbeit ausgleichen. Für mich war aus dem letzterwähnten

Grund die Erklärung von Richtern: ‚Das haben wir schon entschieden' ein Ärgernis, wenn sie zum Ausdruck bringen sollte, daß wir uns mit einem Problem nicht mehr — erneut — auseinanderzusetzen brauchten.

M.: Vielleicht wollten die nicht so eine Kraft aufwenden.

C.S.: Ich will auch gar nicht sagen, daß meine Haltung die bessere war.

M.: Aber für Sie war es wahrscheinlich immer noch was besonderes, und das blieb so bis zum Schluß?

C.S.: Ja, es kann sein.

S.: Würden Sie auch sagen, daß Männer vielleicht ein bißchen engstirniger denken, weil sie nicht mit so verschiedenen Lebenssituationen in Berührung gekommen sind wie Frauen? Wenn ich mir Sie so mit Ihrer Familie vorstelle und was Sie alles erlebt haben, während Ihr Mann eigentlich zielstrebig gearbeitet hat; und wenn man das mal verallgemeinern will, dann sind Männer eher an der Ordnung, die sie einmal in ihrem Leben geschaffen haben, orientiert als Frauen die immer wieder etwas neues aufnehmen müssen und können.

C.S.: Ja, vielleicht liegt der Unterschied doch darin, daß wir die Dinge oft mit anderen Augen sehen. Ich hielt mich deshalb nicht für ‚den fünften Mann im Senat'. Ich meine immer es müsse etwas berücksichtigt werden, was aus unserer Sicht — und manchmal eben intuitiv — kommt. Das Intuitive ist bei uns Frauen viel stärker; und darin wird wohl auch der Unterschied zu finden sein. Da ist z.B. das Urteil, von dem ich eingangs sprach, das über den Beihilfefall; die richtige Erkenntnis wurde mir anfänglich intuitiv nahegelegt.

M.: Das heißt ja eigentlich, daß Sie sagen, wenn Gefühle eine Rolle spielen, dann bin ich auch realitätsangemessener, dann bin ich auch eigentlich richtiger in meinem Urteil. Das würde ich auch sagen.

C.S.: Im Richterberuf hat man nämlich nicht nur mit Logik zu tun.

Marion Gräfin Yorck von Wartenburg
wurde 1904 geboren, besuchte das
Grunewald-Gymnasium in Berlin,
machte Abitur und studierte Jura.
1927 legte sie das Referendar-
Examen in Berlin ab und machte ein
Jahr später ihren Doktor in Breslau.
1930 heiratete sie Peter Yorck von
Wartenburg, der Widerstandskreisen
um Helmuth Moltke und Claus
Stauffenberg angehörte und als Mit-
verschwörer des 20. Juli 1944 hin-
gerichtet wurde. Auch Frau von
Yorck wurde damals verhaftet und
mußte das Gefängnis „von innen
kennenlernen".
1947 holte sie das Assessor-Examen
nach und ging vom Landgericht
zum Strafgericht Berlin-Moabit. Dort
wurde sie später als erste Frau in
der Geschichte der Bundesrepublik
und West-Berlins Vorsitzende
eines Schwurgerichts. Seit 1969 lebt
sie im Ruhestand.

„Es ist eine gute Erfahrung für einen Strafrichter, das Gefängnis von innen zu kennen."

Das Gespräch, das Margarete Fabricius-Brand (M) und Sabine Berghahn (S) mit Frau Yorck von Wartenburg (Y) führten, ist hier in gekürzter und überarbeiteter Fassung abgedruckt. Auf die Ereignisse im Zusammenhang mit der Widerstandtätigkeit des Ehepaars Yorck von Wartenburg wird näher eingegangen, weil die Aussagen zur juristischen Berufstätigkeit vor dem Hintergrund eines so außergewöhnlichen Lebensverlaufs besonders anschaulich und nachvollziehbar werden.

Wir kamen ins Gespräch über die vor uns ausgebreiteten Zeitungsausschnitte. Wir fragten danach, ob Frau Yorck auch im „Juristinnenbund" mitgearbeitet habe, der für andere erfolgreiche Juristinnen ihrer Generation ein wichtiger Zusammenschluß für die Durchsetzung beruflicher Gleichheit war.

Y.: Im Juristinnenbund hab ich nie mitgearbeitet. Ich hab mich nie so empfunden, als Frau so extra; ich hab nie die geringsten Schwierigkeiten gehabt mit Männern, ich hab immer männliche Beisitzer gehabt, z.T. waren sie sogar älter als ich und es ist immer gut gegangen. Gerade von Diskriminierung kann ich nichts sagen; ich habe das Gefühl, wenn Frauen ihre Fraulichkeit nicht verleugnen, dann ist alles gut, man darf nur nicht so pochen darauf. Ich glaube oft, daß Frauen im Beruf besser sind, wenn sie ein ausgefülltes Privatleben auch haben oder wenn sie schon in einer guten Ehe gelebt haben – wie ich –, dann ist alles viel besser als wenn sie ohne jedes Attachement (Bindung) in ihren Beruf gehen, das bringt die Schwierigkeit mit sich.

M.: Also Sie meinen, man sollte ein Refugium haben?

Y.: Ja, eine Basis, wo man schon Wurzeln geschlagen hat und wo man eben sehr glücklich ist. Ja, man soll es nicht verleugnen. Deswegen sind mir diese reinen Feministinnen etwas Unverständliches, denn der liebe Gott hat nunmal beide Geschlechter geschaffen, und ihre Polarität und dieses Miteinander ist doch das Schöne!

M.: Sie meinen, man kann nicht 50% der Menschen ignorieren oder bekämpfen?

Y.: Nein, dann werden die Frauen für die Männer unausstehlich. Ich hab's nie empfunden und nie dessen bedurft. Mein einziger Widersacher im Beruf war ein Kammergerichtspräsident, der hat sich mit Händen und Füßen dagegen gesträubt, daß ich den Vorsitz einer Kammer bekam. Und dann waren eş die alten Landgerichtsdirektoren, alles Männer, die viel älter waren als ich, die haben es durchgesetzt.

S.: Heute gibt es ja glücklicherweise schon mehr Frauen in der Justiz; Richterinnen dürften es etwa 10% sein, aber in den höheren Ebenen nimmt der Frauenanteil doch rapide ab.

Y.: Ich will Ihnen sagen, eine Frau muß immer mehr leisten als ein Mann, etwas besser sein, sonst ist es schwer und zwar in jedem Beruf! Sie muß eben so ein kleines bißchen besser und souveräner sein. Ich bin eben in der glücklichen Lage gewesen, daß ich nach dem Krieg in die Justiz eingestiegen bin, nach 20 Jahren Unterbrechung, in der ich hauptsächlich das Gut meines Mannes in Schlesien verwaltet hatte. Ich hab dann 1947 mit 42 Jahren meinen Assessor gemacht, da hat man's leichter gehabt. Damals haben die Russen hier in der Kommandantur gesessen und wollten als Strafrichter nur jemanden völlig Unbelastetes haben. Ich war dann hier im Zivilgericht, mit Frau Scheffler zusammen hatte ich den Beisitz in einer Zivilkammer, und da fragte dann der Landgerichtspräsident: „Wollen Sie nicht nach Moabit gehen?" Ich sagte: „Ach, wissen Sie, Strafrecht habe ich noch nie gemacht!" Hatte es auch nie, nur für's Examen. „Das tue ich sehr ungern", sagte ich, worauf er meinte — es war ein netter alter Mann — „naja, Sie könnten ja einen Weinkrampf bekommen!" Da erwiderte ich: „Das habe ich auch noch nie gehabt! Dann gehe ich lieber nach Moabit!" Und dann bin ich auch nach Moabit gegangen und ich muß gestehen, es hat mich sehr interessiert. Es ist menschlich natürlich viel interessanter als Zivilrecht.
Zunächst mal saß ich in einer Wirtschaftskammer als Beisitzer und dann war ich beim alten Korsch lange in einer gewöhnlichen Strafkammer, und dann wurde noch eine Jugendkammer eingerichtet; das sind Kammern, die sowohl Verbrechen von als auch an Jugendlichen und Kindern bearbeiteten. Damals, nach dem Kriege, da lag die Prozentzahl an Schwerverbrechen, also an „Kap-Sachen" von Jugendlichen etwa bei 60%.

M.: Das ist viel.

Y.: Das kam durch den Krieg und die Wohnungsnot und daß die Väter nicht da waren.

M.: Und durch die Entwurzelung wahrscheinlich?

Y.: Und durch die Entwurzelung! Diese Wohnungsnot — es war ja auch oft so, daß wenn der Vater nach der Arbeit nach Hause kam, wollte er Ruhe haben und dann gingen die Kinder auf die Straße und tobten sich da oft in Gruppen aus, machten Rabbatz und mehr. Aber es sind nicht die schlechtesten Menschen, die mit Kapitalverbrechen zunächst einmal in Erscheinung treten. Es sind oft sehr interessante Charaktere, dynamisch, die auch eine große innere Kraft haben.

M.: Also glauben Sie, daß das Kriminelle so eingepanzert ist? Eine Tat und ansonsten in Ordnung?

Y.: Das ist sehr oft so gewesen. Ich hab sehr viele junge Männer gehabt, die noch mit nichts in Erscheinung getreten waren. Die sind durch irgendein Ereignis, fast wie schicksalhaft oft dazu gekommen. Ohne daß sie es lange geplant haben. Bei jungen Menschen hatte ich immer den Eindruck, wenn sie eine Bindung hatten, sei es an Familie, an Beruf oder an eine „Braut", dann eine Bindung hatten, sei es an Familie, an Beruf oder an eine „Braut", dann war alles gut. Wenn sie bindungslos waren, da war nichts zu machen! Die sind nicht fähig, Bindungen zu entwickeln oder sehr oft ist es dann auch zu spät.

M.: Jetzt mal zu Ihrer eigenen Biographie! Warum haben Sie Jura studiert?

Y.: Ich wollte eigentlich Medizin studieren. Aber das fing dann gleich mit Pathologie an, das fand ich schrecklich. Und dann dachte ich, daß es ganz gut sei, wenn Frauen denken lernen und vor allem logisch denken lernen. So kam ich auf Jura und es hat mir Spaß gemacht. Ich habe dann das Examen und den Doktor gemacht und als ich heiratete — mein Mann war auch Jurist — dachte ich, ein Jurist in der Familie reicht. Eine zeitlang war ich Nur-Hausfrau, dann habe ich während des Krieges und noch davor die Bewirtschaftung von dem Hof, dem Geschwisterhof übernommen — mit meinem Mann waren es 10 Geschwister.

S.: War das selbstverständlich gewesen, daß Sie studierten, als Frau?

Y.: Also damals gab es schon Mädels, vielleicht drei oder vier hier in Berlin.

M.: Und Ihre Eltern wollten auch, daß Sie studieren?

Y.: Ja, mein Vater war durchaus dafür; und ich hatte auch schon das Gefühl, nur so auf die Welt zu kommen, um zu heiraten, ist eigentlich nicht sehr sinnvoll! Da wollte ich gerne etwas lernen! Und dadurch, daß ich immer mit Jungens zusammen war, dann nachher mit meinen Schulfreunden auch auf die Universität gegangen bin, ergab sich alles von selbst.

S.: Aber Ihr Vater war nicht Jurist?

Y.: Nein, mein Vater war geheimer Oberregierungsrat, er hatte hier die Generalverwaltung aller zunächst königlichen, dann staatlichen Theater.

M.: Und ihre Mutter war auch nicht berufstätig?

Y.: Nein, sie hatte ja sechs Kinder, hatte mit 18 Jahren geheiratet und hat praktisch immer für ihre Familie gelebt. Sie war auch glücklich dabei, sie wurde von ihren Kindern respektiert, mein Vater war 20 Jahre älter und liebte seine Frau. Sie war praktisch wie sein ältestes Kind und seine sechs Kinder dazu. Ja, in der Generation vor mir, da gab's kaum berufstätige Frauen.

S.: Und wie war das Verhältnis zu den Kommilitonen während Ihres Studiums?

Y.: Gut, immer gut! Ich war viel zusammen mit festen Freunden, damals war man noch nicht gleich so intim befreundet wie heute, sondern es gab wirkliche Freundschaften. Obwohl wir eigentlich eine feste Gruppe waren, wurde damals nicht zusammen gelernt. Gepaukt hat man immer alleine.

M.: Und die Professoren, nahmen die das überhaupt zur Kenntnis, daß Frauen da waren?

Y.: Sehr, wir wurden gut behandelt. Ja, nun waren alle jungen Mädchen ganz hübsch und das freut ja ältere Männer. Das habe ich selbst im Examen und in der Doktorprüfung gemerkt.

S.: Aber andererseits soll es doch die Sitte gegeben haben, in den Vorlesungen Frauen „auszuscharren", wenn sie reinkamen, und daß sich Frauen nicht trauen konnten, Fragen zu stellen?

Y.: Das „Ausscharren" kam wohl erst später und Fragen stellte man sowieso nicht in den Vorlesungen. Professor Martin Wolff z.B. trug vor, man selber kritzelte mit. Man konnte nachher hingehen zu ihm und mit ihm sprechen. In den Übungen, da war Zwiegespräch, aber in den Vorlesungen überhaupt nicht. Ich kann das sogar verstehen, erstens muß man ja lernen, zuzuhören, aufzunehmen und zweitens bringt man jemanden, der in Fahrt ist, vorträgt, ein Konzept hat, den bringt man völlig durcheinander, wenn viele Fragen gestellt werden.

M.: Die Nazi-Zeit haben Sie im Studium dann gar nicht mehr erlebt, da haben Sie ja dann das Gut mitverwaltet?

Y.: Das war mehr während des Krieges, zunächst war ich hier und war eigentlich eben in der Hauptsache für meinen Mann da. Er hat ja sehr bald einer Widerstandsgruppe angehört und die Männer waren immer bei uns und haben z.T. bei uns geschlafen, Helmuth Moltke[1] z.B.; seine Wohnung war zerbombt und er hatte oben bei uns ein Zimmer.

S.: Das muß für Sie doch erschreckend gewesen sein, diese ganze Zeit? Aber Sie haben Ihren Mann immer mit unterstützt?

Y.: Immer, ich habe eigentlich auch nie Angst gehabt. Es erschreckt mich heute, daß die Jugend nur von Angst spricht. Aber es war dann doch alles sehr schwierig im Dritten Reich. Ich weiß noch, wie Carlo Mierendorff[2], als er mal von uns wegradelte — er war heimlich in Berlin, er hatte ein Verbot, hier zu sein — er packte irgendetwas weg, ein Papier, in die Fahrradtasche und sagte: „So ein Leben zwischen Bomben und Galgen ist nicht angenehm!" Aber so war das Leben damals; ich erinnere mich z.B. wie mich mein Vater einmal in meinem Leben ungerecht bestraft hat; da war meinem jüngsten Bruder irgendetwas passiert — wir hatten Versteck gespielt und die Tür war zugefallen — und da bekam ich eine Ohrfeige, weil er sich so erschrocken hatte. Und dann sagte ich: „Aber das war ungerecht!" Und er erwiderte: „Kind, lern beizeiten, das Leben ist sehr gefährlich und sehr ungerecht!" Das habe ich nie vergessen. Aber das Leben wird auch erst schön, wenn man in gewisser Weise gefordert wird. Meine Angst hatte ich begraben an einem Abend, als die Gestapo unser Häuschen in der Hortensienstraße durchsuchte nach einer Nachricht von Helmuth Moltke, den sie verhaftet hatten. In dieser Nacht haben wir das Haus dann „sturmfest" gemacht, denn mein Mann hatte die Eigenschaft — er hat sehr viel gelesen und konnte den halben Faust auswendig, deswegen waren für ihn die letzten drei Wochen nicht so entsetzlich — da legte er immer in die Bücher irgendwelche Zettel und Adressen. Da haben wir alles zu dritt nachgesehen, Eugen Gerstenmaier[3] war gerade auch da; und in dieser Nacht habe ich meine Angst begraben, weil ich mir gedacht habe: „Angst ist kein guter Führer, kein guter Begleiter für den Alltag!"

S.: Hat Ihr Mann Sie eingeweiht in den Attentatsplan für den 20. Juli 1944?

Y.: Ich wußte alles. Die Männer haben immer in meiner Gegenwart über alles gesprochen. Claus Stauffenberg war ein Vetter meines Mannes und dadurch waren wir auch verwandt. Ich wußte auch, am 20. Juli war es so verabredet mit Stauffenberg, daß er eine Nachricht geben würde nach Weimar, wo wir bei Freunden auf einer Hochzeit waren. Diese Nachricht kam dann nicht und mein Mann fuhr nachts nach Berlin. Das war das letzte Mal, daß ich ihn gesehen habe. Er hat dann noch zum Pölchau, der Gefängnispfarrer in Tegel und im Untersuchungsgefängnis war, ein fabelhafter Mensch, und der, als er das Todesurteil hörte, gleich nach Plötzensee gefahren ist und mit meinem Mann gebetet hat, dem hat mein Mann noch gesagt: „Sag den anderen, es ist kein Name der Freunde gefallen!" Ein Gestapo-Fritze, der mich später ins Gefängnis brachte, der hat mir gesagt: „Hätten wir das geahnt, dann hätten wir ihn nicht so schnell umgebracht." Mein Mann galt eben nur als Leutnant der Reserve und als Vetter von Claus Stauffenberg und er war eben in der Bendlerstraße gewesen.

M.: Und als Sie die Nachricht vom Tod Ihres Mannes bekamen?

Y.: Ich war also während der Verhandlung, das muß am 7. und 8. August 1944 gewesen sein, da ging ich zum Kammergericht, der Wachtmeister ließ mich rein in seine Stube und berichtete über das, was da passierte. Ich hörte nur diese wirklich entsetzliche Stimme vom Freisler, die werde ich nie vergessen. – So kann kein Angeklagter sagen, daß ich je mit ihm geredet hätte, nie! Für mich waren sie immer „Herr Sowieso" und nicht „Angeklagter" – Und dann hat mir der Wachtmeister von dem Todesurteil berichtet. Es war ein ganz heißer Augusttag, es war das einzige Mal in meinem Leben, daß ich die Sonne wirklich verflucht habe, sie war so erbarmungslos, als ich dann auf der Straße stand. Dann kam die „grüne Minna", und das hat ja mein Mann nachher dem Pfarrer Pölchau erzählt, daß er mich noch gesehen hätte auf der Straße, ich hab ihn natürlich nicht gesehen. Und dann ging ich zu Fuß, hier nach Dahlem zu meiner Schwägerin, und schrieb ihm einen Brief. Dann fuhr ich mit der U-Bahn ins Prinz-Albrecht-Palais, wo damals die Gestapo residierte. Ich gab den Brief bei einem SS-Mann ab, der unten saß und er sagte: „Sie können ihn hierlassen, aber wir sind doch keine Unmenschen, abends werden doch keine Urteile vollstreckt!" Da war er schon tot.

S.: Wurden Sie selber dann auch verhaftet?

Y.: Ja, zwei Tage später kam ich dann ins Gefängnis. Da hab ich dann so lebendig geträumt, diese ersten zwei, drei Wochen wenn ich morgens aufwachte in meinen blaukarierten Strohsäcken, da wußte ich nicht, was die Wirklichkeit ist. Und da waren noch viele Frauen, zum Teil auch Freundinnen von mir, Barbara von Haeften[4], Annedore Leber[5], Clarita von Trott[6], die waren da und wir sahen uns beim Ummarsch. Eine Woche durfte ich überhaupt nicht raus, da saß ich in der Zelle, hatte nichts zu lesen, nichts zu tun, und war wirklich wie ein Tiger, bereit die Wände hoch und runter zu klettern. – Aber es ist eine gute Erfahrung für einen Strafrichter, das Gefängnis von innen zu kennen. – Bei den Luftangriffen war unser Leben auch nicht kostbar genug, um in den Keller transportiert zu werden, sondern wir wurden oben in einen Saal gesperrt; wir freuten uns schon fast darauf, weil wir miteinander sprechen konnten. Es war aber eine Zeit, so aus der Kraft, die ich damals so in mir spürte, lebe ich heute noch. Ich war damals froh, daß ich nicht in den Schoß meiner großen Familie entlassen wurde, daß ich dort nicht bemitleidet und getätschelt wurde, sondern eben dieser Einsamkeit und Härte ausgesetzt war.

S.: Wie kamen Sie dann wieder frei?

Y.: Ich wurde nach zwei Monaten plötzlich wieder entlassen. Dann ging ich zu meiner Schwägerin, denn die Gestapo wohnte inzwischen in unserem Haus. Aber die waren auch keine schlechten Leute. Die Erfahrung habe ich

Frau von York besichtigt nach dem Krieg die Gefängniszelle, in der sie nach der Hinrichtung ihres Mannes 1944 „gesessen" hat.
(Foto: H. J. Szelinski, Berlin)

überhaupt so oft gemacht, es gab auch bei den Nazis Menschen. Z.B. wird man im Gefängnis fotografiert, von der Seite, von vorne, da waren auch zwei SS-Leute, die sagten nur:. „Ihr Name!" und da sagte ich: „Yorck", dann guckte er mich so an und sagte: „Wollen Sie bitte Platz nehmen, Frau Gräfin!" Das war so ein Zeichen der Bewunderung für meinen Mann, immerzu habe ich das erfahren.

S.: Wie erlebten Sie dann das Kriegsende?

Y.: Später dann, ab April 45 bin ich erst in Schlesien gewesen bis die Russen kamen, bis Mai, dann bin ich drei- oder viermal schwarz über die Neisse gegangen, immer hin und her zwischen Schlesien und Berlin, mit Kohlenzügen, zu Fuß, es war eine schöne Zeit!

M.: Eine schöne Zeit?

Y.: Ja, wirklich die Fülle des Lebens. Ich sag ja immer, dieses Heute erschreckt mich so, daß die Menschen glauben, in der Angst vor etwas leben zu müssen. Da ist irgendetwas verdreht, man darf keine Angst haben, erst dann offenbart sich das wahre Leben für einen selbst. Ja, es war eine tolle Zeit, weil ich gar keine Verpflichtungen hatte, ich war mit meiner jüngsten Schwägerin unterwegs, sie war Ärztin; sie hat auch überall als Ärzin gearbeitet und ich war in der Nachschubbeschaffung für die russischen Garnisonen in Dresden, wir mußten Kartoffeln und Rüben beschaffen.

S.: Und als Sie wieder in Berlin waren, besannen Sie sich auf die Juristerei?

Y.: Erst bot man mir eine Stelle beim Magistrat an. Aber als ich dort eine zeitlang arbeitete, merkte ich, daß ich so ein bürgerliches Aushängeschild für die damals schon kommunistische Verwaltung war. Und da habe ich mich darauf besonnen, daß ich ja Jura studiert hatte und hab dann wieder ange-

136

fangen — man nannte das damals „Richter K.A.", kraft Auftrags. Ich war gar nicht Richter, aber es gab zuwenige. Da war ich in Lichterfelde bei einem amerikanischen Richter, bei dem habe ich viel gelernt, was angelsächsisches Recht angeht. Da hab ich dann allerdings auch nächtelang gearbeitet, um wieder reinzukommen, bevor ich meinen Namen unter ein Urteil schrieb. Das war schwierig und dann habe ich 1947 meinen Assessor gemacht, in der ersten Gruppe von Prüflingen. Vorher war ich bei Hilde Benjamin[7] gewesen, damals war Berlin ja noch nicht geteilt und die hatte dieses Hauptamt für Rechtswesen. Sie sagte: „Ja selbstverständlich können Sie Ihren Assessor machen beim Oberlandesgericht Potsdam." Wir haben uns gut unterhalten, aber als ich rausging, sagte sie: „Übrigens müssen Sie dann Ihre Wohnung im Oberlandesgerichtsbezirk Potsdam nehmen!" Ich hab immer so einen guten Geist gehabt, der mich gewarnt hat. Ich sagte dann noch: „Das muß ich mir überlegen", denn dieses geliebte Häuschen, wo ich mit meinem Mann immerhin 17 Jahre lang gelebt hatte, das wollte ich nicht aufgeben. Und als ich dann 1947 in Berlin Examen machte, da war ich schon Beisitzerin in einer Landgerichtskammer, zwar noch keine richtige Richterin, aber ich dachte: „Eigentlich können die mich gar nicht mehr durchfallen lassen, dann wären ja alle Urteile Nicht-Urteile." Es ging dann auch alles glatt.

M.: Und als Sie dann später in Moabit, im Strafgericht waren, wurden Sie als erste Frau Vorsitzende eines Schwurgerichts. Wie war das für Sie, waren Sie stolz darauf?

Y.: Eigentlich war ich nicht stolz, sondern ich hab sehr an dieser Verantwortung getragen am Anfang, denn ich finde, nichts ist gefährlicher, als Urteile zu sprechen, von denen man weiß, sie werden nicht akzeptiert von dem Betroffenen. Das habe ich auch gelernt, am Anfang habe ich zwar immer darum gerungen, daß ich ein Geständnis bekam, bis ich dann doch merkte, daß das eigentlich unfair von mir ist. Es gibt nämlich Menschen, die, wenn sie etwas Schreckliches getan haben wie im Jugendschutz, so etwas nicht gestehen können, sonst bleibt ihnen nur der Selbstmord. Das hab' ich gelernt und weiß nun, daß man auch ohne Geständnis einen Menschen verurteilen muß. Man muß, man kann nicht den billigen Weg gehen und freisprechen, das ist auch nicht richtig. Einmal wurde ich auch etwas angegriffen von der Presse, das Urteil sei zu hart usw. Da hab ich ihnen gesagt: „Ich bin die letzte Instanz, die des Opfers gedenkt. Nachher kommt alles und fängt den armen Angeklagten auf, aber das Opfer, oft die Kinder oder bei Mordversuchen oder Raubüberfällen, da kümmert sich keiner drum!" Ich sagte dem Pressevertreter: „Wissen Sie, ein milder Richter zu sein — es hieß in Moabit immer, dies sind Schokoladenrichter — macht natürlich Spaß, wenn man gleich im Urteil die Gnade verkündet oder die Schokolade über den Menschen ausgießt, aber das hab ich nie gemacht!" Ich finde, da verwechselt man die Kategorien. Nachher war ich gerne bereit, wenn man sah, da ist irgendein Prozeß in Gang gekommen und man konnte mit ihm sprechen . . . Ich bin dann manchmal in Plötzensee gewesen, im Jugendgefängnis, aber nie gleich mit dem Urteil, das ist nicht richtig. Die Gnade ist ein eigener Vorgang.

S.: Haben Sie denn in Ihrer Zeit am Schwurgericht irgendwann einmal Vorbehalte gegen Sie als Frau und Richterin empfunden?

Y.: Mit den älteren und den jüngeren Kollegen kam ich gut aus, aber mit den „mittelalterlichen" manchmal nicht so gut, einmal war ich noch Beisitzer und mußte den Vorsitzenden vertreten. Ich bekam einen anderen Beisitzer

von der Verwaltung, der sagte: „Ach so, Ihnen hat man diese Kammer an-
vertraut, das verstehe ich gar nicht!" Er moserte die ganze Zeit und ich sagte
zu ihm: „Wenn Sie hier nicht sitzen wollen, müssen Sie es sagen, ich kann's
verstehen und dann bitte ich die Verwaltung, mir einen anderen zuzuteilen."
Da hat er brav gesessen.

M.: Hatten Sie zu den Kollegen auch private Kontakte?

Y.: Ja, mit manchen war ich sogar befreundet, mit den Frauen bin ich heute
noch befreundet.

M.: Auch heute noch, nach der Pensionierung? War es denn nicht so ein
Bruch?

Y.: Nein, aber ich bin nie wieder in Moabit gewesen. Ich hab' mir geschworen,
da geh ich nicht hin, weil als ich noch im Dienst war, da kamen manchmal
alte, rührende Richter, und die saßen dann so da, die waren selig und ich
fand mich schlecht dabei, weil ich selbst ja nie Zeit für sie hatte, und da
hab ich mir gesagt: „Nein, ich geh' da nicht hin!"

M.: Und nun noch eine Frage zum Abschluß. Was würden Sie denn jungen
Juristinnen sagen, was Ihre Berufstätigkeit angeht, was die sich hinter die
Ohren schreiben sollten?

Y.: Ich kann es ja hauptsächlich vom richterlichen Beruf aus sagen, man soll
ihn nie nur als Job betrachten. Man soll ihn sehr ernst nehmen und nie sich
in irgendeiner Form über Menschen erheben, die eben versagt haben. Ich
finde immer, man muß ein demütiger Mensch sein, wenn man ein guter
Richter sein will, man muß doch wissen, daß es sehr leicht ist, im Leben zu
versagen oder Fehler zu machen.

M.: Aber das gilt für Frauen und Männer.

Y.: Für beide. Und für Frauen, ja was soll ich Ihnen sagen? Frauen können
sehr gute Richter sein, da bin ich überzeugt. Die einzige Gefahr, auch bei mir
selbst, war, daß man zu impulsiv ist, es kommt natürlich auf's Temperament
an. Ich mußte mir immer Zügel anlegen, weil ich von Natur aus heftig bin.

1 Helmuth James Graf von Moltke, führend mit Peter Yorck im „Kreisauer Kreis" im
   Widerstand gegen Hitler. Er wurde im Januar 1944 verhaftet und im Januar 1945
   nach einem Urteil des Volksgerichtshofes in Berlin-Plötzensee hingerichtet.
2 Carlo Mierendorff, sozialdemokratischer Politiker, seit 1930 Mitglied des Reichstags, 1933–1938 im Konzentrationslager, danach einer der führenden Köpfe in der
   illegalen Opposition gegen Hitler, im Dezember 1943 durch einen Bombenangriff in
   Leipzig umgekommen.
3 Eugen Gerstenmaier, CDU-Nachkriegspolitiker, u.a. Bundestagspräsident; im Dritten
   Reich wegen seiner Zugehörigkeit zum „Kreisauer Kreis" 1944 verhaftet und zu acht
   Jahren Zuchthaus verurteilt, von den Amerikanern befreit.
4 Barbara von Haeften, Ehefrau von Hans von Haeften, der Legationsrat im Auswärtigen Amt war und zum „Kreisauer Kreis" gehörte.
5 Annedore Leber, Ehefrau von Julius Leber; dieser war SPD-Politiker, 1924–1933
   Mitglied des Reichstags, bis 1937 im Konzentrationslager, danach führend in der Opposition und im Widerstand gegen Hitler, im Juli 1944 verhaftet und im Januar 1945
   in Plötzensee hingerichtet.
6 Clarita von Trott, Ehefrau von Adam von Trott zu Solz; dieser war seit 1939 im Auswärtigen Amt und gleichzeitig für die Widerstandsbewegung gegen Hitler tätig, im
   August 1944 hingerichtet in Plötzensee.
7 Hilde Benjamin, tätig im Sozialistischen Studentenbund in der Weimarer Republik,
   Verfolgte des Nationalsozialismus, nach 1945 Staatsanwältin in Berlin-Lichterfelde,
   Leiterin des juristischen Hauptamtes in Potsdam, nach Gründung der DDR Vizepräsidentin des Obersten Gerichtshofes, 1953–1967 Justizministerin der DDR, danach
   Inhaberin des Lehrstuhls für Rechtsgeschichte der DDR an der Akademie für Staat
   und Recht in Berlin (Ost).

Moabit außen – das Berliner Kriminalgericht; die männliche und die weibliche Figur stellen „Macht" und „Gesetz" dar. (Fotos: Hannelore Zimmermann)

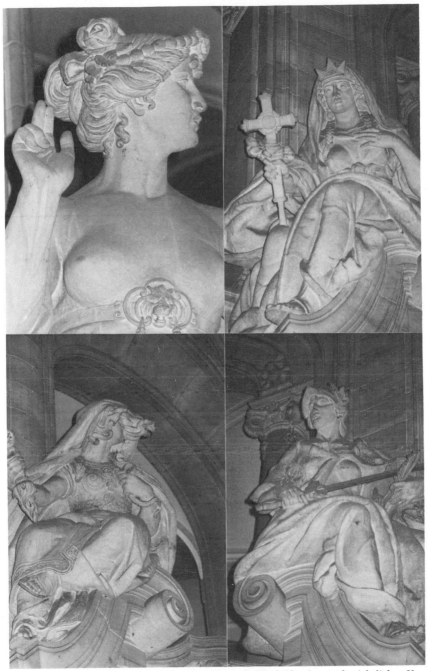

Moabit innen — vier von sechs Frauengestalten als Sinnbilder des strafgerichtlichen Verfahrens. (Fotos: Sabine Berghahn)

Das Pferd, das seinem Esel die Blumen abfressen will!

Ingeborg Becker, geb. 20.04.1920; Frühjahr 1939 Abitur; Ausgleichsdienst für den Arbeitsdienst; von Oktober 1939 an Studium der Rechtswissenschaft, abwechselnd in München und Freiburg; Juli 1942 erstes juristisches Staatsexamen am OLG Karlsruhe; August 1947 Promotion zum Dr. jur. an der Universität Freiburg/Br.; Dezember 1947 Zweites juristisches Staatsexamen am OLG Freiburg; Jan. 1948 Aufnahme in den Justizdienst des Landes Baden; Tätigkeit im Justizministerium, von Herbst 1948 an Abordnung zur Rechtsabteilung der französischen Militärregierung in Baden-Baden, im Jahre 1949 gleichzeitig Tätigkeit am LG Baden-Baden; seit Herbst 1950 nur noch LG Baden-Baden und kurz darauf dort Planstelle als Landgerichtsrätin; April 1951 Abordnung zum Bundesjustizministerium (BJM) in Bonn; September 1953 Ausscheiden aus dem BJM auf eigenen Wunsch; LG Köln als LG-Rätin; 1961 LG Karlsruhe, 1965 LG-Direktorin (später Vorsitzende Richterin) am LG Karlsruhe; 1974 zur Ruhesetzung auf eigenen Antrag aus Gesundheitsgründen.

Esel der Justiz
Ein Märchen für Erwachsene
oder
Innerer Monolog mit Baldewin

In brauner Vorzeit, über die wir nie den Schleier des Vergessens ziehen dürfen, bestand Deutschland aus riesigen Viehherden: aus Pferden mit Scheuklappen, Schafen aller Rassen und Schattierungen, anderen gehörnten Milchspendern, meist tiefbraun, tiefschwarz, aber auch schwarz- oder braunbunt. Noch andere Geschöpfe gab es, vereinzelt schwirrten Vogelschwärme, überwiegend grau, hin und wieder tauchte unter ihnen ein weißer Rabe auf. Alle Wesen wurden von einem verbrecherischem Untier geführt, getrieben, Millionen geschlagen, mißhandelt — und ermordet. Unter den Tieren gab es Esel! Diejenigen unserer Geschichte waren alle weib-

lich und weideten juristisch. Gewiß waren auch einige darunter, die wie Tiere
aussahen, aber das tat nichts zur Sache.
Vor einiger Zeit lag ich an einem schönen Sommertag auf einer blühenden
Wiese und kam mit einem alten, abgearbeiteten und zerzausten Esel ins Gespräch. Genau genommen war es eine Eselin, wir bezeichnen sie aber als Esel,
zumal er sich als Baldewin vorstellte. Er genoß sein vorzeitig verlangtes und
gewährtes Gnadenfutter.
„Denk' doch", hub der Esel an, als er mein Interesse an der Vergangenheit
bemerkte, „da waren auch nach 1933 Wesen, weiblichen Geschlechts, die studierten Jurisprudenz". Sein Quastenschwanz schlug erregt. Er war einer von
ihnen. Was dachten wir Esel uns bloß? Wir wußten, daß seit 1935 kein Esel
mehr zu einem Amt in der Justiz oder als Rechtsanwältin zugelassen wurde,
höchstens bei einem Anwalt unter der Theke unterkriechen konnte, eine gar
mühsame Haltung für einen aufrechten Esel. „Der Führer wünscht keine Frau-
en in der Robe", nicht in gehobenen Positionen − nur um diese ging es
immer, auch auf anderen als juristischen Weiden. Bei einem kleinen Esel-
meeting in jüngerer Zeit überlegten wir, was wir uns damals von diesem futter-
losen Studium erhofft hatten. Nichts Konkretes, wir sind halt Esel. Der
Grund war unüblich: Wir hatten Freude daran! Freude an einer Arbeit zu
haben, wird bei der Justiz oft bestraft. Wir Esel beachteten auch nicht, daß
die Herden aus der Zeit des Untiers zwar wohl meist aufgelöst werden
würden, irgendwann einmal, daß die Tiere aber bleiben, ihre Positionen und
Rollenverständnisse sogar weitergeben würden.
Baldewin kaute genüßlich an einer Brennessel. Immerhin, sein Studium verlief
reibungslos. Konkurrenzneid war den Jungtieren noch fremd, sie waren zu
uns Eseln kameradschaftlich, halfen, dachten nicht in tradierten Rollenbil-
dern, freuten sich mit uns über fachliche Erfolge, hänselten uns gelegentlich
harmlos mit § 1300 BGB − kurz sie behandelten uns wie ihresgleichen, aber
als weibliche Species. So trabten wir Esel unbefangen und arglos den Weg von
der Universität in die Praxis, ohne der verborgenen Rillen, Löcher, Steine,
Felsbrocken, Schneewehen wahrzunehmen. Wir Esel gingen geradewegs aufs
Glatteis. Beim ersten Staatsexamen fing es schon an: Wie uns Eseln hinterher
zugewiehert worden ist, wollte der Vorsitzende − ein tiefbraunes Tier, das
nach dem Ende der Untierzeit freiwillig aus dem Leben schied −, mir Esel ein
gutes Prädikat nicht geben mit der Begründung: bei ihnen schließe ein Esel
nicht mit einem solchen Prädikat ab. Ein mitprüfendes Tier ließ diese Begründung zu meinem Glück nicht zu. Die ganze Willkür, mit der man uns Esel
behandelte, zeigte sich später, als dasselbe Tier in meinem Doktorexamen ein
besseres Prädikat, das erörtert worden war, ablehnte − Baldewin hat das Ergebnis nie für ungerecht gehalten, wohl aber die Begründung: Ein höheres
Prädikat verschaffe Ansprüche, die er Eseln nicht zugestehe. Daß ich auf einer
anderen als seiner Weide promoviert hatte, hatte er mir wohl aus Konkur-
renzgründen gegen meinen Doktorvater verübelt. Zwischen persönliche oder
bürokratische Querelen geriet ich Esel noch öfter.
Im Referendardienst begann mir Esel langsam meine Dummheit zu dämmern,
wenn schon nicht im ganzen Ausmaß. Folgendes hätte mir ein Menetekel sein
können − zu ändern wäre allerdings nichts mehr gewesen −; nach einer gewissen Zeit durften Referendare damals selbständig kleine Vernehmungen als
Ersuchter Richter durchführen − nicht so ich als Esel. Mein Ausbilder ließ
mich trotzdem im Nebenzimmer das Rechtshilfeersuchen durch eine Vernehmung erledigen und unterschrieb sie dann blindlings. Eine vernünftige Lösung,

die des Tieres Arbeit verringerte, mich etwas lernen ließ und dem Stück Papier die Schande einer Eselsspur in richterlicher Funktion ersparte.

Bei der Staatsanwaltschaft durfte ich zwar Amtsanwalt sein, der Vertreter der Staatsanwaltschaft beim Amtsgericht in leichteren Fällen, durfte aber nicht selbst in der Hauptverhandlung meine Anklagen vertreten; denn „der Führer . . .". Bei Kriegsausbruch schippte ich, wie alle irgend Abkömmlichen einige Tage an Panzergräben. Mein Grautier wurde nachdenklich und ließ sogar eine Distel aus dem Maul fallen. Merkwürdig, nicht wahr? Dazu war ich nicht zu weiblich! Das war ich übrigens nie, weder vor noch nach 1945, wenn es darum ging, in der Justiz Lasten zu schleppen. Zum Lasten-Tragen war ich auch nie zu viel oder zu wenig beißend, weder zu jung noch zu alt. Bei Rechten wurde alles aus meinem Zottelfell herbeigezogen. Bald darauf spendete Goebbels alle, die nicht im Zivilleben notwendig waren, der Rüstungsindustrie. Ein einsichtiger Tierarzt bewahrte mich – ohne mein Zutun – vor dem Einsatz als Flakhelferin. Ich brauchte meine Hufe nur an den Additionsmaschinen einer Bank zu betätigen. Die Berufslaufbahn aber endete für mich vorerst, wie für alle Tiere und Esel.

Baldewin wurde wieder erregter. Bis Kriegsende, ja, da bestanden die großen Herden unter dem Untier, das nicht ein Grundrecht anwandte. Aber 1945 mußte alles anders werden. Es wurde nicht anders.

Die Herden waren zwar zerschlagen, deren Tiere lebten weiter, jahrzehntelang, mit allen ihren Prägungen. Durch die neu gesäte Weide (die föderalistische Struktur der Bundesrepublik) tauchten neue Schwierigkeiten auf, denen sich zwar auch Tiere ausgesetzt sahen, die aber die ohnehin schwereren Lasten der Esel noch erhöhten. Mit Hilfe einiger weißer Raben wurden sie erträglicher gemacht.

Von 1942 bis 1957 war meinem Esel Böses widerfahren. Seine Hufe scharrten, der Quastenschwanz pendelte. Schon in der Nazizeit hatte er nicht Vollassistent, sondern nur winziger Seminarassistent sein dürfen, obgleich es im volkswirtschaftlichen Bereich derselben Fakultät weibliche Vollassistenten gab. Mein Doktorvater jedenfalls wollte nur Kriegsteilnehmer als Assistenten, die es kaum gab, und obgleich (oder vielleicht gerade weil!) er selbst nicht aktiv am Krieg teilgenommen hatte. Intern gab man offen zu, daß man einfach Esel nicht wollte in solcher Position. Als das nach Kriegsende nicht mehr gut zugegeben werden konnte, schob man erst recht die Kriegsteilnehmer vor. Bloß gab es kaum welche, die schon so weit ausgebildet waren – sie hatten ja Krieg führen müssen. Warum Eselchen sich nicht gewehrt hat? Was hätte keilen, beißen, schreien schon gegen die großen starken Tiere genutzt? Im Jahre 1944, ich hatte schon meinen Doktorhut – mit Löchern für meine Eselsohren – auf dem Kopf, erklärte mir mein Doktorvater auf vorsichtiges Schnuppern: Wenn ich ein Tier wäre, würde er mir den Weg zur Universitätslaufbahn eröffnen. Man habe es mit anderen Hirten besprochen, man wolle Esel nicht, es sei auch nicht gut für mich. Fürsorglich, nicht wahr? Später habe ich bei ähnlicher Fürsorge erwidert, über meine Interessen entschiede ich gerne selbst.

Hier aber wurde u.a. das infame Argument gebraucht, als Esel müsse man auf der Uniweide Außerordentliches leisten. Ob das gelänge, könne man noch nicht beurteilen. Durchschnittliches komme sicher heraus, aber das genüge für Esel nicht. Ich Esel wußte, daß ich nichts Überdurchschnittliches leisten würde, (warum auch, es soll auch durchschnittliche Tierdozenten geben!), hatte nie an einen solchen Anspruch gedacht, sondern an das, was mir Freude machte und nach dem Urteil anderer gelang. Ich zog mit hängenden Ohren in meinen Kriegsdienst. Nach Kriegsende wurde das Thema gelegentlich wieder auf den Weiden erwiehert. Das Ergebnis änderte sich nicht. Ich habe noch den halbspöttischen Ton im Eselsohr, mit dem mir mein Doktorvatertier „bemerkte", ich könne ostwärts wandern und dort, jenseits des großen Weidezaunes, dialektische Rechtswissenschaft lehren!

1957 (!), mein Futter fraß ich längst auf anderen Weiden, wurde mir durch einen anderen Esel im Auftrag des Doktorvatertiers mitgeteilt, er und wohl auch die anderen Tiere seien nunmehr bereit, mich auf seine Hohe Schule zu nehmen. Über so lächerliche Einzelheiten, wie Wechsel der Weide und Futter sowie andere Spezialisierung zerbrach das hoch gelehrte und christliche Tier sich nicht den Kopf, es hatte wohl nur sein Gewissen beruhigen wollen. Die Botschaft trug den Stempel des Unernsten, Unverbindlichen auf der Stirne. Ich schnob vor Wut und schrieb mit zitterndem Huf einen deutlichen Brief, auf den nie eine Antwort kam. Bei einem Wechsel auf die Uniweide hätte ich während der Studentenunruhen wohl kaum auf Seiten der gelehrten Tiere gekeilt.

Ein ähnlicher Fall der Willkür gegenüber einem *Tier,* das schwer verletzt aus dem aktiven Kriegseinsatz zurückgekehrt und von Hause aus und aus eigener Überzeugung entschieden nicht braun war, war Baldewin von einem Pferd zugeflüstert worden. Unstreitig sehr qualifiziert, wurde ihm die Habilitation, damals noch der streng festgelegte Ausbildungsweg für die Universitätslaufbahn, verwehrt, aus dem unausgesprochenen aber deutlich erkennbaren Grund: Man mochte dieses Tier nicht! Wie würdig einer Hohen Schule und einer juristischen Fakultät, die angeblich für die Kriegsteilnehmer eselfrei gehalten werden sollte. In der Justiz kletterten übrigens Tiere, die vor dem Krieg aktive Soldaten für das Untier gewesen waren, manchmal besonders hoch. Andere juristische Weiden lagen meinem Grautier nicht. So blieb es auf seiner ungeliebten und steinigen alten. In jene ersten Zeiten dort schweiften seine Gedanken zurück.

Ich war damals, 1947/48 der erste Esel auf unserer kleinen Weide in Südbaden, der das zweite juristische Staatsexamen abgelegt hatte. Das Haupttier, der Chef der Justizverwaltung in der französischen Zone Badens, nicht braun, aber tiefschwarz, mochte Esel nicht im Höheren Dienst sehen. Wie sich doch die Bilder glichen. Die Verfassung des Landes Baden vom 19.05. 1947 hatte, inhaltsgleich mit dem späteren Art. 3 des Grundgesetzes, bestimmt:

„Alle Bewohner Badens ohne Unterschied der Herkunft, der Rasse, der Religion und der politischen Überzeugung sind vor dem Gesetz gleich. Männer und Frauen haben dieselben staatsbürgerlichen Rechte und Pflichten. Es bestehen keine Vorrechte der Geburt, des Standes und des Geschlechts . . ."

Welcher Druckteufel hatte diese Sätze in den Exemplaren einiger hoher Tiere gefressen? Ich, der einzige Esel, wurde nicht Gerichtsassessor, wie die anderen Tiere (sie wurden es, sofern man sie überhaupt übernommen hatte — worauf kein Anspruch besteht — sogar mit geringerem Examensergebnis und später übernahm man auch solche Esel); nach einer ausgegrabenen, alten badischen Regelung wurde ich sogenannter Laufbahnassessor, der jederzeit entlassen werden kann. Einen Assessor kann man nur entfernen, wenn er silberne Löffel stiehlt. Ich wurde zum Halbesel gemacht, diesem Entwicklungsgebilde aus dem amerikanischen Wildpferd — und ich war so stolz auf meine

Abkunft vom nubischen Wildesel. Erst als ein zweiter Esel mit verwandtschaftlichen Beziehungen höheren Ortes ebenfalls Examen machte, hörte die Halbeselei auf, und auch ich wurde Gerichtsassessor, ebenso wie zwei weitere, dienstjüngere Esel. Zuvor hatte der Personalreferent einem von uns Eseln ein Rechenexempel aufgemacht: Wenn man auch nur alle 2 Jahre eine Frau übernehme, so seien es in 10 Jahren schon 5, in 20 Jahren 10 − nein, das gehe nicht. Sein Minister − die Verhältnisse hatten sich inzwischen normalisiert − ein weißer weiser Rabe, wußte offenbar von alledem nichts oder nur Unvollkommenes − sagte mir bei einer Vorsprache auf Rat des Personalreferenten, dem offenbar langsam schwül wurde in seinem Fell, mein Fell sei ihm neu. Der Personalreferent, zum LG-Präsidenten aufgestiegen, berichtete mir Jahrzehnte später bei einem Wiedersehen, von mir auf seine damalige richtige Rechnung angesprochen: Ja, der Minister habe damals gesagt, er − der Minister −, achte die Verfassung. Rot wurde das Tier bei dieser Unterhaltung vor Dritten nicht.

1948 war von der Militärregierung das Rückerstattungsgesetz für die Französische Zone erlassen worden, ein Teil der Wiedergutmachung nationalsozialistischen Unrechts, und zwar wegen feststellbarer Vermögensgegenstände, vergleichbar der „rei vincatio" des Bürgerlichen Rechts. Die Militär-Regierung wollte die Rechtsprechung der deutschen Gerichte systematisiert haben, um jederzeit informiert und auskunftsfähig zu sein, auch gegenüber den Verfolgten des Nationalsozialismus und ihren Verbänden. Außerdem hatte sie das „Evokationsrecht", das Recht jedes Verfahren in jedem Stadium an sich zu ziehen und durch ihre eigenen Gerichte entscheiden zu lassen. In anderen Zonen war es anders. Das Evokationsrecht wurde nur wenige Male angewandt, nicht mißbräuchlich. Aber es ist unserer Rechtsordnung fremd, und man wußte nicht, wie es gehandhabt werden würde. Vorher war Unerfreuliches geschehen: Ein von einem deutschen Strafgericht Freigesprochener wurde, als er das Gerichtsgebäude verließ, von der französischen Sûreté festgenommen. Die gesamte Wiedergutmachung war aus den verschiedensten Ursachen unpopulär. Deshalb wollten fähige Tiere sich nun gerade zu dieser Tätigkeit bei der Militär-Regierung nicht hergeben, ich Esel auch nicht. Heute würde ich es freiwillig tun, nachdem, was ich bei der Rechtsabteilung an Fairneß erlebt habe. Die Militär-Regierung hatte Kräfte gewünscht, die weder braun gewesen waren noch zum Ausschuß gehörten. Die waren sowieso selten. Genial, wie man die Ablehnung der Esel und der Wiedergutmachung verband: Man sperrte beide zusammen. Drei von vier Eseln unserer Weide ließ man diese Last tragen, natürlich auch Tiere; für die damals Unerfreulichste wählte man mich und schickte mich unter „freiwilligem Zwang" mit der Drohung der Entlassung aus dem Justizdienst zur Militär-Regierung nach Baden-Baden. Zur Zeit der Drohung war ich noch Halbesel und wurde erst mit der Abordnung „naturiert". Das geschah kurz nachdem das neue Geldfutter geschaffen wurde und jeder Geldsorgen hatte. Bei Eseln zählten soziale Gründe, *für* sie nicht, nur *gegen* sie. Ich − Baldewin rupfte genüßlich eine Distel − kam also zur Rechtsabteilung der Militär-Regierung und hatte es nicht zu bereuen; später kam ich, zunächst gleichzeitg − eine große Mehrbelastung −, was auch mit meinem Eselsein zusammenhing, weil man mir eine richterliche Planstelle nur in Aussicht stellte bei vorheriger richterlicher Tätigkeit (man entsinne sich der zwangsweisen Abordnung!), dann ausschließlich, zum Landgericht. Selbstverständlich blieben wir Esel immer einige Nasenlängen hinter den Tieren zurück. Ein Tier aus meinem Examenstermin war schon 1960 Bundesrichter,

unstreitig qualifizierter, aber noch innerhalb derselben Stufe, auch ältere und
– last not least – Urbadener, während ich nur eine badische Großmutter auf-
zuweisen hatte. Auch dieser Gesichtspunkt war nicht neu.
Einer von uns Eseln hatte ein juristisches Tier geheiratet, das in den Justizdienst übernommen wurde. Obgleich der LG-Bezirk groß genug war, um
Kollisionen zu vermeiden, wurde der Esel an das Amtsgericht eines anderen
Bezirkes versetzt. Wir Esel schnaubten herum, was wohl geschehen wäre,
wenn eine angesehene Rechtsanwältin den Herrn Landgerichtspräsidenten
geheiratet haben würde. Ob dieser sich auch hätte versetzen lassen müssen,
was rechtlich nicht gegangen wäre. Ein Eselgeflüster, dessen Ironie nicht begriffen und das zunächst für ernst genommen wurde!
Inzwischen hatten wir vier Esel unserer Weide, wie die Bremer Stadtmusikanten, einer auf dem von dem anderen Erreichten aufgebaut. Auch bei den
Grimmschen stand ein Esel als Lastträger ganz unten.
Ich Esel wurde ohne meine Initiative, aber mit meiner nun notwendigen Einwilligung zum BJM nach Bonn abgeordnet. Die dortigen Leittiere waren
weiße Raben, die Esel gerne als Mitarbeiter sahen. Nicht so ihre Untergebenen, insbesondere nicht der Personalreferent. Der hatte denn auch nach ca.
vier Jahren alle 4 oder 5 Esel vergrault, eine Leistung, zu der ich ihm bei
meinem Ausscheiden anerkennend von Huf zu Huf gratulierte.
Fett war meine Weide im BJM nicht, es war wieder die Wiedergutmachung,
die ich aber als meine Last anzunehmen begann, und in der ich nun effi-
zient arbeiten konnte. Als ich nach insgesamt 10 Jahren (mit Unterbrechun-
gen) endgültig das Wiedergutmachungsfeld verlassen wollte, wurde ich wieder einmal gezwungen, ,,freiwillig" weitere vier Jahre zu ackern.
Im BJM wurde ich 1951 in meiner Funktion als Referentin Benjamin. Man
hatte beliebte und fähige Tiere, die nicht zu den verfemten Gruppen wie
Esel oder auch Flüchtlinge gehörten, soweit es ging, mit diesen Lastsäcken
verschont und deshalb Mangel an erfahrenen Tieren auf diesem Gebiet. Ich
wurde von den anderen und durchweg älteren Tieren argwöhnisch beäugt.
In meiner Eselei fiel mir das zunächst nicht auf, bis sich deren Verhalten zum
Besseren änderte. Ich hatte gelegentlich anderen höherrangigen Tieren durch
sachliche Argumente gezeigt, daß ich mehr konnte, als Disteln fressen. Ich
merkte erst jetzt, wie wenig ernst die Tiere – mit Ausnahme der hohen –
mich genommen hatten. In Kindheit und Jugend von meinen Muttertieren
in der Auffassung erzogen worden, daß weibliche Geschöpfe den männlichen gleichwertig sind, war ich bar jeden Inferioritätsgefühls. ,,Weibliche
Mittel" zur Erleichterung eigener dienstlicher Belange einzusetzen, was manche Esel taten, habe ich abgelehnt. Ebenso habe ich den Eintritt in eine Esel-
lobby, der mir von einer solchen nahegelegt worden war, abgelehnt. Da, wo
ich es gebraucht hätte, wäre mir auch durch eine Lobby besseres Futter nicht
angediehen. Mit Tieren einer anderen Weide in heftige, sachliche, dann aber
auch persönliche Auseinandersetzungen geraten und von den eigenen aus dem
üblichen Mangel an Zivilcourage, auch aus politischen Gründen – Angst vor
Auseinandersetzung innerhalb der CDU/CSU, schon damals! – trotz inter-
ner Übereinstimmung in Sachfragen nur unzureichend gedeckt, verließ ich,
Baldewin, zornbebend den Bonner Weidegrund. Die Intrigen, Unwahrhaftig-
keiten und die unglaubliche Einstellung zur Rechtswiederherstellung nach
den Zeiten des Untieres wollte ich nicht länger mitmachen. Betretene Mie-
nen und Versprechungen saftiger Weidegründe begleiteten mich, als ich auf
die Weide eines anderen Bundeslandes trabte. Dort wurde ich von den Leit-

tieren freudig begrüßt, nicht so von den anderen Mittieren, weil ich ein Esel war. Es war wie eh und je: Als Stallwärmer und Lastenträger willkommen, wurde mir die geringste Position in der Herde mißgönnt und hintertrieben. Auch geriet ich erneut zwischen die Mühlsteine meiner Müller, der Bürokratie, die in Umkehrung des Sprichwortes, den Esel schlugen und (auch) den Sack meinten. So galoppierte ich wieder auf mein einstiges altes Weideland.

Baldwin, eine Brennessel halb im Maul, wurde nachdenklich. Auf der Bonner Weide hatte es ähnliche Verhaltensweisen der Tiere gegeben, wie bei den Gleichgestellten des verlassenen Bundeslandes. Ihm war in Bonn zur Hilfe ein Jungtier beigegeben worden, mit dem der Esel gut stand. Es brachte ihm gelegentlich gutes Futter, grüßte ihn sogar aus der Entfernung, spielte (tanzte) hin und wieder mit ihm. Und eines Tages weigerte sich das Jungtier, meinen Weisungen nachzukommen. Was war geschehen? Gar nichts. Von mittleren Leittieren — von den hohen, eselfreundlichen Tieren hielt man die Sache vorsichtshalber fern — unpeinlich nach Spannungen oder sachlichen Differenzen mit mir befragt, gab es an, es arbeite zwar gerne mit mir zusammen, jedoch werde es von den anderen Tieren gehänselt, die schon vor seinem Kommen gespannt gewesen seien, wer wohl mein Jungtier werde. Wie mir das Jungtier selbst zugemuht hat, reagierten die mittleren Leittiere nicht etwa böse ob des verfassungswidrigen Verhaltens des Jungtieres, billigten es auch nicht, machten aber nur neckische Bemerkungen, wie: wenn das Jungtier einmal verheiratet sei, müsse es auch tun, was seine Frau sage. Nach wenigen Jahren kletterte es, inzwischen auf seine Landesweide zurückgekehrt, alsbald hoch hinauf in den Felsen der Bürokratie.

Plötzlich richtet mein Gewährsesel die Ohren ein klein wenig auf. Ein „schönes" Beispiel für die Eselsituation hatte ihm ein Artgenosse hinterbracht. Einer der vier Stadtmusikanten aus den Anfängen der beruflichen Eseleien arbeitete bei der Zentralstelle zur Erfassung nationalsozialistischer Verbrechen in Ludwigsburg, weil er perfekt polnisch sprach. Dieser Esel erwähnte einmal in einem Vortrag, die Arbeit dieser Stelle sei u.a. dadurch behindert, daß die Polizei mit ehemaligen (und vielleicht-immer-noch) Nazis durchsetzt sei. Ein Sturm der Entrüstung erhob sich, nicht etwa zur Nachprüfung der Behauptung, beileibe nicht, sondern gegen den Esel. „Denn was von mir ein Esel spricht, das acht' ich nicht" (Gleim). Der Esel wurde ins Ministerium zitiert und ihm wurde dort bedeutet, er solle doch „Gutsele" (oder Kuchen) backen als Frau, er sehe ja, was bei seinem Geschwätz herauskomme. Heraus kamen nach einigen Jahren endlose Debatten über die Verjährung von nationalsozialistischen Gewaltverbrechen mit deren rechtsstaatlich bedenklichem Ergebnis.

Dieses Vorkommnis erwähnte ich bei meiner eigenen schriftlichen Bewerbung um eine Beförderungsstelle und merkte dazu an, vielleicht solle man Esel (und Frauen überhaupt) nicht nur auf dem Papier der Verfassung, sondern auch in der gesellschaftlichen Wirklichkeit gleich achten.

Das „Gutsele-Tier" war inzwischen pensioniert. Der Nachfolger war indigniert — über mich. Er distanzierte sich nicht einmal dezent-kollegial von der Äußerung seines Vorgängers, hielt es für schlechten Stil von mir, diese Äußerung wiedergegeben zu haben, nicht, sie getan zu haben. Nebenbei: Dieses Tier hat inzwischen eines der höchsten Ämter in der Justiz der Bundesrepublik inne. Ich aber bekam meine Stelle mit Hilfe meines LG-Präsidenten. In den folgenden Jahren entsinne ich mich, Baldewin, nicht derartiger verfassungswidriger Argumente. Man war vorsichtiger geworden mit zunehmender

Bedeutung des Bundesverfassungsgerichts, fürchtete auch die Mäuler und
Hufe der Esel. Umso schwerer war es für uns Esel herauszufinden, wann traditionelle Vorurteile vorlagen und wann sachliche Gründe, wenn wir uns benachteiligt fühlten. Aus den letzten 10 Jahren ist mir kein Fall bekannt, in
dem einem Esel die Aufnahme in den Justizdienst oder eine Beförderung
verweigert worden ist mit der offiziellen Begründung, er sei ein Esel. Insoweit brauchen Jungesel sich nicht mehr zu fürchten. Aber Vorsicht ist am
Platze. Die Vorurteile werden nicht eher verschwinden − hoffentlich tun
sie es dann −, als die Nazi-Tiere ausgestorben sind und eine neue Generation herangewachsen ist. Höhere Leistungen werden bei Eseln noch lange
nötig sein. Wer sie nicht erbringen will, sollte die Hufe von der Jurisprudenz lassen. Je nach Personalbedarf wird in Zeiten eines Überangebotes
möglicherweise wieder stärker versucht, Esel aus der Justiz (und nicht nur
aus dieser, das zeigt die heutige Arbeitslosensituation) fern zu halten. Nicht
im Interesse der Allgemeinheit, in deren eigenem, rate ich Frauen ab, ein
Esel zu werden − erfolglos. Sicher waren meine Erfahrungen durch Umstände, Anlage und Imponderabilien besonders schlecht. Andere meiner Esel-
generation hatten bessere Vorbedingungen, verkauften sich manchmal aus
Opportunismus, auch ohne Notlage, waren nachgiebiger und sanfter. Ungern sehen es die Tiere immer noch, wenn Esel höher klettern, als sie selbst,
überhaupt anderes tun wollen, als nur Lasten zu tragen und Milch für Schön-
heitszwecke zu liefern. − Baldewin schnappte nach Luft.
Ich hatte einige Bücher bei mir. Weil Eselchen ohnehin eine Verschnauf-
und Denkpause brauchte, suchte ich mir das Handbuch der Justiz 1964,
1966, 1980[1] heraus und las ihm einiges daraus vor.
In der Ordentlichen Gerichtsbarkeit der Bundesrepublik und in Berlin (West)
gab es:
Im Jahre **1964**
Landgerichtsräte 2307, davon Esel 114, Anteil der Esel 4,9 %, Landgerichts-
direktoren 907, davon Esel 13, Anteil der Esel 1,43 %
Im Jahre **1966**
Landgerichtsräte 2284, davon Esel 140, Anteil der Esel 6,13 %;
Landgerichtsdirektoren 1035, davon Esel 18, Anteil der Esel 1,74 %.
Im Jahre **1980** hatte sich bei insgesamt 1474 Vorsitzenden Richtern an Land-
gerichten die Zahl der Esel auf 60 erhöht und betrug nun 4,07 %, also immerhin fast den Prozentsatz an Eselräten des Jahres 1964;
Am Bundesgerichtshof gab es **1964** 3 Esel unter insgesamt[2] 103 Richtern −
3,09 %, darunter nicht eine Senatspräsidentin, im Jahre **1966** von insgesamt
104 Richtern 2 Esel, darunter eine Senatspräsidentin = insgesamt 2,08 %,
im Jahre **1980** von 115 Richtern 3 Esel = 3,45 % darunter nicht eine Vorsitzende.
Am Bundesverfassungsgericht gab es **1964, 1966** und **1980** jeweils einen Esel
unter 16 Richtern = 6,66 %[3].
Also überall nur Spurenelemente von Eseln! Durch die kleineren Zahlen bei
den höheren Gerichten erhöhen sich die Prozentsätze, halbe Richter gibt es
nur in der Statistik; bei den hohen Gerichten auf Esel zu verzichten, kann
man sich nicht erlauben.
Baldewin schwieg, die Zahlen hatten ihn verwirrt. Niemals hatten sich gleich-
gestellte Tiere für ihn eingesetzt, wohl aber außer den schon erwähnten höheren Tieren andere; so hat die verstorbene Bundesverfassungsrichterin viel für
Esel getan. Engagement für andere ist ohnehin bei uns nicht häufig, wenn nur

die eigene Krippe voll ist. Sie bleibt und wird es eher, wenn Esel von vornherein ausscheiden. Eine der wenigen Ausnahmen leuchtet in meinem Eselskopf: Es gab einmal ein jüngeres Tier, das neu auf meine Weide kam, und das ich nur von kurzen dienstlichen Telefongesprächen kannte. Es wünschte sich, meiner Kammer zugeteilt zu werden, was mir mit leichtem Wundern im Wiehern hinterbracht worden ist. Esel als inter pares, das geht noch, primae inter pares ist etwas anderes.

Weiter wollte mein Esel nicht erzählen. Meine Generation und die heute Mittelalterlichen wissen, daß wir Vorläufer waren, so wie wir von den Pionierleistungen früherer Frauengenerationen profitiert haben. Ohne sie, ohne das Frauenabitur u.a. hätte Gustav Radbruch 1922 als Justizminister nicht die Zulassung der Esel zum Richteramt erreichen können.

Mein Grautier wurde müde, legte etwas Eselobst ab und sich auf die Seite. Ich schob ihm zum Abschied saftiges Gras ins Maul. Dabei sah ich ein vergilbtes, zerfetztes Blatt zwischen seinen Hufen. Es war ein Artikel aus einer uralten juristischen Zeitschrift. Ich las:

,,.. und gegen die Frau als Richterin bin ich grundsätzlich. Ich habe mich darüber früher in der Richterzeitung ausführlich ausgesprochen und möchte deshalb hier nur wiederholen, daß diese Erweiterung der weiblichen Berufsmöglichkeit m.E. eine Herabziehung der Frau bedeutet . . .''4

Der Verfasser war mein, meines Esels Großvater.

,,*Eselchen*'', fühlst Du Dich herangezogen'', flehte ich angstvoll.

,,I — Nein, wieso denn? Herab ziehen sich nur die Tiere durch ihr Verhalten, nicht wir Esel'', flüsterte er schläfrig.

Ein schrecklicher Verdacht kam mir.

,,Bist Du gar eine Emanze?'' wollte ich wissen.

,,Ebenso wie die Tiere,

I — A.''

1   R. v. Deckeres Verlagsanstalt, Hamburg — Berlin, herausgegeben vom Deutschen Richterbund unter Mitwirkung der Justizverwaltungen des Bundes und der Länder sowie der Verwaltungen der Besonderen Gerichte; Gesamtbearbeiter 1964 und 1966 OLG-Rat i.R. Reinartz, 1980 Dr. R. Ziegler. Es erscheint alle 2 Jahre.

2   Es werden die in den Überschriften angegebenen Zahlen zugrundegelegt, obgleich die Einzeladdition teilweise andere Ergebnisse liefert.

3   Staatsanwälte, nicht planmäßige Richter, Amtsgerichte und Besondere Gerichte bleiben in dieser Statistik unberücksichtigt, wegen der starken Fluktuationen, und weil ich die Verhältnisse dort nicht übersehen kann. Beisitzende Esel an den Oberlandesgerichten gab es schon längst nicht mehr. Diese Stellen sind nicht so begehrt, ihre Inhaber stehen nicht einen Millimeter ,,über'' ihrer näheren Umwelt. Vorsitzende Esel gibt es erst in neuester Zeit in etwas größerer Zahl unter den Eseln; auch bei den OLGen.

4) Deutsche Juristenzeitung 1921, S. 163, de Niem, Der Justizetat im Reichstag.

Juristinnen in der „freien Wirtschaft" 5

Juristinnen in der „freien Wirtschaft" — gibt's die überhaupt? Ohne der Wirtschaft ein bzw. zwei Alibis liefern zu wollen, sind wir doch froh darüber, daß hier zwei „Syndicae" über ihre Tätigkeit, die darin auftauchenden Widrigkeiten aber auch Erfolge berichten. So erstaunlich die Tatsache ihrer beruflichen Existenz, so pionierartig ist ihre jeweilige Stellung; sie waren jeweils lange Zeit die einzige Frau (auf der Akademikerebene) in der Rechtsabteilung ihres Unternehmens.

Mehr als bei ihren Kolleginnen in Justiz oder Rechtsanwaltschaft wird ihr Frau-Sein von der Umwelt verdrängt — sie werden als „Herr . . ." angesprochen oder angeschrieben — und damit vermännlicht oder — schlimmer noch — „neutralisiert". Einen Rest von Weiblichkeit wollen die männlichen Kollegen aber dennoch wahrnehmen, was sich zeigt, wenn etwa von Christel Schug in Verhandlungen mit Geschäftspartnern erwartet wird, sie mache die Gegenseite „konzilianter", oder wenn Elisabeth Kempen für ihren Widerstand gegen den „gewöhnlichen männlichen Chauvinismus" sich den Vorwurf der „Giftigkeit" oder „Unweiblichkeit" gefallen lassen muß.

Die Juristin ist eben ein Mittelding, kein Mann — wie er in Rechtsabteilungen üblicherweise vorkommt — und keine Frau wie die Sekretärinnen, die ihren Chefs „mit Hingabe Kaffee kochen"; deshalb ist die Solidarität der letzteren nur schwer zu gewinnen, denn die Juristin erscheint als „Verräterin", weil sie den auch von Frauen akzeptierten Zusammenhang von weiblicher Rolle und untergeordneter Stellung durchbricht.

Gerade weil die Juristin in der Wirtschaft zwischen allen Stühlen sitzt — besonders wenn sie wie Christel Schug auch noch politische Ansprüche hat — muß sie doppelte Arbeit leisten — mit der Doppelbelastung von Familie und Beruf also dreifache Arbeit — indem sie die alltäglichen „Kleinigkeiten" der

Diskriminierung bekämpft und sich somit den Weg für die eigentliche Arbeit erst freischaffen muß.

Christel Schug sieht darüber hinausgehend auch eine doppelte Aufgabe für sich und andere Frauen, nämlich sich sowohl als Frau zu behaupten, allerdings indem „frau sich auch in der bis dahin originären Rolle des anderen Geschlechts ausprobiert", als auch dem politischen Anpassungsdruck zu widerstehen, wobei sie ein Nachgeben im letzteren Sinne als gefährlicher ansieht. Hier setzt die etwa zehn Jahre jüngere Elisabeth Kempen andere Akzente, was wiederum für das Vorhandensein eines „Generationsunterschieds" spricht, wie er sich m. E. auch in den Berichten in Interviews von Rechtsanwältinnen und Richterinnen verschiedener Altersgruppen gezeigt hat.

Elisabeth Kempen
geboren 1948
1. juristisches Staatsexamen 1972
2. Staatsexamen 1975
Seit 1976 angestellt in der Rechtsab-
teilung einer großen Bank.
Arbeitsgebiete: Handels- und
Wirtschaftsrecht, Konkursrecht,
Vollstreckungsrecht (ohne Arbeits-
und Gesellschaftsrecht).
Verheiratet – keine Kinder.

Ein Bericht über die Erfahrungen einer Juristin bei der Ausübung ihres Berufes wird auch heute noch zwangsläufig wegen der vorgefundenen Widerstände und Schwierigkeiten gelegentlich in die Nähe einer Selbstbeweinung geraten. In den sechs Jahren meiner Arbeit in der Männerwelt einer Rechtsabteilung bin ich oftmals der festen Überzeugung gewesen, daß „sie das mit einem Mann nicht gemacht hätten", und daß einige meiner Kollegen es gerne gesehen hätten, wenn die Abteilungsleitung an ihrer ungebrochenen Tradition festgehalten und Frauen ausschließlich für den Job vor der Schreibmaschine eingestellt hätte.

Dennoch bin ich nach meinem eigenen Empfinden in diesen Jahren recht weit gekommen, sowohl was die Einstellung meiner Kollegen und Kolleginnen anbelangt, die sich doch wohl geändert hat, als auch hinsichtlich meiner Entwicklung.

Während des Studiums in Gießen und der Referendarzeit in Gießen und Frankfurt nahm ich es noch als Selbstverständlichkeit, daß der Prozentsatz der weiblichen Studenten gering war. An Diskriminierungen erinnere ich mich nicht; die Fakultät war erst 1965 wieder eröffnet worden, alle – oder jedenfalls viele – wollten fortschrittlich sein, und dazu gehörte wohl auch, daß der Anschein von Benachteiligung vermieden wurde.

Während der Referendarzeit konnte ich jedenfalls keine massiven oder von mir als beeinträchtigend empfundenen Diskriminierungen feststellen. Es fiel mir allerdings auf, daß z. B. einige ältere Richter mich sehr zuvorkommend und höflich, geradezu kavaliersmäßig korrekt behandelten, was doch auch für

sie sehr anstrengend gewesen sein muß, weil ihnen die Anwesenheit weiblicher Juristen nun auch noch im Berufsleben ein ritterliches Verhalten abverlangte. Man könnte argwöhnen, zum Ausgleich hierfür sei ich nicht ernst genommen worden – gemerkt habe ich eigentlich nichts davon, obwohl richtige juristische Streitigkeiten nur mit jüngeren Ausbildern vorgekommen sind, die selbst aus dem Studium mit dem Umgang mit Fachkolleginnen vertraut waren. Diese Eindrücke sind zwangsläufig sehr subjektiv – ich bin im Umgang mit Männern immer eher etwas burschikos gewesen, ohne daß ich auf bestimmte weibliche Privilegien gerne verzichtet hätte. Ich kann deshalb nicht beurteilen, ob es meinem Verhalten zuzuschreiben ist, daß meine männlichen Kollegen in der Bank nach und nach auf die Einhaltung von Formen zunehmend verzichteten. Inzwischen neige ich zu der Auffassung, daß die Kollegen erleichtert zur Kenntnis genommen haben, daß ich zwar eine Frau bin, aber doch irgendwie ein Mann. In meiner altersmäßig durchgehend jüngeren bis mittelalterlichen Abteilung mit zwanzig Juristen und elf weiblichen Schreibkräften wurde ich zunächst – und zwar von den Kolleginnen – ohne weiteres als einer der Herren vereinnahmt – z. B. beim Umlauf bestimmter Mitteilungen und juristischer Entscheidungen, indem ich unter der Rubrik „Herren" aufgeführt wurde. Bis sich meine Telefongesprächspartner in den Zweigstellen der Bank an die Tatsache gewöhnt hatten, daß eine Juristin für ihre Fragen zuständig war, ist es auch gelegentlich vorgekommen, daß ich mit „Herr Kempen" angeredet wurde, obwohl ich mich vorher mit als weiblich durchaus erkennbarer Stimme mit meinem Namen am Telefon gemeldet hatte. Aus der Kenntnis des Betriebsablaufs weiß ich jetzt, daß der Entschluß, die Rechtsabteilung zu konsultieren, fast automatisch die Erwartung auslöst, einen selbstverständlich männlichen Juristen zu erreichen.
Bevor sich meine Existenz herumgesprochen hatte, bin ich stets für die Vorzimmerdame eines Juristen gehalten worden. Auf meine Erklärung, ich sei selbst zuständig, wurde mir oft erklärt: „Aber ich brauche eine *juristische* Auskunft." Wenn die Gesprächspartner besonders hartnäckig darauf bestanden, mit einem Juristen verbunden zu werden, habe ich dies oftmals ohne weiteren Kommentar getan, gelegentlich aber auch die Fassung verloren und deutliche Worte gefunden, was mir dann wieder den Ruf der „Giftigkeit" oder „Unweiblichkeit" eingetragen hat. Es nagt aber auch am Selbstbewußtsein, wenn man die Erklärung hin, man sei die neue Juristin, sich anhören muß: „Ja – können Sie denn das?"
Für eine Sekretärin, Protokollführerin oder Ehefrau gehalten zu werden, ist ja – je nachdem – auch keine Schande, aber gelegentlich wurde ich auch einfach übersehen, ohne der „Graue Maus-Typ" zu sein. Im Empfangsraum eines bedeutenden Kreditinstituts, das ich zusammen mit drei männlichen Kollegen aus anderen Abteilungen aufsuchte, wurden wir dem Gesprächspartner telefonisch als die „drei Herren von der . . . Bank" angekündigt, obwohl ich direkt vor den Augen des Pförtners stand. Es ist wohl nicht nur übertriebene Empfindlichkeit, wenn einem so etwas mit der Zeit auf die Nerven geht. Ich habe solche Situationen nie gelassen hinnehmen können, mit dem Ergebnis, daß ich bei einigen der Kollegen als streitbare Emanze gelte, was ja immer bös' gemeint ist.
Mein Einstieg ins Berufsleben begann anläßlich eines Gesprächs in der Personalabteilung mit dem Hinweis, der Leiter der Rechtsabteilung hielte nichts von Juristinnen – eine habe er einmal einstellen wollen, und die habe in letzter Minute auch noch abgesagt, die Undankbare! Für absehbare Zeit sei

es nun wohl aus für weibliche Bewerber. Obwohl man mir keine Hoffnung machte, bestand ich auf einem Bewerbungsgespräch, bei dem ich allerdings noch glaubte, mit den angekündigten Schwierigkeiten fertig werden zu können. Als letztes Mittel, mich von meiner Idee abzubringen, bei dieser Bank angestellt zu werden, erhielt mein Mann einen Anruf (in meinem Lebenslauf hatte ich dessen Beruf und Arbeitgeber angegeben), und er wurde gefragt, ob er denn der Auffassung wäre, daß seine Frau, die doch noch so jung sei, einen solchen Arbeitsplatz ausfüllen könne. Hier ginge es schließlich um die Rechtsberatung von fast ausschließlich männlichen Kollegen, die es mir nicht leicht machen würden. In dem dann doch anberaumten Bewerbungsgespräch hörte ich u. a., daß es sich schließlich um eine Position handele, in der ich auch Weisungen zu erteilen hätte, und ob dies von den „gestandenen Bankern" draußen akzeptiert werde, sei zweifelhaft. Außerdem wurde ich darauf hingewiesen, daß man die Besorgnis habe, daß ich die Interessen der Bank nicht mit der nötigen Härte und Konsequenz vertreten könne, zumal es sich bei meinen potentiellen Verhandlungspartnern durchgehend um Männer handeln würde. Außerdem müßte ich bereit sein, auf Dienstreisen innerhalb des Bundesgebietes zu gehen: ob denn mein Mann hiermit einverstanden wäre. Ich bin bis heute noch nicht dahintergekommen, ob mein Chef diese patriarchalisch fürsorgliche Haltung als Versuch, mich von seiner Abteilung fernzuhalten, nur deshalb einnahm, weil ihm die ungefilterte Verkündung von Vorurteilen nun doch zu peinlich und unpassend zum Stil des Hauses erschien. Ich bin noch nicht einmal sicher, daß sie es nicht wirklich gut mit mir meinten und mir nicht Schwierigkeiten und Kummer ersparen wollten, mit denen ich nach ihrer Ansicht ohnehin nicht fertig würde.

Bei anderen Instituten ist man jedenfalls nicht so zimperlich. Hier erklärte man einer jungen Kollegin, die es vor einigen Monaten „geschafft" hat, ebenfalls in der Rechtsabteilung eingestellt zu werden, daß man seit der Verlängerung des Mutterschutzes ohnehin keine Juristinnen mehr einstellt. Hin und wieder kommen Vorurteile gegen die Frau als solche zum Vorschein, Frauen sind weniger leistungsfähig, dauernd krank, nicht belastbar, nervlich labil, und außerdem haben sie noch die schlechte Angewohnheit, Kinder zu kriegen. Bei einem teuren Arbeitsplatz mit kostenintensiver Einarbeitung sieht man daher nicht gerne solche Ausfälle. Zu diesem Thema kann ich aus eigener Erfahrung wenig sagen, weil ich von Anfang an gesagt habe, daß ich keine Kinder haben werde. Mittlerweile konnte ich meinen Arbeitgeber auch davon überzeugen, daß ich den Vergleich mit meinen männlichen Kollegen nicht nur in fachlicher Hinsicht, sondern auch im Hinblick auf gesundheitliche Robustheit und psychische Widerstandsfähigkeit und Durchsetzungsvermögen sehr wohl aushalten kann. Aus diesem Grund rechne ich es mir auch als persönlichen Erfolg an, daß vor einigen Monaten eine weitere Juristin eingestellt worden ist. Als sich die Sensation herumgesprochen hatte, mußte ich allerdings erkennen, daß mein Kampf gegen Vorurteile und mein ständiges Arbeiten an der Emanzipation meiner Kollegen doch noch nicht den von mir gewünschten Stand erreicht hatte. Einige kamen hämisch, andere bedauernd zu mir und fragten mich, was ich denn wohl davon hielte. Nun bekäme ich Konkurrenz, jetzt sei die schöne Zeit für mich vorbei, mit meiner Sonderstellung sei es nun aus. Von einigen konnte ich mich dabei noch auf den Arm genommen fühlen, aber aus den meisten Beiträgen dieser Art sprach eine gehörige Portion von Geringschätzung nicht nur meiner Person, sondern der weiblichen Verfassung überhaupt, die „Konkurrenz" nicht verträgt und Ver-

Die Sterne stehen
günstig, junger Mann!
Ein außergewöhnlich
erfülltes und abenteuer-
liches Leben erwartet Sie!
Ohne alle Hilfe werden Sie
vier Kinder großziehen
und allein die Verant-
wortung für einen großen
Haushalt tragen!
Durch Ihre selbstlose
Aufopferung werden
Sie die kometen-
hafte Karriere
Ihrer Frau in
einem inter-
nationalen
Konzern
erreichen!

gleiche scheuen muß. Hinzu kommt, daß ich meine angebliche Sonderstellung immer eher als Außenseiterposition angesehen habe. Immerhin mußte der betreffende Kollege zugeben, daß er bei der Nachricht über die Einstellung eines jungen männlichen Kollegen nicht diese Gefühle von Konkurrenzangst und bevorstehender Deklassierung in juristischer und sonstiger Hinsicht habe.

Als Beispiel dafür, mit welchen Vorurteilen ich zunächst konfrontiert wurde, mag auch eine Situation etwa drei Wochen nach Antritt meiner Stellung dienen: Anläßlich eines Festes baute sich ein junger Kollege vor mir auf und fragte mich unter teilnehmendem Interesse eines größeren Kreises von Zuhörern, von wem ich denn wohl protegiert worden sei – ohne Protektion sei es doch wohl nicht zu erklären, daß in der Rechtsabteilung eine Juristin eingestellt würde. Nachdem ich – wohl vergeblich – versucht habe, diesen „Verdacht" zu entkräften, wurde dann später gemutmaßt, daß, wenn schon nicht meine Einstellung, so doch wenigstens mein Verbleiben nach Ablauf der Probezeit einer schützenden Hand zu verdanken sei. Gewöhnt habe ich mich auch immer noch nicht daran, daß mir z. B. mein Abteilungsleiter die Frage stellte, was denn mein Mann zu dieser oder jener juristischen Frage zu sagen habe, die ich anläßlich einer Rücksprache zur Klärung vorgetragen habe. Weiter interessierte ihn, was mein Mann dazu zu sagen habe, daß mir Unterschriftsvollmacht erteilt oder eine Gehaltserhöhung gewährt wurde. Ich kann mir nicht vorstellen, daß meine männlichen Kollegen derart „bevatert" werden. Da ich stets sehr direkt auf solche von mir als Zumutung empfundenen Fragen reagiert habe und, obwohl sie inzwischen selten geworden sind, noch immer reagiere, da ich auch sonst kein sehr sanftmütiger Mensch bin, hat mein Chef wohl bei dieser Gelegenheit den Schluß gezogen, daß ich nicht nur meinen Standpunkt, sondern auch, wenn es darauf ankommt, den der Bank vertreten kann.

Bei meiner Arbeit habe ich festgestellt, daß der Kampf gegen solche Kleinigkeiten sehr viel Kraft kostet, die unsere männlichen Kollegen direkt in die Arbeit investieren können. Dabei hat mich persönlich betroffen, daß sich meine Kolleginnen im Sekretariat in mancher Hinsicht tatsächlich schwerer an den Gedanken gewöhnen können, mit einer Frau zusammenzuarbeiten. Bereits bei der gerüchteweisen Verbreitung der Nachricht über meine Einstellung soll es einige Kolleginnen gegeben haben, die freiweg erklärt haben, für eine Frau arbeiteten sie nicht. Sie mußten es zwar dann trotzdem tun, aber eine solche Einstellung belastete die Zusammenarbeit doch. Überhaupt habe ich den Eindruck, daß es Kolleginnen gibt, die mit Hingabe Kaffee kochen und die private Post mit Vorrang bearbeiten, sofern sie das für einen Mann tun dürfen – hier identifiziert sich die Sekretärin sicher mit der Bedeutung und dem Ansehen ihres Chefs – und dabei haben dann manche wohl geglaubt, es brächte nicht genug Prestige, für eine Frau zu arbeiten. Da sie selbst nicht den vermeintlichen Aufstieg aus der ihnen freiwillig zugebilligten Rolle geschafft haben, sich also in dieser Männerwelt als untergeordnet und sogar minderwertig erleben, können sie es auch vielfach nicht akzeptieren, für eine „auch nur Frau" zu arbeiten. Ich habe anfangs oftmals das Gefühl gehabt, daß sie mir meine Postmappen am liebsten von der Tür her auf den Schreibtisch geknallt hätten, wenn sie sich dafür nicht hätten rechtfertigen müssen. Auch darin bestand mein Lernprozeß: In den noch nicht von den Männern freiwillig für Frauen eingerichteten Arbeitsbereichen wie z. B. einer Bank gehört man als weiblicher Jurist nicht mehr zu den Frauen mit ihrer zugewiesenen Rolle an der Schreibmaschine und noch nicht zu den Männern, denen man von der Funktion her zugeordnet ist. Bei den einen wird man als Verräterin, als Renegat, bei den anderen als Eindringling beargwöhnt und von vornherein erst einmal nicht ernst genommen. Es ist wohl verständlicherweise nicht sehr ermutigend, wenn mitten in einer engagierten Diskussion über die Behandlung von Frauen durch Männer im Arbeitsleben einer der Herrn nach Verkündigung der reaktionärsten Thesen auf meine zugegebenermaßen temperamentvoll vorgebrachten Argumente erklärt, man sage das ja nur, weil es so amüsant sei, das zornige Blitzen in meinen Augen zu sehen. Eine oft gehörte Antwort lautet, wenn sie nicht mehr weiter wissen, daß man offene Türen einrenne.

Auch aus dem Umgang mit Behörden gibt es noch etwas Einschlägiges zu berichten:

Etwa Anfang 1977, als ich meinte, nicht länger bei der Bank arbeiten zu können, erkundigte ich mich telefonisch bei der Zentralstelle für Akademikervermittlung (ZAV) in Frankfurt nach Aussichten für ein anderes Beschäftigungsverhältnis. Schon nach den Angaben über die Examensnoten befragte mich der Beamte über die Höhe des Einkommens meines Mannes. Auf meine sicherlich für ihn nicht erschöpfende Auskunft, es sei ausreichend, erklärte er, er sähe keine Möglichkeit, mich zu vermitteln.

Er sagte, es gebe Richtlinien in der Verwaltung, nach denen er verpflichtet sei, die Bewerbung einer Frau nicht weiterzureichen, sofern ein gleichqualifizierter männlicher Bewerber mit Familie vorhanden sei. Dieser habe in jedem Fall Vorrang. Ein solches Vorgehen sei auch sozial gerechtfertigt. Der Beamte bedauerte, daß sich Frauen in der letzten Zeit über diejenigen Berufe hinausqualifiziert hätten, die — „bei entsprechender Intelligenz" für Frauen interessant und ausfüllend sein könnten. Als ich ihn nach Beispielen befragte, nannte er „Chefsekretärin" oder „Vorstandssekretärin".

Er sagte weiter, daß Frauen mit akademischer Ausbildung z. Zt. nicht zu vermitteln seien, da bei ihnen immer die Gefahr bestünde, daß sie sich entweder verheiraten, mit ihrem Mann den Wohnsitz wechseln oder Kinder bekommen. Nur in Zeiten der Hochkonjunktur sei eine Vermittlung möglich. Ich habe mich daraufhin beim Präsidenten der Bundesanstalt für Arbeit in einem Brief beschwert. Mehrere Monate lang hielt man mich hin, man sei mit Ermittlungen beschäftigt, dann kam ein Anruf mit der Bitte, vorzusprechen, und mir wurde in einem persönlichen Gespräch erklärt, daß man diese Beratung sehr bedauere und daß die mir erteilten Auskünfte lediglich auf einer bedauerlichen, aus persönlicher Enttäuschung herrührenden Einstellung des Beamten zu erklären seien.

Die Schilderung dieser verschiedenen Einzelereignisse, die zum Teil Jahre zurückliegen, soll nicht den Eindruck erwecken, das Berufsleben für Juristinnen in der sog. *freien Wirtschaft* sei ein einziges Jammertal. Sicher gibt es verschiedene Wege, mit Aversionen und Geringschätzung fertig zu werden. Mir liegt es nicht, mich zurückzuziehen, sondern ich habe immer die Konfrontation gesucht, weil Aggressivität ein beträchtlicher Bestandteil meines Wesens ist. D. h. jedoch nicht, daß ich nicht zeitweise sehr darunter gelitten hätte, daß Leute es fertig bringen, jemanden einfach auf Grund seiner Zugehörigkeit zum weiblichen Geschlecht bestimmte als erstrebenswert geltende Eigenschaften, wie z. B. die *Befähigung zum logischen Denken, von vornherein abzusprechen.* Die Befähigung zum Gebären — an sich eine biologische Notwendigkeit — gilt als finanzielles Risiko, das einem Bewerber um einen teuren Arbeitsplatz als Malus angerechnet wird. Gegen solche „Argumente" muß kein Mann anrennen und muß sich damit auch der Frage nicht stellen, was denn an der selbstverständlichen Tatsache seines Geschlechts wohl verkehrt sein mag. Die geschlechtsspezifische Erziehung gibt auch in dieser Hinsicht den Vertretern des herrschenden männlichen Geschlechts eine zwar beschränkte aber in sich geschlossene Weltsicht und eine Sicherheit, die sich Frauen mit der für sie immer noch typischen Sozialisation wohl erst erkämpfen müssen. Ich will dabei nicht ausschließen, daß es beneidenswerte Wesen gibt, die von einer Benachteiligung noch nie etwas gemerkt haben. Dies liegt meiner Meinung nach jedoch nicht daran, daß die Benachteiligung nicht bestünde. Allerdings ergeben sich aus der Diskriminierung auch gewisse Vorteile für eine Juristin: Nach einem Anfang ganz ohne Vertrauensvorschuß hat die Anerkennung meiner Arbeit und meines persönlichen Einsatzes für mich doppelt gezählt, wenn es mich auch wurmt, daß ein solcher Sinneswandel über die Befähigung von Juristinnen erst mit so viel Energie herbeigeführt werden konnte. Ich glaube aber, daß ich einen Lernprozeß ausgelöst habe nicht nur bei den unmittelbar mit mir zusammenarbeitenden Kollegen, sondern daß ich mit dazu beigetragen habe, daß sich immer mehr Männer an den Gedanken gewöhnt haben, daß es sich mit Juristinnen auch sehr gut zusammenarbeiten läßt. Die Ambition, für nachfolgende Juristinnen sozusagen den Weg zu ebnen, hat allerdings verstärkte Anstrengungen erfordert. Es wäre mir sicher vieles leichter gefallen, wenn mir die Ansichten meiner Kollegen gleichgültig gewesen wären. Ich glaube aber auch, daß generell Rückfälle in den ganz gewöhnlichen männlichen Chauvinismus immer seltener werden und daß sich die Männer schon an den Gedanken gewöhnen werden, daß Frauen im Berufsleben nicht zwangsläufig Untergebene, sondern auch Gleichberechtigte oder gar Vorgesetzte sein können. Ich hoffe es.

Christel Schug, Bonn,
geb. 11.12.1939 — juristische
Staatsexamen 1963 und 1967,
1967/68 Tätigkeit in einem normalen
Anwaltsbüro und als Assistentin
an der Uni, anschließend bis heute
in der Rechtsabteilung eines Groß-
unternehmens mit den Arbeits-
gebieten Wirtschafts- und Gesell-
schaftsrecht (kein Arbeitsrecht).

Als ich vor fast zwei Jahren den „Aufruf" las, interessierte mich folgendes: Ich wollte meine eigenen Erfahrungen bei diesem Anlaß für mich selbst sortieren und sie mit denen von Kolleginnen vergleichen, um herauszufinden, ob man (frau) es auch anders machen kann. Inzwischen liegen mir 20 Berichte[1] vor und ich will versuchen, meinen hinzuzufügen.

1) Bei der Lektüre der Berichte der Kolleginnen fallen mir zwei Punkte auf, die mich auf den ersten Blick von den meisten unterscheiden: Ich bin ein gan-

zes Stück älter und entsprechend länger im Beruf, ich arbeite in einem Bereich, der Industrie, in dem Juristinnen noch exotischer sind als in anderen juristischen Tätigkeitsfeldern.

Wie bin ich dahingekommen, und wie wirkt sich das aus?

a) Warum habe ich überhaupt Jura studiert? Das ist doch nichts für eine Frau, hörte ich oft genug. Ich war anderer Meinung. Allerdings hatte ich zu Beginn meines Studiums keinerlei Vorstellung davon. Aufgewachsen in einer Kleinstadt als erstes Kind eines selbständigen Handwerkers kannte ich keinen einzigen Juristen, abgesehen von meinen Lehrern und dem Pfarrer auch keinen anderen Akademiker. Lehrer wollte ich keinesfalls werden. Für mich kamen nur Berufe in Betracht, die von Männern dominiert wurden. Ich wollte die Konkurrenz mit ihnen. Deshalb erwog ich neben Jura nur Mathematik oder Physik. Meiner starken rationalen Orientierung hätten beide Fächer sicher mehr entsprochen als Jura. Warum entschied ich mich trotzdem für die Juristerei? Ich kann es nicht genau rekonstruieren, vielleicht ahnte ich, daß mir in einem physikalischen Labor der Kontakt zu anderen Menschen, den ich brauche, gefehlt hätte.

b) Ich studierte also Jura, begab mich bewußt in eine Männerwelt. Weibliche Professoren gab es damals (1959) überhaupt nicht. Der Prozentsatz der Jurastudentinnen lag bei 15-20 %. Ich verfügte von der Schule her über ziemlich viel Selbstbewußtsein, hielt mich sehr wohl für in der Lage, mit den Kommilitonen mitzuhalten. Was ich erlebte, war geeignet, mein Selbstbewußtsein „anzuknacken": penetrant-galante Zuvorkommenheit, ironisch-süffisant kaschierte, wenn nicht offene Geringschätzung, Anzüglichkeiten von zweifelhaftem Witz. Wie habe ich mich dagegen gewehrt, mehr oder weniger bewußt? Durch weibliche Solidarität (wenngleich es den Begriff damals noch gar nicht gab). Schon im ersten Semester schloß ich mich eng an eine Mitstudentin an, im vierten Semester kam eine dritte Frau hinzu. Sie wurde für mich besonders wichtig: Verband mich mit Brigitte das Leistungsstreben, der Ehrgeiz, mindestens so gut zu sein wie die besten Männer, das selbstverständliche Bewußtsein unserer intellektuellen Fähigkeiten, entwickelte ich mit Regine die kritische Reflexion unserer Situation, mit ihr stellte ich die Inhalte unseres Studiums in Frage. Nachträglich betrachtet kommt es mir so vor, als hätten wir über Jahre eine Art Gratwanderung gemacht: Regines produktive Unsicherheit, entstanden aus ihrer Unfähigkeit und Unwilligkeit, die herrschenden Normen zu akzeptieren, sich an die Spielregeln zu halten, Brigittes naiv-souveräne Übernahme und partielle Überwindung der Regeln, dazwischen ich, mit starken Wünschen und Tendenzen in beiden Richtungen. Unser Bündnis bewährte sich: Wir machten gleichzeitig Examen, Brigitte und ich nicht ganz so gut, wie wir uns das gewünscht hatten; unsere leise Unzufriedenheit wurde dadurch kompensiert, daß Regine mit dem gleichen Prädikat abschloß wie wir.

Männer kamen in unserem Frauenbündnis nur am Rande vor, wir brauchten sie nicht, demonstrierten das auch sehr deutlich. Auf die Frauenrolle, die für uns vorgesehen war, ließen wir uns nicht ein. Für die Kommilitonen waren wir daher – das haben wir später von mehreren gehört – irritierend, angstmachend. Genau das wollten wir unbewußt: machten sie uns doch Angst.

c) Konkurrieren, möglichst erfolgreich, ohne sich anzupassen – in der Referendarzeit mußte ich eine andere Lösung finden. Wir drei Frauen hatten zwar weiter engen Kontakt, waren aber aufgrund der Ausbildung in verschiedenen OLG-Bezirken räumlich getrennt. Die Phase des Ausgrenzen-Müssens von Männern war aber wohl auch vorbei. Wir hatten das, glaube ich, nicht mehr nötig. Neue Frauenbündnisse ging ich nicht ein. Ich versuchte, mehr oder weniger bewußt, nicht mehr gegen oder ohne Männer, sondern mit Männern, weiterzukommen. Bei den meisten Ausbildern — unter denen sich im übrigen keine Frau befand — und Mitreferendaren — Frauen waren hier nur noch mit etwa 10 % vertreten — gelang mir das insofern, als sie mich fachlich relativ schnell akzeptierten. Ich war ein aufgrund meiner juristischen Leistungen — zum Teil wohl gezwungenermaßen — ernstzunehmender, gleichwertiger Gesprächs- und Arbeitspartner, integriert war ich gleichwohl nicht. Eine Frau durfte juristisch so gut nicht sein, das störte die etablierte Ordnung und machte den Männern Angst. Ihre Reaktion: Ich wurde als Frau sozusagen neutralisiert. Erschwerend hinzu kam meine kritische Haltung gegenüber dem, womit wir uns jeden Tag beschäftigten, die ich allmählich offener zeigte und offensiver vertrat. Ein Referat, welches ich in einer zivilrechtlichen Arbeitsgemeinschaft über die Rolle der Justiz anhand der deutschen Literatur des 20. Jahrhunderts hielt — die Justiz kam dabei natürlich nicht gut weg —, beeindruckte zwar allgemein, Solidarität entstand aber nicht.

Ich suchte einen anderen Weg, meine Isolierung zu durchbrechen: Ende 1965 ging ich in die SDS-Gruppe, die damals in Bonn gegründet wurde. Auch das war eine Männerwelt. Diese Männer waren aber von ihrem Selbstverständnis her nicht potentielle Stützen der Gesellschaft, sie waren politische Außenseiter. Juristen waren — in meinen Augen kein Zufall — eine ganze zeitlang nicht vertreten. Exotisch war ich in dieser Umgebung nur noch als Frau. Die meisten Männer der Gruppe lebten ihre männliche Rolle jedoch nur sehr gebrochen. Ihr Druck mir gegenüber, meine weibliche Rolle zu akzeptieren, war wesentlich geringer als der, den ich aus Studium und Referendarumgebung gewohnt war. Ich konnte mich dem daher relativ leicht entziehen, zumal ich damit inzwischen viel Erfahrung hatte. In eine Frauenecke ließ ich mich schon lange nicht mehr abschieben, auch als Alibi-Frau war ich nicht zu gebrauchen. Mein politisches Interesse reichte im übrigen weit zurück in meine Schulzeit, ich war politisch informiert, hatte aufgrund jahrelanger politischer Lektüre und Diskussion besonders mit Regine eine relativ klare politische Position, wenngleich ich bis dahin nie politisch organisiert gewesen war. Das half mir natürlich, neben meinem juristischen Selbstbewußtsein, in der Gruppe anerkannt zu werden. In der Gruppe entwickelten sich auch persönlich, nicht nur politisch tragfähige Beziehungen, eine für mich positive Erfahrung. In dieser euphorischen Phase machte ich 1967 Assessor-Examen, diesmal mit einem mich voll befriedigenden Prädikat.

d) Was sollte ich jetzt tun? Am liebsten hätte ich damals weiter studiert. Soziologie war „in", reizte mich ebenso wie Geschichte und Politologie. Ich träumte kurze Zeit davon, reiste, erlebte den Putsch der Obristen in Griechenland. Dann war ich wieder auf dem „Boden der Tatsachen": Wer hätte mir ein weiteres Studium finanziert? Niemand. Also brauchte ich einen juristischen Beruf. Widerstand dagegen hatte ich ja auch gar nicht. Ich akzeptierte die Juristin in mir durchaus.

Die Entscheidung für einen bestimmten juristischen Beruf fiel mir wieder relativ leicht: „Im Namen des Volkes" Recht zu sprechen, schien mir subjektiv unmöglich. Daß meine Ausbilder in den zivilrechtlichen Arbeitsgemeinschaften mich gefragt hatten, ob ich nicht Richter werden wolle, hatte mir zwar geschmeichelt, aber nicht ohne einen leichten negativen Beigeschmack.

Hatte ich mich so angepaßt, daß ein Richterdasein für mich sozusagen selbstverständlich erschien? Ich spielte nicht einmal mit dem Gedanken. Das Recht war für mich nicht die objektive Kategorie, die es mir subjektiv hätte sein müssen, um Richter sein zu können. Hinzu kam, daß ich mir ein Leben unter lauter Juristen für mich nicht gut vorstellen konnte; die Parteien kamen im Zivilprozeß ja kaum vor, an Strafrichtertätigkeit dachte ich sowieso nur mit wahrem Schrecken.

Anwältin wäre ich gern geworden theoretisch, praktisch schied die Alternative aus: Linke Anwälte, mit denen ich mich hätte zusammentun können, gab es noch nicht. Die wenigen bürgerlichen Anwältinnen, die ich als Referendarin erlebt hatte, kamen gleichfalls als Partner nicht in Betracht; sie gaben sich persönlich betont weiblich in Stil und Auftreten, das konnte und wollte ich nicht. Ich hatte auch keine Lust, in einer normalen Männer-Anwaltspraxis Ehescheidungen, Nachbarstreitigkeiten, Erbauseinandersetzungen zu bearbeiten. Die Ministerialbürokratie hatte ich von innen nicht gesehen, sie reizte mich aber auch nicht, ich war nicht einmal neugierig. Die strenge Hierarchie, das Überwiegen von Juristen, schreckte mich ab. Die Kommunalverwaltung schied aus, weil ich mir da – realistisch – ohne Parteibuch einer der etablierten Parteien keine Chance ausrechnete.

In meiner damals sechsmonatigen freien Stage als Referendar war ich in der Rechtsabteilung eines Industrieunternehmens gewesen, nach dem Motto, mal sehen, wie so ein kapitalistischer Betrieb aus der Nähe betrachtet funktioniert. Die Arbeit und auch die Umgebung hatten mich gereizt. Ich fragte also an, ob ich die Stelle, die man mir noch als Referendar angeboten hatte, jetzt kriegen könne. Die Antwort war zwiespältig: Die Stelle, auf die ich spekuliert hatte, war inzwischen mit einem Mann besetzt. Ich erfuhr, daß ein gutes Jahr später wieder eine Stelle frei werden würde – die könne ich haben. In der Zwischenzeit solle ich am besten promovieren. Daran hatte ich bisher wirklich nicht gedacht. Nach kurzem Zögern entschloß ich mich, es zu versuchen. Es werde mir in der Industrie nützen, hieß es. Ich war ehrgeizig genug, in den sauren Apfel zu beißen. Mein Geld verdiente ich vorübergehend in einer normalen Männer-Anwaltspraxis. Dann hatte ich Glück: Ich bekam eine Assistentenstelle bei dem Professor, den ich mir als Doktorvater ausgesucht hatte. Das Promovieren betrieb ich pragmatisch; ich suchte mir ein streng juristisch-dogmatisches Thema aus, frei von zusätzlichen ideologischen Implikationen. Konkurrenzprobleme, Machtkämpfe gab es für mich am Institut kaum: Die Hierarchie war klar – hier der sowieso überlegene Institutsdirektor, da die sowieso unterlegenen Studenten, dazwischen die wenigen Assistenten und wissenschaftlichen Hilfskräfte, unter denen die Positionen bald klar abgesteckt waren. Auf die Konkurrenz im Wissenschaftsbetrieb der Fakultät ließ ich mich nicht ein: Ich wollte ja nicht an der Uni bleiben. Probleme gab es eher im Bereich der Anpassung, nicht an die weibliche Rolle, sondern an die sogenannte herrschende Meinung. Ich arbeitete zwar weiter im SDS, allerdings weniger aktiv als zu Referendarzeiten, ich machte auch im Institut keinen Hehl aus meiner politischen Meinung. Daß sich daraus kein Konflikt ergab, hatte zwei Gründe: Die politische Auseinandersetzung an der Uni war 1967/68 noch nicht so zugespitzt. Sich selbst als liberal verstehende Professoren wie mein „Chef" fühlten sich noch nicht bedroht. Sie diskutierten noch relativ offen und gern. Die Diskussion mit einer Frau hatte dabei offenbar einen besonderen Reiz. Eine Frau konnte sich mehr herausnehmen als ein Mann, war sie doch auch in der Männerwelt der Uni ein Exotikum. Das Dilemma, das sich mir an der Uni nicht zum ersten und nicht zum letzten Mal, aber besonders deutlich zeigte, ist aus meiner Sicht das Grunddilemma für eine Frau in einem juristischen Umfeld: Gerade wenn ich fachlich voll anerkannt werde, wird die Außenseiterrolle so deutlich. Ich bin und bleibe eben eine Frau, ein Mensch, der „ansich" nicht dahin gehört. In den Gutachten zu meiner Doktorarbeit wird dies sehr anschaulich. Gewürdigt wird eine „für eine Juristin ungewöhnlich scharfsinnige Arbeit", die „scharf durchdacht" ist und „nichts Überflüssiges enthält". Die Verfasserin zeigt sich in der Arbeit „als ungewöhnlich scharfsinnige Dogmatikerin". Dabei war das in keiner Weise diskriminierend gemeint: Der Professor schätzte mich, er bot mir an, an der Uni zu bleiben, mich zu habilitieren. Der Vorschlag war keine Versuchung für mich: Die sogenannte Wissenschaft war mir sehr fremd. Ich wollte praktisch arbeiten. Zudem hatte ich eine starke Abneigung gegen Lehrer-Schüler oder -Studentenbeziehungen mit einer klaren Verteilung der Rolle des Über- und Unterlegenen. Meine Beziehungen zu Menschen, auch die beruflichen, sollten sich möglichst auf einer Ebene außerhalb formalisierter Über- und Unterordnung entwickeln.

e) Habe ich erreicht was ich wollte? Was das erfolgreiche Konkurrieren mit bzw. gegen Männer betrifft, ja. Ich habe mich durchgesetzt, bin seit langem in meinem Job akzeptiert. Widerstände, zum Teil bizarrer Art, gab es zur Genüge. Zu sehen ob ich dagegen würde ankommen können, war ja mit ein Motiv gewesen für meine konkrete Berufswahl. Ich war die erste Frau an einem solchen Arbeitsplatz in der Historie des Unternehmens; mein Chef glaubte — sicher zu Recht —, sich der Zustimmung des zuständigen Vorstandsmitglieds versichern zu müssen, ehe ich eingestellt wurde — bei einem Mann wäre das nicht nötig gewesen. Meine Gesprächspartner — unternehmensintern wie -extern — waren und sind Männer. Die Irritation ob der Neuerung — eine Frau in der Rechtsabteilung — war allgemein. Das Spektrum der männlichen Verhaltensweisen ähnelte sehr dem, was ich an der Uni und in der Referendarzeit erfahren hatte. Erschien ich zu Besprechungen, hielt man mich zunächst für die Protokollführerin. Am Telefon hieß es: Verbinden sie mich bitte mit dem zuständigen Herrn. Viele zeigten deutlich ihre Zweifel: Konnte eine Frau denn diesen Job ausfüllen? Es möge ja sein, daß sie eine gute Juristin war, aber dann hätte sie doch Jugendrichterin werden sollen. Das hier war ein Männergeschäft, das würde sie nicht schaffen. Ich setzte mich durch, mit Rückendeckung meines Chefs. Mit Sanftheit ging das nicht — ich war aggressiv, manchmal geradezu ruppig. Nach und nach überzeugte ich die Männer zunächst von meiner fachlichen Qualifikation, wesentlich langsamer von meinem in diesem Job erforderlichen Verhandlungsgeschick. Mehr und mehr Männer des eigenen Unternehmens zogen mich — nicht nur gezwungenermaßen — zu Verhandlungen mit Dritten hinzu, akzeptierten sogar immer häufiger, daß ich die Verhandlungsführung übernahm. Die Motivation war immer in meinem Sinne. Ein Mann, mit dem ich oft erfolgreich für das Unternehmen gemeinsam verhandelt hatte, sagte mir nach Jahren, er habe die Idee, eine Frau in der Rechtsabteilung einzusetzen, für einen besonders klugen Trick meines taktisch geschickten Chefs gehalten: Eine Frau entwaffne die Gegenseite, mache sie konzilianter. Wenngleich mir diese Rolle überhaupt nicht gefiel, hatte ich sie zuweilen: Manche Männer konnten mit der ihnen fremden Situation, eine Frau als Gegner zu haben, nicht umgehen. Ich widersetzte mich auch erfolgreich den Versuchen von Kollegen in der Rechtsabteilung, mir bei der Kompetenzverteilung die uninteressanten Bereiche zu-

zuschieben.

Rückblickend scheint mir mein Selbstbewußtsein zuweilen am Rand der Überheblichkeit gelegen zu haben. Ich zweifelte keinen Augenblick ernstlich daran, daß ich das schaffen könne. Schon den Gedanken, aufgeben zu müssen, ließ ich nicht zu. Deshalb wohl gab es im Unternehmen für mich − sieht man von den Sekretärinnen ab − keine weibliche Solidarität: Die beiden Akademikerinnen, die in meinen ersten Jahren dort in gehobenen Positionen tätig waren, hatten längst aufgegeben. Sie waren resigniert. Ich würde schon auch noch sehen, wo die sehr engen Grenzen wären − das war ihre Botschaft. Natürlich gab es auch keine politische Verständigung. Allerdings wurde in der Abteilung besonders in den ersten Jahren meiner Tätigkeit dort sehr viel und offen politisch diskutiert. Auch mein Chef verstand sich als liberal, er liebte eine geschliffene Diskussion. Mit der politischen Entwicklung der Bundesrepublik wurde der Spielraum für abweichende Meinungen auch in meiner beruflichen Umgebung kleiner. Nicht daß mir nach immerhin mehrjähriger Zusammenarbeit meine politischen Standpunkte als solche vorgeworfen worden wären; der Mechanismus war subtiler: Wie konnte ich eine gute, ,,funktionierende" Juristin sein, wenn ich so extreme politische Ansichten vertrat? Auf dieser Schiene würde ich ,,abgeschoben" werden, spürte ich. Ich bekam Angst, hielt mich eine Zeitlang bei politischen Diskussionen ganz zurück, die damit im übrigen einschliefen − der Reiz war offensichtlich mit meinem Ausfallen als Diskussionspartner für die übrigen Diskussionsteilnehmer weg. Ich ,,privatisierte" auch im übrigen. Der SDS hatte sich aufgelöst, einer anderen politischen Organisation war ich nicht beigetreten. Ich verfügte nur noch über private Kontakte zu politisch aktiven Leuten. Zufrieden war ich damit nicht. Eine Zeitlang blieb die Unzufriedenheit latent. Ich war voll beschäftigt mit Konkurrieren, Karrieremachen, hatte gar keine Zeit für politische Aktivitäten. Es reichte ja nicht einmal, politisch-theoretisch durch Lektüre und private Diskussion auf dem laufenden zu bleiben. Mit dem Nachlassen des Konkurrenzdrucks, dem Sich-Etablieren, natürlich auch mit der sich nach und nach ergebenden Routine im Beruf wurde das Gefühl, daß etwas fehlte, deutlicher. Ich beendete die Periode der Zurückhaltung mit politischen Äußerungen im Beruf. Ich suchte über die privaten Beziehungen hinaus wieder Kontakt zu organisierten Linken.

2) Wenn ich versuche, meine Erfahrungen mit denen der Kolleginnen zusammenfassend zu vergleichen, sehe ich trotz der Unterschiede sehr viele Übereinstimmungen: Außenseiter sind wir alle aufgrund des Geschlechts und aufgrund des politischen Standorts; jede von uns kennt offenbar das Gefühl, das M. Fabricius-Brand beschreibt: Sich ausgeschlossen fühlen, obwohl man nicht integriert sein will. Jede kennt, scheint mir, auch den starken Druck sich anzupassen, sich an die Spielregeln zu halten. Ich finde es tröstlich, daß einige Kolleginnen ganz ähnliche Konsequenzen wie ich gezogen haben: Wenn ein Mann Angst hat, schreibt H. P., schmeichelt mir das, auch ich will es den Männern zeigen, ihnen überlegen sein. Gleichwohl befriedigt auch mich das nur partiell: Der Triumph hat einen schalen Beigeschmack.

Ich sehe keine reale Möglichkeit, sich der Auseinandersetzung zu entziehen, daran vorbeizukommen. Den dritten Weg zwischen der uns so nahegelegten Anpassung an die traditionellen weiblichen Rollenklischees, verbunden mit einem Abschieben in nicht ernstgenommene juristische Randbereiche wie Frauen- und Familienfragen einerseits, der Übernahme sogenannter männlicher Verhaltensweisen, also Aggressivität, Durchsetzungsvermögen, Ellenbogen andererseits, kann ich mir allenfalls theoretisch vorstellen, praktisch scheint er mir nicht gangbar. Von den beiden gangbaren Alternativen schreckt mich die erste mehr als die zweite, das erklärt meine Wahl des Studienfachs und des konkreten Arbeitsplatzes. Immerhin habe ich nicht zuletzt aus den Berichten der Kolleginnen den Eindruck gewonnen, daß sich in den letzten 10-15 Jahren etwas getan hat: Frauenthemen sind nicht mehr so ohne weiteres als marginal abzutun, Frauen, die sich als Anwältinnen mit solchen Fragen beschäftigen, können nicht mehr so einfach als harmlose Idealistinnen behandelt werden, zumal wenn sie ihre Sache offensiv betreiben. Auch die Bildung von reinen Frauensozietäten, die sich schwerpunktmäßig solcher Fragen annehmen, betrachte ich in diesem Kontext als beachtlichen Fortschritt.

Auf der anderen Seite sollen Frauen m. E. verstärkt in juristische Männerdomänen eindringen, selbst dann, wenn dies die Übernahme sogenannter männlicher Verhaltensmuster impliziert. Ich bin optimistisch genug zu glauben, daß bei einiger kritischer Reflexion die eigene Identität dadurch nicht verloren geht. Sich aus bestimmten Bereichen herauszuhalten, zeigt − meine ich − nicht nur Stärke, d. h. realistische Einschätzung der Machtverhältnisse, sondern auch Schwäche: Auf lange Sicht können geschlechtsspezifische Rollenzuweisungen m. E. nur dadurch überwunden werden, daß man/frau sich auch in der bis dahin originären Rolle des anderen Geschlechts ausprobiert. Wir sollten den Männern, in der Wirtschaft zumal den konservativen, in ihrem Rollenverhalten oft sehr rigiden Männern, das Feld nicht kampflos überlassen. Das Risiko, dem Anpassungsdruck in Richtung auf die politisch herrschende Meinung tendenziell nachzugeben, ist nach meiner Erfahrung größer als das, sich auf eine Frauenrolle zurückdrängen zu lassen. Wir müssen es schaffen, als Außenseiter im doppelten Sinne zu leben und zu arbeiten; ohne Solidarität von Frauen und Männern wird das nicht gehen.

---

[1] Die ersten 20 Berichte kamen von Studentinnen, Referandarinnen und berufstätigen Juristinnen, letztere stellten eher einen Querschnitt durch den Bekanntenkreis der drei Autorinnen dar.

Frauen in der Rechtswissenschaft 6

Wer hätte gedacht, daß erst 1965 — mehr als 45 Jahre nach der Zulassung von Frauen zum Jurastudium — die erste Frau zur ordentlichen Juraprofessorin ernannt wurde? Inzwischen ist diese Berufsgruppe auf eine Handvoll Frauen angewachsen. Die Zahl der Rechtswissenschaftlerinnen auf Assistentenstellen, in außeruniversitären Forschungsinstituten oder in zeitlich begrenzten Projekten ist sicherlich wesentlich größer — einige von ihnen sind in diesem Buch wegen der jeweils wissenschaftsunspezifischen Thematik ihrer Berichte anderen Kapiteln zugeordnet worden —, gleichzeitig zeigt das Mißverhältnis von wissenschaftlich arbeitenden Juristinnen und erfolgreichen Absolventinnen einer klassischen Hochschullaufbahn, wie schwer Frauen letztere Karriere immer noch gemacht wird. Das bringen auch die folgenden Berichte und das Interview klar zum Ausdruck.

Anne Eva Brauneck, die o. g. erste juristische Lehrstuhlinhaberin der Bundesrepublik, inzwischen emeritiert, berichtet von den typischen Diskriminierungen und von Frauen erzwungenen beruflichen Umwegen in der Nazi-Zeit, aber auch von den eher verdeckten, formalistisch begründeten und klimatisch subtilen Benachteiligungen der Nachkriegszeit. Der etablierten Jurisprudenz ohnehin unliebsame, ins Sozialwissenschaftliche oder Psychologische reichende Gebiete wie z. B. die Kriminologie werden — wenn von Frauen bearbeitet — als „weiblich" und damit als nicht ernstzunehmen abgestempelt; das Wort und die Gutachten der Professorin haben weniger Gewicht.

In eine ähnliche Richtung geht Heide Pfarrs Erfahrung, daß eine Professorin nach drei Veröffentlichungen zu „Frauenthemen" ihren Ruf als „Frauen-Frau" weg hat und damit auf anderen Rechtsgebieten ihre wissenschaftliche

Seriosität einbüßt. Die Rollenerwartungen der Umwelt an die Professorin machen dieser offenbar schwer zu schaffen. Von Frau Prof. Brauneck wurde erwartet, daß sie entweder eine richtige „Dame" oder ein „um Hilfe bittendes sanftes Wesen" sein sollte; die Studentinnen und Studenten erwarten von der Mitte dreißig-jährigen Frau Prof. Pfarr, daß sie entweder „Mütterlichkeit" ausstrahle oder ebenfalls „weibliche" Hilflosigkeit zeige. Denkschärfe, treffsichere Formulierungen, fachlich-politisches Engagement und ironische Distanz zu manchen Inhalten werden bei einer Frau eher negativ bewertet, meint Heide Pfarr, weil die Studenten von einer Frau ihre „Streicheleinheiten" erwarten und sich „aufgehoben" fühlen möchten. Das Gespräch, in dem sie sehr offen und sensibel auf die verschiedenen Aspekte ihrer Berufsidentität eingeht, zeigt u. a. auch die praktischen Härten und Belastungen des Professorendaseins auf. Da die Ehemänner oder Beziehungspartner einer Professorin selten ihre häufigen Ortswechsel mitmachen können, sind unter den „Spagatprofessoren", die „ihr Wohnbein weit weg vom Dienstbein haben" (Definition der Gesellschaft für Deutsche Sprache) besonders viele Frauen zu finden.

Heide Pfarr spricht auch die problematischen Aspekte ihrer Auseinandersetzung mit „frauenbewegten" Frauen an, die ihr die Karriere und angebliche „männliche" Verhaltensweisen vorwerfen. An diesem sonst eher als Tabu behandelten Thema zeigt sich einmal mehr die Zerrissenheit und das Zwischen-den-Stühlen-Sitzen der Juristin.

Auch Jutta Limbach berichtet über ihr Verhältnis zu den verschiedenen Frauenbewegungen. Selbst „das Geschöpf einer ‚frauenbewegten' Herkunft", gleichberechtigt erzogen, hat die jüngste Frauenbewegung bei ihr Zweifel erregt, ob die „Sache der Frau" wirklich bereits „glücklich zu deren Gunsten erledigt" sei. Dem widerspricht nicht, daß sie sich beispielsweise immer im Familien- und Unterhaltsrecht für weibliche Belange einsetzte und beispielsweise der Kampagne der Medien gegen das neue Unterhaltsrecht, insbesondere gegen „Unterhalt bei Untreue" der Frau, Argumente entgegensetzte, die die besondere Situation der geschiedenen Frau sozialwissenschaftlich beleuchten und nicht — wie die Rechtsprechung hoch bis zum BGH — mit Schuld-und-Sühne- Argumenten vernebeln.

Frau Prof. Limbach, auch „Spagatprofessorin" mit „Wohn- und Familienbein" in Bonn und „Dienstbein" an der FU-Berlin, schildert ihre berufliche Laufbahn, in der keineswegs alles zielstrebig und geplant verlief, und die von ihr als privilegiert bezeichneten Umstände, die sie ihr „Doppelleben" so zufriedenstellend einrichten ließen. Der „Gewinn" überwiegt letztlich die „Kosten" bei allen drei hier berichtenden Professorinnen, nur sind die Kosten wohl immer noch höher als bei ihren männlichen Kollegen.

Prof. Dr. Anne Eva Brauneck,
geb. 09.12.1910,
1933 Referendarexamen,
1935 Promotion,
1937 Assessorexamen,
1953 Assistentin bei Prof. Sieverts
und Geschäftsführerin der
Deutschen Vereinigung für Jugend-
gerichte und Jugendgerichts-
hilfen e. V.,
1959 Habilitation und Dozentur,
24.12.1965 Ernennung zur ersten
juristischen Professorin auf den
Lehrstuhl für Strafrecht und
Kriminologie; 1976 Emeritierung.

Als ich 1933 in Hamburg den Referendar machte, wurde mir klar, daß Juristinnen unter Hitler keine Berufsaussichten hatten. Ein Teil der Referendarinnen ging deshalb sofort ab, ich blieb aus einem gewissen Eigensinn. Den Assessor machte ich 1937 mit „ausreichend", wie die weiblichen Examinanden in den benachbarten Terminen, von denen ich weiß, daß sie weit bessere Zeugnisse verdienten, was ich von mir nicht behaupten will. Wir vermuteten in dieser schlechten Bewertung eines der Mittel, uns vom öffentlichen Dienst fernzuhalten; es hatte Aufsehen erregt, daß Hildegard Krüger nach mit „sehr gut" bestandenem Assessor nur eine Stellung als Büroangestellte beim Bürgermeister von Wandsbek fand. Tatsächlich gab der Prüfungsvorsitzende OLG-Präsident Dr. Rothenberger für jede von uns bei der Zeugnisverkündung die Vorbereitungsdienst-Zeugnisse schlechter an, als wir sie selbst aus den Akten kannten. Wegen dieser Verfälschung beschwerte ich mich persönlich bei Dr. Rothenberger. Er führte sie auf einen Irrtum zurück und änderte natürlich nichts an den Examenszeugnissen, worum ich aber auch nicht gebeten hatte. Die Zeugnisse der auf uns folgenden Examinandinnen wurden aber wieder besser.

Da Assessorinnen nicht in den höheren Justiz- oder Verwaltungsdienst übernommen, aber auch nicht als Anwältinnen zugelassen wurden, hätte ich mich juristisch nur in der Privatwirtschaft betätigen können, wohin mich aber nichts zog. Deshalb ging ich als Kriminalassistentin – im Stellenplan als „Büroangestellte" geführt – zur Hamburger Weiblichen Kriminalpolizei, bei der ich schon meine Referendar-Verwaltungsstation absolviert hatte. Der Umgang mit Menschen in Ausnahmesituationen war menschlich befriedigend und dazu interessant, besonders wenn man ihn, wie ich es tat, mit psychologischer Lektüre begleitete. Anfang 1939 wurde ich nach Berlin versetzt, wo ich nach einem besonderen Lehrgang noch das Kriminalassistenten-Examen ablegen mußte, was ich diesmal mit „sehr gut" tat.

Gegen meinen Willen wurde ich 1942, als Kriminalobersekretärin, zur Reichszentrale zur Bekämpfung der Jugendkriminalität, zugleich Zentrale der Weiblichen Polizei, im Reichskriminalpolizeiamt versetzt, wo ich Erlasse zu entwerfen hatte. Die Dienststelle war nur mit Frauen – Kriminalbeamtinnen mit Sozialarbeiter-Vorbildung – besetzt und genoß daher eine gewisse Narrenfreiheit. Alle männlichen Kriminalbeamten gehörten der SS an, wir konnten das nicht, weil uns als Frau dafür wesentliche Eigenschaften fehlten, und so mußten wir zwar jeden Uniformträger als erste grüßen, durften aber doch auch ungestörter als andere in unseren Erlassen altmodischen menschlichen Grundsätzen folgen. Unseren Vorgesetzten, Ministerialrat Werner und dem Amtschef Nebe, die insgeheim keine Nazis (mehr) waren, schien es sogar oft ganz recht, daß wir als Frauen gewisse angeborene Schwächen hatten. Als mir plötzlich die Übernahme in den höheren Dienst angeboten wurde, lehnte ich ab, um nicht innerhalb des Reichssicherheitshauptamts, zu dem das Reichskriminalpolizeiamt gehörte, frei versetzbar zu sein und den besonderen Schutz der weiblichen Dienststelle zu verlieren. Zur Kriminalkommissarin, später Kriminalrätin wurde ich ohne weiteres Examen ernannt. Im Herbst 1944 durfte ich endlich in das Polizeipräsidium Berlin zurück, wo ich dann ein Kommissariat der WKP leitete. Ein neuer, schärferer Vorgesetzter im Reichskriminalpolizeiamt hatte alle Unterlagen einer Nachuntersuchung an kriminellen Jugendlichen, die ich dort auf eigene Initiative unternahm, an einem Tag, wo ich nicht da war, durch den Papierwolf drehen lassen, weil sie nicht die Erblichkeit der Kriminalität bestätigte.

Nach der Eroberung Berlins durch die Russen galten zunächst alle Polizeibeamten ohne Kündigung als entlassen. Später erfuhr ich, daß ich aus meiner achtjährigen Polizeibeamtentätigkeit keine Rechte hatte, weil im Dritten Reich die Polizeibeamtinnen, anders als ihre männlichen Kollegen, erst mit 35 Jahren auf Lebenszeit ernannt wurden, bis wohin ich noch nicht gekommen war. Neu bewarb ich mich dort nicht, weil der gehobene und höhere Verwaltungsdienst mich nicht befriedigte, die unteren Chargen der Kripo aber zu abhängig und schlecht bezahlt sind.

1945-1949 verdiente ich mir darum das Geld, von dem man damals wenig brauchte, zuerst durch Garten- und Aufwartearbeiten, dann durch Stundengeben und journalistische Beiträge. Im übrigen aber hörte ich in Berlin und Hamburg philosophische und psychologische Vorlesungen, machte Seminare mit und schrieb eine wissenschaftliche Arbeit auf dem Grenzgebiet dieser Fächer. 1950-1953 war ich Mitglied eines Dreierteams, das unter Aufsicht eines internationalen Kuratoriums unter dem Namen ,,UNESCO-Sozialforschung in Deutschland" eine große empirische Untersuchung über die Stellung der deutschen Jugend zur Autorität entwarf und zum großen Teil selbst durchführte. Mit dem Bericht darüber, der in Dänemark von der Societas Scientiarum Fennica deutsch veröffentlicht wurde, habilitierte sich der zum Team gehörige Finne, aber nicht, weil er ein Mann, sondern weil er als unser Teamleiter eingesetzt war.

Nach Abschluß dieser sehr interessanten, lehrreichen Untersuchung übernahm mich Prof. Sieverts, bei dem ich 1935 promoviert hatte, als Assistentin in das Seminar für Jugendrecht der Hamburgischen Universität, zugleich — was ich nicht so gern wollte — als ehrenamtliche Geschäftsführerin der von ihm geleiteten Deutschen Vereinigung für Jugendgerichte und Jugendgerichtshilfen e. V. Ich leugne nicht, in dieser Rolle viel sachlich Interessantes erfahren und gesehen zu haben, mochte aber nicht, daß auf Arbeitstagungen neben Protokollführung, Reisegeldauszahlen und allerlei sonstigen Diensten auch das Kaffeekochen von mir erwartet wurde.

Nach fünfjähriger Assistentenzeit und Veröffentlichung mehrerer strafrechtlicher Aufsätze legte ich der Fakultät meine Habilitationsschrift, eine katamenstische Untersuchung von 300 jugendlichen Straftätern vor, mit dem Ziel der venia legendi für Strafrecht und Kriminologie, wie es meiner Vereinbarung mit Prof. Sieverts entsprach. Die Fakultät eröffnete aber das Verfahren nicht, da man sich mit einer kriminologischen Arbeit nicht für Strafrecht habilitieren könne und Kriminologie allein kein Fach sei. Von meinem weiblichen Geschlecht war dabei mindestens offiziell nicht die Rede. Da es aber bisher erst eine an einer juristischen Fakultät der Bundesrepublik habilitierte Frau gab — Frau Hilger hatte sich in Heidelberg für Arbeitsrecht habilitiert —, wirkte, ob den Beteiligten bewußt oder nicht, vermutlich doch mit, daß ich eine Frau war. Ich denke mir, daß auch das Fach Kriminologie mit meinem weiblichen Geschlecht in Verbindung gebracht wurde, wie es mir später öfter geschah. Als eine Tatsachenwissenschaft, die die Menschen erst einmal betrachtet, wie sie sind, und neben anderem ihren Motiven nachzugehen sucht, scheint die Kriminologie weiblicher, weicher, aufweichender als die normative Rechtswissenschaft, und der Sorge der Juristen, das Strafrecht könne durch die Kriminologie aufgeweicht werden, entspricht wohl leicht eine geheime Sorge, eine juristische Fakultät verlöre durch das Hinzukommen einer Frau an Würde und Strenge. Daß so etwas nicht ausgesprochen, sondern sogar ausdrücklich geleugnet wird, kann nichts an der Vermutung ändern, daß es so ist, und macht die Frau besonders wehrlos.

Immerhin wurden auswärtige Gutachten für meine Arbeit eingeholt, die positiv ausfielen, und nach allerlei Hin und Her wurde ein Jahr nach meiner Antragstellung das Habilitationsverfahren eröffnet. Von den Themen, die ich für das Kolloquium vorgeschlagen hatte, wählte die Fakultät entgegen der Gewohnheit das dritte (Kriminologie und Strafrecht; die beiden ersten waren rein strafrechtlicher Art), das ich dann aber vor allem vom Juristischen aus behandelte, worauf ich die volle venia für das Strafrecht und strafrechtliche Hilfswissenschaften bekam. Nach sechs Jahren Dozentur wurde ich 1965 von der damals kleinsten Universität, Gießen, die ihre juristische Fakultät wiedereröffnete, auf den Lehrstuhl für Strafrecht und Kriminologie berufen, als erste juristische Lehrstuhlinhaberin der Bundesrepublik, der aber bald weitere folgten. Meine Ernennung verzögerte sich um ein dreiviertel Jahr, weil meine polizeiliche Vergangenheit Befremden erregt hatte.

Mit dieser Aufgabe und in dem Gießener Fachbereich habe ich mich im ganzen durchaus wohl gefühlt. Das Verhältnis zu den Kollegen war im ganzen kameradschaftlich, und ich habe von ihnen viel persönliche Freundlichkeit erfahren. Trotzdem meine ich, mit meinen Worten in den Sitzungen weniger Gewicht gehabt zu haben als die männlichen Kollegen, nicht ganz ohne meine Schuld, denn ich habe die Gewichtigkeit, die Männer wohl schon früh für das Auftreten in solchen Rollen lernen, nicht aufgebracht und im Grunde auch nicht aufbringen wollen. Man schien mir aber auch — und das ohne Grund — keine genügende Objektivität zuzutrauen. Wenn ich etwa aus sachlicher Überzeugung mit den Studenten gegen die übrigen Professoren stimmte oder aus Pflichtgefühl mich um Studenten kümmerte und meine Habilitanden betreute, so wurde mir das ausdrücklich als eine besondere Art von Gutmütigkeit, als „Mitleid" gedeutet. Die drei Habilitanden hatten es bei dem Fachbereichsrat schwer. Meine Gutachten schienen dort nichts zu gelten, der eine von ihnen brauchte weitere drei, und ein anderer weitere vier Gutachten, und ich machte mir Vorwürfe, ihnen durch das Mißtrauen der Kollegen in meine Objektivität geschadet zu haben. Ich war keine den Männern imponierende richtige „Dame", aber auch kein um Hilfe bittendes sanftes Wesen, sondern etwas dazwischen, und das mußte ich oder mußten wie ich fürchtete, meine Habilitanden büßen. Aber auch unter den Kollegen hatte ich, und zwar auch dies wohl als Frau, mit subversiven Bemerkungen immer eine gewisse Narrenfreiheit.

Prof. Dr. Heide M. Pfarr,
Januar 1969 erstes Staatsexamen,
zweites Staatsexamen 1973,
1971 promoviert,
1974-1976 Ass. Prof. an der FU
Berlin, ab 1976 an der FHW,
ab 1978 Professorin in Hamburg
Rechtswissenschaft II Einstufige
Juristenausbildung, bürgerliches
Recht und Arbeitsrecht.

**Das Gespräch mit Frau Prof. Pfarr (P) führten Margarete Frabricius-Brand (M)
und Sabine Berghahn (S).**

M.: Können Sie sich an Vor- und Nachteile in der Ausbildung erinnern, die
Sie darauf zurückführen, daß Sie eine Frau sind?
P.: Ich habe nichts bemerkt, möglicherweise deshalb, weil ich mich angepaßt
verhalten habe. Ich nenne Ihnen hierfür ein Beispiel, das mir erst jetzt wieder
eingefallen ist und mich selbst verblüfft. Zum ersten Staatsexamen wurden
wir nach unserem Berufswunsch gefragt. Ich trug in den Fragebogen „Jugendrichterin" ein, obwohl ich mich weder für Strafrecht und Kriminologie noch
für Kinder und Jugendliche interessierte. Ohne auch nur einen Gedanken
darauf zu verschwenden, paßte ich mich herrschenden Normen an, nach denen, wenn eine Frau schon Jura studiert, es dann wenigstens zu einem Engagement auf traditionellem Frauengebiet führen müßte. Allerdings war diese
Anpassung eine äußere. Sie hat die inhaltliche Bestimmung meiner Interessen
sehr wenig geprägt. Das ist aber nur die eine Seite. Die andere war, daß ich
Diskriminierungen, die meinem Geschlecht geschuldet gewesen wären, auch
nicht bemerkt hätte. Die politischen Interessen, die ich während des Studiums
und der Assistentenzeit entwickelt habe, das politische Engagement, brachten
mich sehr schnell in eine Minderheitenrolle, die Rolle des Abweichlers, so daß
ich alle negativen Reaktionen darauf verbucht habe.
S.: Diese Erfahrung habe ich auch gemacht, ich war zur Ausbildung in Bayern, wenn man dort auch nur ein bißchen links ist, müssen Männer und Frau-
en zusammenhalten und können es sich nicht erlauben, über Probleme zwischen den Geschlechtern nachzudenken.
P.: In meiner Erinnerung stellt es sich so dar, daß mir von rechten Assistenten
und Studenten mein in ihren Augen falsches politisches Engagement weniger
übel genommen wurde, weil ich eine Frau bin.
S.: So nach dem Motto, wenn die Kleine den Freund wechselt, wird sie schon
aufhören.
P.: Bei uns hieß es, wenn eine Frau in der falschen politischen Gruppe war,
„ist denn kein attraktiver Mann da, der die umdrehen kann?"
S.: Hat Sie das getroffen?
P.: Nein, so redeten die Kommilitonen nur über abwesende Frauen. Außerdem fühlte ich mich nicht betroffen, weil ich jahrelang in einer Beziehung mit

einem politisch ganz anders denkenden Mann steckte, ohne je auf die Idee zu kommen, mich ihm anzupassen. Was ich übrigens ärgerlich, aber nicht diskriminierend fand, war die flirtige Haltung meiner männlichen Kommilitonen. Ich konnte mit denen nie über eine Hausarbeit sprechen, ohne mich danach ihrer Einladung erwehren zu müssen. Anderes habe ich nicht bemerkt.

M.: Worauf führen Sie diese Unsensibilität zurück?

P.: Juristen interessierten mich einfach nicht. Sie liefen mit Schlips und Kragen herum, debattierten über Nichtigkeiten im wahrsten Sinne des Wortes und waren stets langweilig. Meine Bezugsgruppe waren geistes- oder gesellschaftswissenschaftlich Ausgerichtete innerhalb und außerhalb der Uni.

M.: Dann war Ihre persönliche und politische Entwicklung lange Zeit identisch?

P.: Richtig, und die politische Entwicklung war damals die wesentliche. Ich hatte keinen Begriff und keinen Sinn für das, was man persönliche Entwicklung nennt.

M.: Eine „Frauenidentität" wurde erst später Lebensthema?

P.: Wurde sie es?

S.: Damals wurde bei den Linken doch die Emanzipation des Menschen von Zwängen und Rollen propagiert.

P.: Bis zum ersten Examen im Januar 1969 beschäftigten wir uns mit dem Vietnam-Krieg, mit Studienreform und hierarchischen Universitätsstrukturen; Mann und Frau kamen als Thema nicht vor, sicherlich wurde das unterdrückt, aber es war uns nicht bewußt. Bei mir wohl auch deshalb, weil ich keine „Beziehungsprobleme" hatte, oder, heute sage ich es vorsichtiger, mir ihrer nicht bewußt war.

M.: Wie ging es nach dem ersten Examen weiter?

P.: Ich wurde Assistentin und absolvierte gleichzeitig den Referendardienst. Frauen als Lehrende kamen übrigens bei den Juristen nicht vor.

M.: Erfüllt Sie das nicht mit stillem Stolz?

P.: Nein. Im übrigen muß ich dazu sagen, daß ich nicht zielbewußt und selbstbestimmt war. Das Studium und das, was man Karriere nennt, waren überhaupt nicht mein Einfall. Entscheidungen, was ich zu studieren hätte und was danach zu geschehen habe, trafen freundlicherweise immer die Frauen meiner Umgebung. Nicht meine Mutter, aber eine sehr viel ältere politisch engagierte Freundin, die mich sehr geprägt hat, meinte, nun sei die Juristerei dran, ich solle doch das machen, wozu sie selbst, nach eigenem Medizin- und Theologiestudium, zu alt sei. Zwar war ich zunächst in Germanistik und Theaterwissenschaften eingeschrieben — schließlich wollte auch ich in der Pubertät Schriftstellerin werden —, ich fand es dann aber an der Zeit, realistischer zu werden und ein Studium mit Berufsperspektive zu wählen.

M.: Ihre Freundin hatte also die Einschätzung, daß Sie dieses Studium auch schaffen?

P.: Ja, daran hatte niemand Zweifel. Am „Schaffen" ich selbst auch nicht. Allerdings habe ich nie geglaubt, daß ich eine „gute" Juristin werden würde, bis ich ein, mit Verlaub, bemerkenswert gutes Examen gemacht habe.

S.: Wie hatten Sie das geschafft?

P.: Ich hatte nicht geglaubt, daß meine Art, Jura zu betreiben, die richtige sein könnte. Ich hatte es versäumt, Entscheidungen und dererlei auswendig zu lernen. Ich merkte mir immer nur Strukturen, Argumente, Problemlösungsmöglichkeiten, was bei jedem Repititor und Abfragen zu kläglichem Versagen führt. Nur weil meine Übungsklausuren immer über'm Strich waren, rechnete ich damit, daß ich nicht durchfallen könne. Ich hatte Glück: In der Prüfung tauchten Fragestellungen auf, deren Lösungen nicht gewußt, sondern entwickelt werden mußten, das entsprach ganz meinem Arbeitsstil, und zu meiner eigenen und aller anderen Verblüffung machte ich ein „gut", damals eine Ausnahme- und Traumzensur.

Übrigens ergaben sich daraufhin Reaktionen, die meine Vorurteile über Juristen und ihr Menschenbild und Wertbewußtsein bestätigten. Als „Rote", gar als „Flintenweib" abqualifiziert bis dahin, grüßten plötzlich auch rechte Assistenten. Als ich einen fragte, was das denn solle, er sehe mich seit vier Jahren und grüße mich heute zum ersten Mal, antwortete er: „Gute Linke grüßt man". Ekelhaft. Und wegen des Examens kam ein Professor, der mich aus Lehrveranstaltungen kannte, wo wir uns heftig über die Notstandsgesetzgebung gestritten hatten, auf die Idee, mir eine Doktorarbeit anzubieten. Wohlgemerkt: Nicht ich kam auf die Idee. Aber meine Bezugspersonen fanden das gut, und so promovierte ich still vor mich hin.

M.: Einfach so, ohne große Höhen und Tiefen?

P.: Der Schluß war wahnsinnig anstrengend, ich war Assistentin, Referendarin und promovierte und war nie fertig, egal wieviel ich arbeitete. Wie ich überhaupt sagen muß, daß mir nichts geschenkt wurde. Zwar sind mir die jeweiligen Ziele vorgegeben worden, ich habe mich dann aber immer intensiv eingesetzt und gearbeitet, um sie zu erreichen. Es passierte auch einiges Unangenehmes, was ich aber wiederum auf das Konto „Linke" verbuchte, zumal mein Chef und Doktorvater sich in die andere politische Richtung entwickelt hatte. Nach dessen Weggang war ich freischwebende Assistentin, hatte also eine sehr gefährdete Stellung. Eines Tages erschien ein neuer Professor am Fachbereich und stellte mich am Lehrstuhl ein mit der ausdrücklichen Erklärung, er habe gehört, es gäbe eine schicke Linke am Fachbereich mit einem guten Examen und schon promoviert, und als er das gehört habe, habe er gewußt, die muß ich haben, wörtlich. Ich glaube, daß diese Art des Einkaufens keinem Mann passiert wäre. Und so hatte ich das große Vergnügen, daß mich der Herr Professor in sein Knopfloch steckte sozusagen, denn zu arbeiten hatte ich nicht viel, für ihn eigentlich nichts.

S.: Befriedigend war dieser Zustand wohl nicht?

P.: Ich bin nicht auf die Idee gekommen, mich mit dieser Stelle zu befriedigen; ich bearbeitete meine Dissertation für die Veröffentlichung.

M.: Und war dieses Knopfloch-Gefühl nicht schlimm für Sie?

P.: Ich weiß nicht. Der Prof. war — ist wissenschaftlich einfach gut und ungeheuer flink im Kopf. Aber irgendwie betraf es mich nicht, wie er sich verhielt. Ich hatte bestimmte Vorstellungen, wie Professoren seien, und es konnte mich daher weder verblüffen noch zu besonderem Nachdenken anregen, daß einer sozusagen wie üblich war. Für mich war von Bedeutung, daß ich dank dieser — für mich positiv wirkenden — Diskriminierung Zugang zu den Bibliotheken hatte und mit gleichgesinnten Assistenten zusammenarbeiten konnte. Übrigens ging es bei der Bewerbung um die Assistenzprofessur ganz ähnlich zu. Die Professorenmehrheit des Fachbereichs wollte mich eigentlich nicht haben, da ihnen meine politische Richtung nicht paßte. Ich wurde dennoch akzeptiert und zwar mit der Stimme eines konservativen Professors, der gesagt haben soll, gegen eine schöne Frau stimme er nicht. Eine abscheuliche, verlogene Kavaliersmasche, dennoch habe ich keine Sekunde gezögert, die Stelle anzunehmen. In einem Frauenseminar später habe ich mal von dieser Kehrseite der Diskriminierung erzählt und wurde deswegen herb kritisiert.

S.: Wählten Sie danach zielstrebig die Laufbahn der Professorin?

P.: Nein. Wie schon gesagt, ich war nicht zielbewußt. Eigentlich konnte ich mir gut vorstellen, Arbeitsrichterin zu werden. Aber das hat man mich nicht werden lassen, ein Ergebnis gerade meiner Ausbildung am Arbeitsgericht. In diesem Ausbildungsabschnitt war ich schon promoviert und hatte mich zuvor vier Monate beurlauben lassen, um das Kapitel Arbeitsrecht im „Bericht zur Lage der Nation" mitzuschreiben. Ich hatte ziemlich ausdifferenzierte, vor allem auch abweichende Rechtsansichten und irgendwie vergessen, wie man sich – jedenfalls damals – als Referendarin benimmt. Mir fiel das eigentlich erst hinterher auf. Ich verbat mir, daß die Ausbilderin mich und die Kollegen anbrüllte, und sie bescheinigte mir im Zeugnis, ich sei dem Klassenkampfdenken verhaftet. Das mußte sie aus dem Zeugnis zwar entfernen, aber der Präsidialrat des Arbeitsgerichts, dem sie angehörte, hat erbitterte Stellungnahmen gegen meine Bewerbung als Arbeitsrichterin abgegeben. Es dauerte Jahre, bis der Senator meine Bewerbung schließlich berücksichtigen wollte, das allerdings auch erst, als ich schon einen Ruf an die Fachhochschule für Wirtschaft hatte. Dabei konnte nicht einmal der Richterwahlausschuß – einschließlich seiner CDU-Mitglieder – verstehen, warum man andere Bewerber einer Kandidatin mit zwei guten Examen und Doktor vorzog, so daß er die Zustimmung zur Einstellung der an meiner Stelle benannten Bewerber erst einmal verweigerte. Aber zurück zur Frage nach der Hochschullehrerlaufbahn. Heute frage ich mich selbst, warum ich diese eigentlich nicht angestrebt habe, wo ich doch sozusagen ganz gute Startbedingungen hatte, was die üblichen Anforderungen an die Formalqualifikation betrifft. Es war auch keine bewußte Entscheidung dagegen, wohlgemerkt, es ergab sich. Wenn ich ein Mann gewesen wäre, hätte ich nach der Promotion selbstverständlich die Hochschulkarriere angestrebt, so im Sinne von „das steht mir zu" zumindest als Chance. Ich halte es eher für frauenspezifisch, daß ich immer verwundert war, wenn der nächste Schritt klappte. Vielleicht kam mir der Gedanke auch nicht, weil ich, anders als bei Gericht, Frauen in der Uni ja nie erlebt hatte. Wenn ich mir die Situation heute an den Unis ansehe, glaube ich nicht, daß ich jetzt noch Professorin werden könnte. Die Stellen sind so knapp, da kommen nur noch die ganz Zielbewußten, die wie andere immer Bevorzugten dran, also ich nicht, und allgemein Frauen weniger.

M.: Kann es sein, daß Sie es wurden, weil Sie eine Marktlücke abdeckten?

P.: Als Frau nicht. Nicht an der Fachhochschule aber auch nicht an der Universität Hamburg. In Hamburg suchte man einen fortschrittlichen Arbeitsrechtler, aber nicht zu sehr. Ich bin ganz kurz gefaßt, Sozialdemokratin, gewerkschaftsnah, organisationsfreundlich, nicht allzu dogmatisch, sozialwissenschaftlich orientiert, dennoch nehme ich Norm und Normtext ernst, also vielleicht insofern Marktlücke, aber was das Geschlecht betrifft.

S.: Spielt es im Verhältnis zu Ihren Kollegen keine Rolle, daß Sie eine Frau sind?

P.: Nein. Meine Kollegen in Hamburg haben ganz gewiß keine Vorbehalte gegen Frauen. Es ist insofern sicher kein Zufall, daß unter den 25 Lehrpersonen sogar zwei Frauen sind, eine bemerkenswert günstige Quote in der bundesrepublikanischen Realität. Allerdings, gerade weil meine Hamburger Kollegen nicht diskriminieren, wird auch deutlich, daß ihnen der Sinn für die besondere Lebenslage von Frauen in diesem Bereich wie in allen männerdominierten doch weitgehend fehlt. Sie sind böse darüber, daß ich jedes Wochenende nach Hause fahre — mein Mann lebt und arbeitet in Berlin, ohne nach Hamburg wechseln zu können — statt immer in Hamburg zu sein. Wie ungeheuer belastend diese mir einzig mögliche Form, Beruf und persönliche Beziehung miteinander zu verbinden, für mich ist, wird gar nicht gesehen. Und so berechtigt die Kritik an den Spagatprofessoren im Prinzip ist, haben meine Kollegen nicht begriffen, daß sie mich vor die Alternative stellen, persönliche Beziehung oder Beruf, eine Alternative, der sie nicht ausgesetzt sind, weil sie in der Regel einen Wechsel von einer Uni zur anderen mit der Familie machen können, entweder, weil ihre Frauen nicht berufstätig sind oder, als Lehrerinnen z. B. mitwechseln können. Ich weiß nicht, ob sie es wirklich akzeptieren würden, wenn ich mit einem liebenswürdigen Hausmann oder einem Lehrer verheiratet wäre, der munter mitzieht und immer und überall neu anfängt. Der Professoren-Job ist in vieler Hinsicht ein wanderndes Gewerbe und setzt voraus, daß nur einer in der Familie ernsthaft berufstätig ist. Und die Anforderungen sind ja auch so, daß nur der ihnen gerecht werden kann, dem der Rücken freigehalten wird. Das haben meine Kollegen wohl für sich noch nie problematisiert, jedenfalls nicht erkennbar. Ich glaube, wenn ich ihnen hätte sagen müssen, ich konnte nicht soviel schreiben, aber dafür habe ich ein Kind bekommen, diesen typisch weiblichen Lebenslauf hätten sie gewiß nicht als gleichwertig angesehen.

M.: Sie haben also auf Kinder verzichtet?
P.: Wenn ich ernstlich ein Kind gewollt hätte, das wäre nicht gegangen. Entweder hätte ich die Hochschullaufbahn an den Nagel hängen müssen, oder ich wäre an den Rand gedrängt worden. Der Wissenschaftsbetrieb erfordert neben den Lehrveranstaltungen Anwesenheit in der Uni, Kontakt mit Kollegen und Studenten, Veröffentlichungen . . . Eines ist klar, ich hätte nicht mehr das machen können, was ich jetzt wichtig finde. Beim Zusammenkommen ungewöhnlich günstiger Umstände — ein Partner verzichtet auf die Karriere, Gleichgesinnte finden sich zur gemeinsamen Kinderbetreuung zusammen usw., mag es gehen, nur kann man sich darauf nicht verlassen. Und die Reproduktionsleitung in der Familie von sich voll auf eine andere Frau zu verlagern, finde ich als Modellvorstellung furchtbar, auch deswegen habe ich auf Kinder verzichtet. Diese Alternative, die sich männlichen Kollegen gar nicht erst stellt, ist ungeheuer schmerzlich. Sie gehört zu den Kosten, die heute eine „normale" Frau gezwungen ist zu erbringen.

S.: Wie kann man diesen oder andere Berufe mit Familie verbinden? Sollten in Zukunft 50 % Frauen eingestellt oder die Ansprüche an berufstätige Frauen reduziert werden?
P.: Wir wären schon weiter, wenn Frauen mit besserer oder gleicher Qualifikation Männern vorgezogen würden. Meine Forderung geht aber weiter: für eine gewisse Zeit Frauen mit zureichender Qualifikation bei Einstellungen zu bevorzugen.

M.: Würde das nicht einen Qualitätsverlust in der Wissenschaft bedeuten?
P.: Das glaube ich nicht. Natürlich muß die einzustellende Frau bereits wissenschaftlich gearbeitet haben. Aber wenn ich mir das juristische Schrifttum anschaue, so steht in ihm soviel Überflüssiges, Noch-einmal-Gekochtes, Irrelevantes. Wahrscheinlich wäre es grundsätzlich gut, wenn nicht mehr einfach der zahlenmäßige Umfang der Veröffentlichungsliste gewertet würde. Viel-

leicht, wenn Frauen, gerade weil sie mehr lebenswerte Alternativen haben als diese konkurrenzfixierten Männer, da nicht mehr mitmachen und dennoch berücksichtigt werden könnten, hätte dies eine heilsame Wirkung: Auch männlichen Profs bliebe Zeit zum Leben.

S.: Wie steht es denn mit der Behandlung sog. Frauenfragen in der Wissenschaft?

P.: Kurz beantwortet: Das ist kein Thema, jedenfalls nicht bei den Juristen. Das sieht man an dem Fehlen von veröffentlichten Dissertationen und Habilitationen zu derartigen Themen. Es wird soviel Irrelevantes geschrieben, aber so Problematisches und Spannendes wie „Frau und Arbeitsleben", das ist kein Thema, von dem weiß jeder, dafür gibt es in diesem System keine Gratifikationen. Vor einiger Zeit sagte mir ein wohlgesonnener Freund, ich hätte nun schon drei Frauensachen geschrieben und wenn ich nicht bald etwas anderes produzierte, hätte ich meinen Ruf als „Frauen-Frau" weg. Also nach dem Motto: wer sich mit Frauenproblemen beschäftigt, kann Bemerkenswertes zu anderen arbeitsrechtlichen Problemen nicht sagen. Übrigens teilte mir dieser Freund vor kurzem freudestrahlend mit, daß ich zum ersten Mal in der Literatur als „Er" aufgetaucht sei. Das hat mich genauso irritiert wie die Tatsache, daß ich im Gegensatz zu meinen männlichen Kollegen im Schrifttum regelmäßig mit Vornamen zitiert werde.

M.: Wie ist Ihr Verhältnis zu den Studenten und Studentinnen?

P.: Ich finde nach wie vor, daß mein Beruf einer der schönsten ist, und dennoch habe ich seit einiger Zeit den Eindruck, daß es — manchmal — spezifische Schwierigkeiten gibt. Die Studierenden haben teilweise ein gebrochenes Verhältnis zu mir als Person, und manchmal befürchte ich, deswegen den Inhalten, die ich vertrete, zu schaden. Zwei Beispiele: In einer Lehrveranstaltung hatten wir eine kontroverse Auseinandersetzung über den Sinn der Gewerkschaften. Ich vertrat engagiert meine Meinung und wirkte wohl auf einige junge Männer aggressiv, sie reagierten selber aggressiv, was mich nun wirklich selbst in eine derartige Stimmung versetzte, obwohl ich es anfangs überhaupt nicht war. Das war sehr bedrückend. Ein anderes Mal kam der Vorwurf, ich sei zynisch, als ich über Methoden in Rechts- und Sozialwissenschaften sprach. Natürlich äußerte ich mich kritisch über die Methodendiskussion und Methodenpraxis, hielt auch die Sozialwissenschaften nicht für das Allheilmittel. Gleichzeitig wollte ich die Zuhörer aber motivieren, die Methoden zu beherrschen und viel und gründlich zu lernen. Angekommen sind aber meine kritischen Bemerkungen nur als blanker Zynismus. Das hat mich so betroffen gemacht, weil diese Wirkung meiner Absicht direkt widersprach. Ich erzähle das so ausführlich, weil vergleichbare Vorwürfe in Abwandlungen immer wieder auftreten, dabei habe ich zum Arbeitsrecht keineswegs ein zynisches Verhältnis.

S.: Ist Ihr Verhältnis zu den Studentinnen anders?

P.: Sie sind interessierter, wenn ich bei derartigen Anlässen nachfrage. Ich glaube, sie sind auch anspruchsvoller und deshalb kritischer. Ich fragte sie z. B., wieso sie meine Vortragsart verunsichern würde, und sie antworteten, sie könnten es nicht leiden, wenn jemand derartig massiv den Eindruck mache, daß er wirklich Bescheid wisse. Komisch: ich höre den Leuten, die wissen, worüber sie reden, immer gern zu. Einige gaben auf Nachbohren zu, sie hätten mir meine Art nie vorgeworfen, wenn ich ein Mann wäre, nur bei einer Frau erschienen sie ihnen als „unnormal". Ich erkläre mir das so: ich bin ihnen altersmäßig noch so nahe, daß sie sich mit mir als Frau vergleichen können. Noch bin ich keine 50jährige, woran ich selbst früher auch immer gedacht hatte, mir unvorstellbar. Und so bin ich heute den Studentinnen noch ähnlich, aber dann doch in vielem anders als sie, und das macht sie nervös.

M.: Vermuten Sie, daß in den Kleingruppen, mit denen Sie in der Einstufigen Juristenausbildung zu arbeiten haben, spezifische Erwartungen an Sie als Frau auftauchen?

P.: Ich glaube, im Hörsaal mit 300 Zuhörern käme niemand auf die Idee, daß die Lehrperson irgendwie etwas Emotionales, spezifisch Persönliches bieten müßte. Ich hatte selbst früher keine Probleme mit Professoren, ich fand sie politisch und didaktisch gut oder schlecht, aber wie sie waren, war mir egal. Auch bei eigenen Großveranstaltungen ging es unproblematisch, ja gut. Aber in den Kleingruppen kommen die Studierenden dann auf die Idee, sich zu fragen, wie sie mich finden. Ausgerechnet in einer Lehrveranstaltung wollen sie sich Streicheleinheiten abholen und das bei mir, die ich wenig Mütterlichkeit ausstrahle. Vermutlich ist die Diskrepanz zwischen der von mir erwarteten Rolle als „Frau" und der als Lehrperson für die Studenten schwer erträglich. Damit meine ich folgendes. Ich habe denselben Status und dieselben Verhaltensweisen wie die männlichen Kollegen, diese wirken aber seriös, auch wenn sie gleichaltrig sind, ich weiß nicht wieso, ob durch ihre tiefe Stimme oder vielleicht 'ne Halbglatze. Wahrscheinlich wirke ich nicht so seriös, wecke aber bestimmte Bedürfnisse nach Mitfühlen und Verständnis. Diese gehen mir ja auch gar nicht ab, hoffe ich, aber sie haben nicht die erwarteten Ausdrucksformen, und vielleicht fühlen sich so die Studenten bei mir nicht richtig „aufgehoben". Auch den Vorwurf der Studenten, meine Problemdarstellungen und vor allem meine Kritik seien dermaßen exakt und präzise, so treffend, daß sie eingeschüchtert und eigene tastende Schritte zu einem eigenen Ansatz nicht versuchen würden, hätten sie Männern gegenüber wahrscheinlich nicht erhoben. Von denen würden sie im Gegenteil bestimmt verlangen, daß sie exakt, präzise, kurz und knapp zu schildern imstande sind. Oder die Studenten haben Angst, ich könnte auch mal über sie „ironische" Bemerkungen tröpfeln lassen, für sie ist eben schlimmer, wenn es eine Frau tut. Wenn ich so wäre, wie ich glaube, daß Studenten mich besser ertrügen, hätte ich echte Identitätsprobleme. Ich kann weder dick und weich und mütterlich sein noch kühl und blond, noch unengagiert oder bierernst, ohne ironischen Zungenschlag, wohl auch Schärfe meine Vorträge halten, wenn der Gegenstand dazu Anlaß gibt. Ironie ist sicher eine Form von Distanz, aber das ist schon ein Wesenszug von mir geworden.

M.: Ist das einer der „Preise" für Ihre Karriere?

P.: Vielleicht. Ich denke, im Jurastudium lernt man, sich präzise über Sachverhalte auszudrücken und immer eine zumindest rational auftretende Argumentationsebene zu finden. Wendet man dies aber z. B. auch in familiären Konflikten an, wirkt man scharf und abblockend. Ungeduldig bin ich sicher von Haus aus. Persönliche Ungeduld wird im Beruf leicht als Schärfe empfunden, bei Frauen als Aggressivität. Aber wenn ich mir meine vielen Geschwister ansehe, dann wirken sie trotz oder neben ihrer Ungeduld auch als sehr freundlich, zugewandt und verquatscht, wie sie auch sind. Ich wirke nicht so, manche sagen, ich mache Angst. Und da frage ich mich, ob diese Diskrepanz zwischen dem, wie ich mich empfinde, und dem, wie ich wirke, dieser beruflichen Sozialisation geschuldet ist. Allerdings muß ich hinzufügen, daß ich sehr lange überhaupt keine Ahnung hatte von dem Zusammenhang zwischen der Sachebene und der Beziehungsebene in Kommunikationen. Ich hab' das einfach nicht bemerkt. Ich glaubte, daß sich im beruflichen und politischen Raum alles nur auf der argumentativen Ebene abspielen würde. Wie sehr aber bloßes Verhalten dazu beitragen kann, politische Konflikte zuzuspitzen und Dissense unüberbrückbar zu vertiefen, manchmal sogar erst herzustellen, habe ich erst in meiner Fachhochschulzeit begriffen. Das war ein überaus schmerzhafter Prozeß für mich, das Bewußtsein des Versagens und die Hilflosigkeit, mit dieser Erkenntnis umzugehen und ihr zu entsprechen. Das war schlimm, und das ist auch noch nicht abgeschlossen. Möglicherweise habe ich das Beherrschen meines Faches mit einem Verlust an Sensibilität und Vermögen an Emotionalität bezahlt, die ich mir jetzt wieder mühselig erarbeiten muß. Bis zum Beginn des Studiums schrieb ich selbst Gedichte, aber mein Entschluß, realitätsnah zu werden, bewirkte im Zeitablauf, daß ich heute Gedichte nicht einmal mehr lesen kann, weil sie mir irrelevant vorkommen. Das finde ich ganz schlimm. Die von mir erwähnte ältere Freundin behauptet, ich hätte damals eine ausgeprägte Sprache, mit großem Wortschatz und plastischen Bildern gehabt; vorausgesetzt es stimmt, so empfinde ich meinen Stil jetzt gemessen an meinen Ansprüchen, trocken und hölzern, zumindest ist er so, daß diese Frau, als sie den ersten juristischen Aufsatz von mir las, aufstand, mich auf die Stirn küßte und sagte: Armes Kind, wo bist Du geblieben?

M.: Vielleicht ist das eine Anpassung an Erwartungen, wie Juristen schreiben sollen?

P.: Na klar, nur kann man derartige Fähigkeiten nicht suspendieren, bis man aus den Anpassungszwängen raus ist, um dann vergnügt am Punkt Null weiterzumachen. Ich erinnere mich noch an meine erste Strafrechtsklausur. Mein Freund O. − auch er begriff sich als verhinderter Schriftsteller − war ein hervorragender Imitator, und zu unserem Gaudium äffte er in der Klausur den Stil der Juristen nach. Unsere inhaltlich völlig gleiche Klausur − wir hatten sie sowieso nur gemeinsam lösen können − wurde bei mir mit „ausreichend" und bei ihm mit „gut" bewertet. Das war für mich aufschlußreich und bestimmend, das Leben, in die spezifische Form einer Fallösung gebracht, vertrug meinen Stil jedenfalls nicht.

S.: Sehen Sie auch eine Reduktion auf der inhaltlichen Ebene?

P.: Während des Studiums und zu meiner Assistentenzeit haben wir immer für die Einführung der Sozialwissenschaften in die Rechtswissenschaften gekämpft. Diese Forderung zielte auf ein neues Selbstverständnis der Rechtswissenschaft. Hinter den Rechtsnormen war die Gesellschaft verschwunden. Was Gesetze, Urteile usw. in der sozialen Wirklichkeit bewirkten oder auch nicht, wurde im Studium nicht sichtbar. Dieser Impuls und die Erfahrungen aus den Auseinandersetzungen damals waren außerordentlich wichtig für mich und sind es noch heute. Gerade im Arbeitsrecht kommt es darauf an, sich die Geschichte und Gegenwart der Arbeiterbewegung, Kenntnisse aus der Volks- und Betriebswirtschaftslehre, der Betriebs- und Organisationssoziologie usw. anzueignen und in der Lehre, aber auch der eigenen Forschungsarbeit fruchtbar zu machen. Ich meine, auf diesen Gebieten viel gearbeitet und vieles gelernt zu haben. Dennoch kann ich nichts darüber aussagen, ob ich auch jenseits des sprachlichen Ausdrucks inhaltliche Möglichkeiten verloren habe, weil ich kein Kriterium für vorher:nachher habe. Ich weiß nicht, wie jemand Jura betreiben würde, der mit all den Dingen lebt, die ich in mir − vielleicht − weggetan habe.

M.: Zum Schluß noch einmal zur Frauenbewegung, sind Sie hier als „Frauen-

Frau" besonders beliebt?

P.: Nein, das kann ich nicht sagen. Wenn man es gemütlich haben will, ist es gewiß der falsche Weg. In der Profession und bei Männern, mit denen ich ja hauptsächlich zu tun habe, hat man auch bei sehr zurückhaltenden, ja nur bescheidenen Äußerungen sehr schnell den Stempel der Feministin weg. Frauenbewegte Frauen hingegen, so habe ich es immer wieder erlebt, werfen mir männliche Attitüden vor. Zum Beispiel sei ich scheußlich leistungsorientiert und kühl, wirke unbeteiligt, sei eben eine ,,Karrierefrau". Manchmal denke ich, sie sähen es lieber, wenn ich verschüchtert, den Tränen nahe, mein eigenes Leiden und das der Welt beklagte, wohlgemerkt in dieser Reihenfolge. Meine spezifische Form, mit mir und meinen Problemen fertig zu werden, weckt nur Ablehnung, ja häufig heftige Aggressionen. Ich kann aber gewiß nicht anders, so angenehm Weinerlichkeit in bestimmten Situationen sein mag. Wenn ich die Vereinbarkeit meines Berufes mit Kindern verneine, kommt prompt der Vorwurf, ich hätte auf mein Wesentlichstes verzichtet. Wenn ich hingegen selbst problematisiere, die Durchsetzung in einer männerdominierten Institution habe häufig wieder eine Lastverteilung nur innerhalb der Frauen zur Folge — wir haben beispielsweise eine Haushaltshilfe —, dann ist erst recht der Teufel los. Also obwohl auch ich die autonome Frauenbewegung für unverzichtbar halte, habe ich persönlich ausschließlich belastende, ja erschreckende Erfahrungen mit ihr gemacht. Aber das muß wohl so sein.

Prof. Dr. Jutta Limbach

Ein Lebenslauf

Es mag wenig wegweisend für andere Frauen sein, wenn ich meinen beruflichen Werdegang als das Ergebnis glücklicher Lebensumstände und Zufälle darstelle. Besser präsentierte ich mich als ein andere Frauen inspirierendes Vorbild an Eigensinn und Zielstrebigkeit mit früherwachtem Gerechtigkeitssinn. Aber wenn ich aufrichtig bin, so kann ich keinen hindernisreichen Berufsweg nachzeichnen, den ich allein mit eigener Kraft, geschlechtsdiskriminierenden Widrigkeiten trotzend, die Professur stets im Auge, gemeistert hätte.

Zu allererst bin ich das Geschöpf einer „frauenbewegten" Herkunft, d.h. einer Urgroßmutter und Großmutter, die beide in dem Glauben gestorben sind, daß die soziale und politische Gleichheit von Frau und Mann mit ihrer bescheidenen Mithilfe schon weit vorangebracht worden sei. Wohl hat meine Urgroßmutter in den Anfängen ihrer politischen Tätigkeit nur als Mann verkleidet an politischen Versammlungen teilnehmen können und Gefängnisstrafen wegen majestätsbeleidigender Reden hinnehmen müssen. Doch hat sie den Erfolg des gemeinsamen Kampfes um das Recht der Frauen auf politische Arbeit noch persönlich in der Wahl ihrer Tochter zum Mitglied der Weimarer Nationalversammlung miterlebt. Bildung und Berufstätigkeit sowie soziales und politisches Engagement wurden zu Hause in meiner Jugendzeit (ich habe die Zeit des Nationalsozialismus nur als Kind miterlebt) als selbstverständliche Rechte und Möglichkeiten von Frauen betrachtet, die es nur zu nutzen galt. Mein Vater besaß – auch das mag Verdienst seiner um Geschlechtsrollen unbekümmerten weiblichen Vorfahren gewesen sein – nicht die mindeste Neigung für einen patriarchalischen Lebensstil, und wir Mädchen waren unseren Eltern soviel als der Junge.

Dieses naive, familiär erzeugte Selbstverständnis von Chancengleichheit der Geschlechter hat sich – dem Wirken einer sich selbst erfüllenden Prophezeiung ähnlich – auf meinen beruflichen Werdegang förderlich ausgewirkt. (Ich verkenne – heute rückblickend – nicht, daß die in der zweiten Hälfte der Fünfziger Jahre einsetzende gesellschaftliche und wirtschaftliche Aufbruchstimmung einem solchen berufsfreudigen Selbstbild günstig war.) In meinem Umgang mit Lehrern, Kollegen und Institutionen bin ich in meiner Annahme eher bestätigt denn verunsichert worden. In dem treuherzigen Glauben, daß die „Sache der Frau" glücklich zu deren Gunsten erledigt worden sei, hat mich erst die jüngste Frauenbewegung erschüttert.

Die Wahl des Jura-Studiums, so konnte man/frau meinen, lasse sich als der begreifliche Wunsch erklären, Urgroßmutters schlechte Erfahrungen als vermeintlich staatsgefährdende Frauensperson mit der Justiz zu kompensieren. Aber wie bei so vielen nicht mit einem spezifischen Talent begabten Personen war für mich die Studienfachwahl eine schlichte Frage der Zweckmäßigkeit. Bis zum Abitur habe ich zwischen dem Beruf der Lehrerin und der Journalistin geschwankt. Meine Mitarbeit in der Schülermitverwaltung, dem RIAS-Schulfunk-Parlament und unserer Schülerzeitung haben dann den Ausschlag für den Journalismus gegeben. Das Studium der Rechtswissenschaften erschien mir – neben einem Liebäugeln mit der Soziologie – als eine gute Grundlage für meine künftige Tätigkeit als politische Redakteurin. Es machte mir zunehmend Spaß und kleine Erfolge, auf die ich als ehrgeizige Studentin angewiesen war, bestärkten mich in meinem Studium. Spätestens im Laufe der Referendarzeit, nach einem zunächst desillusionierenden Start im Moabiter Amtsgericht in Strafsachen, verflüchtigte sich mein Wunsch, Journalistin zu werden, und ich begann, mich als künftige Richterin zu sehen. Einem mittelmäßigen Referendarexamen folgte ein gutes Assessorexamen. Noch heute freut es mich, daß meine Freundin und ich – also zwei Frauen – die besten Assessor-Examina des Jahres 1962 gemacht haben. Wenn auch im Vorjahr die guten Noten nicht derart geschlechtsspezifisch verteilt waren, so war doch die Anzahl der weiblichen Vorbilder unter den Spitzenkandidaten unverhältnismäßig groß im Verhältnis zur Gesamtzahl der Frauen unter den Jura-Studenten. Viele von ihnen sind heute als Richterin oder Beamtin tätig, zumeist verheiratet und Mütter von mehreren Kindern.

Nicht wissenschaftlicher Eifer oder gar die Aussicht, Professorin zu werden, haben mich in die Universität getrieben. Die für mich aus heiterem Himmel kommende Anfrage meines späteren Lehrers und Förderers, Prof. Dr. Ernst E. Hirsch, ob ich bereit wäre, eine jüngst geschaffene Stelle einer Akademischen Rätin wahrzunehmen, habe ich bejahend beantwortet, weil ich mich in meiner damaligen (ersten) Stelle in der Berliner Verwaltung nicht ausgefüllt gefühlt habe. Erst mit meiner erfolgreichen Promotion kam mir die Idee, an der Hochschule zu bleiben und mich zu habilitieren. Mit der Promotion war mein Spaß am wissenschaftlichen Arbeiten gewachsen, zumal sich mir die Möglichkeit eröffnete, die juristische Arbeitsweise mit sozialwissenschaftlichen Denkmethoden und Erkenntnisse zu verknüpfen. Nach anfänglicher, aber bald überwundener Scheu hatte ich zunehmende Freude am Unterrichten. Ich habe gerade diese Aufgabe bisher stets als produktiven Zwang erlebt, komplizierte und mitunter schwammige Gedanken und Ansichten klar denken zu müssen.

Mit dem bereitwilligen Beistand zweier Professoren und einem mit ihrer Hilfe erworbenen Habilitandenstipendium der Deutschen Forschungsgemeinschaft nahm ich auch die Hürde der Habilitation. Ich startete das Unternehmen als Ehefrau und Mutter zweier Kinder. Mein Mann — der mich aus den Referendarkursen als ehrgeiziges und umtriebiges Frauenzimmer kannte — war mit mir eines Sinnes. Zum gleichsinnigen Betrachten weiblicher Berufswünsche kam die vom ersten Tag unserer Ehe geübte partnerschaftliche Familienorganisation hinzu. Die Hausaufgaben haben wir nach Vorlieben unter uns verteilt. Nie haben wir unsere Familiendienste bisher kleinlich gegeneinander aufgerechnet. Und das zu meinem Vorteil! Die Pflege und Erziehung der Kinder waren stets eine gemeinsame Aufgabe. Vor der Ankunft des ersten Kindes haben wir beide einen Elternkursus — und nicht etwa habe ich allein einen Mütterkursus — in Säuglingspflege besucht. Im ersten Lebensjahr unserer Tochter haben wir mit den Großeltern Hand in Hand gearbeitet und uns später die Kinderpflege mit einem Kindermädchen geteilt. Als sich dann während der Habilitation unser drittes Kind ankündigte, wurde mir doch bange. Die Zuversicht meines Mannes, daß wir unsere Lebensweise auch zu fünft meistern würden, und der ungebrochene Glaube der Betreuer meiner Habilitation an mich haben mir nach wenigen Wochen aus dem Zustand der Verzagtheit herausgeholfen. Zudem sah sich die Deutsche Forschungsgemeinschaft spontan imstande, die Förderung des wissenschaftlichen Nachwuchses mit dem Mutterschutz zu verbinden, und verlängerte mein Stipendium um ein halbes Jahr.

Im Alter von 37 Jahren wurde ich zur Professorin ernannt, nicht wesentlich jünger oder gar älter als meine damals mit mir „aufstrebenden" ausschließlich männlichen Kollegen an dem Berliner rechtswissenschaftlichen Fachbereich. Meine Kollegen sind mir zumeist mit einem Gemisch von nachsichtiger Kameradschaftlichkeit, ironischem Respekt („Erst schreibt sie eine wissenschaftliche Arbeit, dann macht sie ein Werk mit Hand und Fuß") und unverhohlenen Zweifeln an den Qualitäten unseres Familienlebens begegnet. Denn mein Mann und ich haben nicht nur einen je eigenen Tätigkeitsbereich, sondern üben unsere Berufe an verschiedenen Orten aus, leben in beziehungsweise zwischen Berlin und Bonn.

Spätestens an dieser Stelle ahnt der Leser die Kosten der bisher so glatt nachgezeichneten Karriere und meint auch zu wissen, wer sie zu tragen hat. Mit dem mehr oder minder unverblümt ausgesprochenen Vorwurf, die Kinder zu vernachlässigen, und den eigenen Skrupeln müssen berufstätige Mütter – im allgemeinen nicht die dazugehörigen Väter – leben lernen und fertig werden. Wir Limbach'schen Eltern pflegen auf die uns stetig begegnenden Fragen „Wie machen Sie das bloß?", „Aber die Kinder?" nicht mehr mit Rechtfertigungen aufzuwarten, die auf eine ausgeglichene Bilanz von Vor- und Nachteilen hinauslaufen. Wir verhehlen uns nicht, daß wir den Kindern eine eigenwillige, wechselvolle Lebensweise und mehr Selbständigkeit als ihren Altersgenossen zumuten. Ein Mangel an Muße und ein weitgehender Verzicht auf außerhäusliche Geselligkeit sind zumindest in der Kleinkindphase unvermeidliche Opfer eines solchen Doppellebens.

Als Gewinn möchte ich die Ausgeglichenheit nennen, die das Wechselverhältnis beruflicher und privater Anforderungen in mir erzeugt. Ich meine, daß mich meine berufliche Tätigkeit im Umgang mit meinen Familienangehörigen großzügiger sein läßt. Ich gerate nicht in die Gefahr, über die Person meines Mannes oder meiner Kinder „stellvertretend" ehrgeizig sein zu wollen. Die Hausarbeit und der Umgang mit den Kindern zwingt mich zum Abschalten und läßt mich mit erfrischtem Gemüt die Gedankenarbeit wiederaufnehmen.

Meine Situation war und ist eigentlich eine zu privilegierte, als daß ich Mädchen und Frauen Ratschläge erteilen dürfte. Aber wenn ich rückblickend überdenke, was uns dieses Doppelleben erleichtert hat, so möchte ich vor allem die Tatsache nennen, daß wir mehr oder minder unbewußt nach dem Modell Karriere und späte Elternschaft gelebt haben. Wir waren Volljuristen, als wir geheiratet haben, und rund 30 Jahre alt, als das erste Kind kam. Von der Warte der Kinder scheint es mir wichtig zu sein, sich nicht mit einem zu begnügen, das sich so leicht irgendwo unterbringen läßt und dann auch noch den vertrauten Umgang mit Geschwistern entbehren muß.

Wenn ich mich abschließend frage, was ich wohl aus heutiger Sicht gern anders gemacht hätte, dann sind im wesentlichen zwei Dinge zu nennen: Ich hätte häufiger den Mut haben sollen, mich im Beruf einmal mit Familienpflichten zu entschuldigen und nicht so häufig übereifrig mir angetragene Ämter annehmen sollen, nur um mir keine Blöße als Frau zu geben. Und last not least: ich hätte den Mut zu einem vierten Kind haben sollen.

Juristinnen 7
machen Rechtspolitik

Die fünf Beiträge, die wir unter diesem Thema zusammengefaßt haben, zeugen von einem weiten Politikverständnis. Schon das Studium war für Frau Einsele und Frau Selbert ein Politikum; Frauen sollten nicht studieren, und wenn sie es dennoch wagten, so hatten sie mit Repressionen zu rechnen; Referendariat und Berufsaufnahme waren unter den Nazis ein persönliches Risiko − Frau Selbert erfuhr von Überwachungen bei ihren Plädoyers − für viele war es gar nicht möglich. So berichtet Frau Donnepp von einem „freiwilligen" Ausscheiden aus dem Referendariat; als Sozialdemokratin und verheiratete Frau bekam Frau Einsele 12 Jahre Berufsverbot.

Berufspolitisch machte Helga Einsele in der JVA-Preungesheim Politik. Zwar in einem Schonraum, wie sie sagt, aber dennoch wirksam. Ihre Erfahrungen als Frau versuchte. sie bei den im Strafvollzug ständig zu treffenden Ermessensentscheidungen wirksam werden zu lassen, im Sinne eines humanistisch-demokratischen Umgangs mit den inhaftierten Frauen. Trotz aller Anfechtungen, von denen sie berichtet, ist ihre Arbeit in Fachkreisen unangefochten, vorbildhaft und letztlich auch − nachdem sie ausgeschieden und nicht mehr institutionell wirksam ist − von ihren Gegnern anerkannt.

Elisabeth Selbert hat einmal durch ihre Tätigkeit in ihrer Anwalts- und Notariatskanzlei gezeigt, daß Frauen hier Überragendes leisten konnten, zum

anderen hat sie aber als eine der „vier Mütter des Grundgesetzes" historisch
Einmaliges für die Rechte der Frauen geleistet, indem sie im Parlamentarischen Rat entscheidend für die Verabschiedung des Artikel 3 Abs. 2 Grundgesetz, der Gleichberechtigung von Männern und Frauen, eingetreten ist. Als
sich hiergegen Widerstand formierte, mobilisierte sie die Frauenverbände, um
den notwendigen Druck auf die parlamentarischen Gremien auszuüben, mit
Erfolg, wie die Geschichte zeigt.

Die Rechtsanwältin und Notarin Adelheid Koritz-Dohrmann wählt einen
weiteren Weg, wirksame Rechtspolitik zu machen. Als Vorstandsmitglied des
Deutschen Juristinnenbundes gibt sie einen umfassenden Überblick über die
Aktivitäten und Verdienste dieser Vereinigung. Den Sinn dieses Zusammen-
schlusses sieht sie zum einen darin, daß die Bedeutung der Arbeit deutscher
Juristinnen aufgearbeitet und bewahrt werden muß, zumal gerade erst die
„erste Juristinnengeneration (antritt), die gleichberechtigt geboren ist"; zum
anderen tritt der Juristinnenbund für eine Fortentwicklung des Rechts auf
dem Gebiet der Frauenrechte im weitesten Sinne ein. Zahlreiche Beispiele
werden dazu angeführt.

Aus diesem Grunde weist die Autorin den Vorwurf, es handele sich um einen
berufsständischen bzw. elitären Verband, zurück. 1983 steht zu erwarten, daß
die Vereinigung eine Dokumentation über die Arbeit und Entwicklung des
Deutschen Juristinnenbundes herausbringen wird.

Politik im engeren Sinne macht Inge Donnepp als Justizministerin des Landes Nord-Rhein-Westfalen. Ihre Biographie zeigt, daß sie über Jahre hinweg
Berufstätigkeit – zunächst Anwältin, später Richterin – und Muttersein miteinander verband und das in einer Zeit, als die Angriffe gegen berufstätige
Frauen viel massiver waren als heute. Nach dem Krieg nahmen Frauen den
Kriegsteilnehmern angeblich die Arbeitsplätze weg, mußten sich rechtfertigen, daß sie trotz des Einkommens des Mannes zu arbeiten wagten und hatten
latent ein schlechtes Gewissen, Beruf und Kindern nicht voll gerecht zu werden. Solche Erlebnisse fließen natürlich auch in die „Handschrift" einer
Ministerin ein, zumal Frau Donnepp auch die Frauenbeauftragte in der Landesregierung ist. Dennoch fühlt sie sich – was bei ihrem jetzigen Minister-
ressort ja auch schwer vorstellbar wäre – keinesfalls auf Frauen- oder Sozial-
Probleme abgedrängt und weiß die Frage nach der „Alibi-Ministerin" souverän zu beantworten.

Herta Däubler-Gmelin, Bundestagsabgeordnete und Vorsitzende des Rechtsausschusses im Deutschen Bundestag, fast eine Generation jünger als die
Justizministerin, machte in der Zeit ihres ersten hochschulpolitischen Engagements durchaus die Erfahrung, als Alibi-Frau in der Politik willkommen
zu sein. Daß sie heute dieses Gefühl nicht mehr hat, mag vielleicht auch mit
den durch das Jurastudium ansozialisierten oder nur geförderten Eigenschaften wie Durchsetzungsvermögen, Entscheidungsfähigkeit und Argumenta-
tionskunst zu tun haben. So ist für sie das juristische Studium zwar nicht unmittelbar beruflich verwertbar, kommt ihr aber dennoch in der praktischen
politischen Arbeit zugute. Gleichzeitig erkennt sie, daß „gestalterische Politik" mehr verlangt, als ein ausgebildeter Jurist üblicherweise mitbringt.

Besonders erfreulich an dem letzten Beitrag ist es für uns Herausgeberinnen,
zu sehen, daß unser Beispiel Schule gemacht hat: Heide Pfarr, von uns einige
Monate zuvor interviewt (siehe das Kapitel „Frauen in der Rechtswissenschaft"), führte das Gespräch mit ihrer Studienkollegin Herta Däubler-Gmelin. Eigene Betroffenheit ist eben ein guter Erkenntnisanreiz!

Dr. Helga Einsele, geb. 1910, erstes juristisches Staatsexamen 1935, während der Nazi-Zeit aus dem Referendardienst ausgeschlossen, Promotion 1939; von 1939 bis 1945 Verwaltungsangestellte in einem wissenschaftlichen Institut in Österreich, von 1947 bis 1975 Leiterin der Justizvollzugsanstalt für Frauen in Frankfurt/Main; 1975 Verleihung einer Honorarprofessur an der Johann Wolfgang von Goethe-Universität in Frankfurt/Main.

(Examensfoto eines Fotolehrlings in der Jugendabteilung der JVA Preungesheim)

Als ich im Sommersemester 1929 mein juristisches Studium in Königsberg begann, gab es für die Studenten meiner Fakultät zwei Reizworte: ,,Völkerbund" und ,,Frauenstudium". Wenn eines von ihnen fiel, dann wurde von vielen der ,,Kommilitonen" mit den Füßen Mißfallen gescharrt (so äußerte man damals seine Überzeugungen).

Doch es blieb nicht bei den ,,Kommilitonen". Der Professor, bei dem ich die ,,Einführung in die Rechtswissenschaft" hörte – der Name sei hier verschwiegen – setzte den fröhlich reagierenden Studenten auseinander, wie schädlich doch das Studieren für die weibliche Schönheit sei: Falten auf den Stirnen, Sorgen (Streß hieß es damals noch nicht) um die Mundwinkel, wer das denn noch schön finden werde. In der Tat gab es nur wenige Jurastudentinnen damals, obwohl sich das Frauenstudium doch längst durchgesetzt hatte und Frauen seit 1922 zum Richteramt zugelassen waren (unter dem sozialdemokratischen Justizminister Gustav Radbruch).

In meinem kommenden Wintersemester in Breslau waren in der gesamten Fakultät meines Erinnerns nur 6 Jurastudentinnen.

In Heidelberg, das damals zu den ,,progressiven" Universitäten gehörte und das deshalb später von den Nazis als ,,rote Universität" besonders aufs Korn genommen wurde, war das anders. Dort unterbrach ich mein Studium für einen mehrjährigen Aufenthalt in den USA. Als ich es dann fortsetzte, hatte der Nationalsozialismus die Herrschaft in Deutschland auch in der Heidelberger Universität angetreten. Und so fiel auch ich mit den anderen weiblichen Rechtsstudenten unter die Verurteilung des nationalsozialistischen Jusitzminister Frank: ,,Die Juristin ist ein Witz." Dieser Verurteilung folgte der Kampf der damals in Heidelberg studierenden Juristinnen für Studium und Beruf. Aus der Formulierung der verschiedenen Eingaben an den Minister, seinen Staatssekretär und an die Reichsfrauenführerin entwickelte sich eine großartige Solidarität dieser Frauengruppe, die bis zum heutigen Tage angehalten hat. Zu ihr gehörte übrigens die spätere Richterin des Bundesverfassungsgerichtes Wiltrud von Brünneck (später Rupp-von Brünneck). Die Juristinnen konnten weiter studieren, Richter werden konnten sie dann nicht. Es gab natürlich auch zur damaligen Zeit Jurastudentinnen, die nicht sehr ernsthaft an ihrem Studium interessiert waren; sie schieden deshalb schon vor

(Frankfurter Handelszeitung)
Fernsprecher Amt Hansa 2800–2375

Frankfurter Zeitung

und Handelsblatt
Begründet von Leopold Sonnemann

(Neue Frankfurter Zeitung)
Postscheckkonto Frankfurt (Main) 6693

Hat die Frau auf den Hochschulen etwas zu suchen?

Einige Komplexe in Deutschland aufgerührt.

dessen Ende aus. Diejenigen, die übrig blieben, waren durchweg sachlich gut, machten gute Examina und hatten deshalb keine zu schlechte Position.

Ich selbst wurde aus zwei Gründen schon aus dem Vorbereitungsdienst entfernt: weil „Sie als verheiratete Frau für ihn ungeeignet sind, und Ihre politische Einstellung Ihre Zulassung in die Beamtenlaufbahn als nicht erwünscht erscheinen läßt" (Ich war Mitglied der sozialdemokratischen Partei und des sozialistischen Studentenbundes gewesen.). So war ich 12 Jahre lang nicht als Juristin tätig, berufstätig – in der Verwaltung – war ich aber doch.

Nach dem Kriege waren die oben erwähnten Frauen zum großen Teil – wenngleich nicht immer aus den selben individuellen Gründen wie ich – politisch unbelastet. Unter den Männern fehlte es an „Unbelasteten". So hatten wir relativ gute Chancen, in Laufbahnen mit juristischer Ausbildung zu kommen. Den Konkurrenzkampf, der heute auf die weiblichen Juristen trifft, hatte unsere Generation damals wohl nicht. Freilich, in ihrem angeblich „weiblich-emotionalen" Denken wurden auch sie (und vielleicht auch noch mehr als heute) diffamiert. Mein eigener Weg macht dies anschaulich:

Nach dem Kriege übte ich als Leiterin einer Frauenstrafanstalt einen Beruf aus, um den sich Männer nicht rissen. Und so geriet ich in keinen eigentlichen Konkurrenzkampf. Es gelang meinen Mitarbeiterinnen und mir, uns in einen gewissen Schonraum zurückzuziehen. Was die Frauen da so trieben, erschien unter den Gesichtspunkten „sub specie aeternitatis" des Strafvollzuges als nicht allzu relevant. Bezahlen mußten wir allerdings unsere Bemühungen um eine neue Art von Strafvollzug, in dessen Mittelpunkt schon vor der Einführung des gleich gerichteten Gesetzes von 1977 Resozialisierung in möglichster Freiheit stand, mit allerlei Anwürfen und Lächeln auf Seiten einer Reihe von Kollegen und der Vorstellung, was wir täten, sei immer ein wenig verdächtig.

So hieß es „Weiberladen", wenn bürokratische Regeln nicht im Vordergrund unserer Haltung standen. Der Vorwurf, wir beachteten die rechtlichen Regeln nicht, war leicht erhoben, aber im Grunde demagogisch. Wir haben die Regeln beachtet, nur versuchten wir, alle Ermessensspielräume im Interesse unseres Vollzugszieles und der Gefangenen voll auszuschöpfen. Und für diese Haltung wurden wir dann gelegentlich belächelt: „Die haben ja nur Sozialarbeit im Kopf, aber nicht die eigentlich vom Strafrecht verlangte und der Würde des Rechts eher entsprechende Strafe. Die Einsele ist ja eher eine Sozialarbeiterin als eine Juristin."

Das Strafvollzugsgesetz von 1977 hat dann unsere Ideen bis zu einem gewissen Grade bestätigt – bisher leider vor allem nur die Idee!

Und – auch das muß gesagt sein –, wenn die Platzhalterinnen aus Altersgründen ausschieden, dann wurden ihre Stellen sehr oft keineswegs wieder mit Frauen besetzt. Das schien auch bei mir so sein zu sollen. Meine bald wieder ausscheidende Nachfolgerin im Amt wurde durch einen Mann ersetzt, obwohl gerade an die Stelle der Leiterin einer Frauenvollzugsanstalt eine Frau gehört. Es war meines Erachtens dem intensiven Einsatz der Frauengruppen und der Frauenreferatsleiterin in Hessen zu verdanken, daß es dabei nicht blieb.

Zum Schluß möchte ich noch anfügen, daß ich persönlich nicht allzu viel über Berufsprobleme als Frau sagen kann. Es handelte sich immer mehr um Probleme der generellen Einstellung zu dem erwählten Beruf. Daß die Universität Frankfurt mir dann noch eine Honorarprofessur verlieh, war im Gegenteil ein ausgesprochen frauenfreundlicher Akt und hatte wohl gerade mit der genannten Grundeinstellung zu tun.

Frau Dr. Elisabeth Selbert —
eine der vier Mütter des Grundgesetzes

Das Gespräch, das Frau Rechtsanwältin Kristine Sudhölter im Oktober 1981 mit Frau Dr. Selbert in Kassel führte, nahm diese zum Anlaß, ihren folgenden Beitrag zu verfassen:

Mein Leben — das persönliche und auch das berufliche — ist geprägt durch die besondere deutsche Zeitgeschichte nach dem ersten Weltkrieg, während des Faschismus, während und nach dem zweiten Weltkrieg. Parallelen zu heute sind da eigentlich gar nicht möglich.

Vor einigen Tagen waren es 47 Jahre, daß ich in Kassel — mitten im Zentrum — meine Anwaltspraxis eröffnet habe. Im vergangenen Jahr, — daß ich schon 84 Jahre alt war, wagte ich kaum noch einem Mandanten zu sagen — habe ich mich endgültig dazu durchgerungen, als aktiver Partner aus meiner Sozietät auszusteigen, und auch dieser späte Abschied ist mir schwer gefallen. In meiner Arbeit als Anwältin und zuletzt vor allem auch als Notarin seit 1945, im Kontakt zu meinen Mandanten, habe ich meine Berufung gesehen.

Warum ich Jura studierte? Ich stand bereits seit 1919 in der Politik und merkte sehr bald, daß meine bisherige Ausbildung (mittlere Reife, Auslandskorrespondentin etc.) nicht ausreichte. Durch meinen Mann — wir heirateten 1920 — war ich zur SPD und in die Politik gekommen. Wir erkannten, daß gerade die juristische Ausbildung helfen würde, politisch effizienter wirken zu können. Außerdem war ich davon überzeugt, daß ich als Anwältin immer so viel verdienen konnte, meinen Mann und meine zwei Kinder ernähren zu können, falls eine Krisensituation einträte. Das hat sich dann auch ab 1935 bewahrheitet. Nachdem ich mit 30 Jahren das Abitur als Externe nachgeholt hatte, habe ich ab 1926 Jura studiert. Ich gehöre zur zweiten Generation der Juristinnen in Preußen. Erst nachdem 1922 Frauen zum Schöffenamt zugelassen waren, konnten sie auch Rechtswissenschaft studieren. Ich studierte zwei Semester in Marburg und dann fünf Semester in Göttingen. Dabei kamen auf 300 Studenten im „Audi Max" ganze 4 bis 6 Frauen. In Marburg, wo ich auch Gerichtsmedizin belegt hatte, ließ mich der alte Professor Hildebrandt gelegentlich durch Kommilitonen bitten, zur nächsten Vorlesung nicht zu kommen, weil er über Sexualdelikte sprechen wollte. Er hatte da wohl Schwierigkeiten vor seiner einzigen Studentin. Im Herbst 1929 machte ich das Referendarexamen, anschließend schrieb ich meine Dissertation zum Thema „Ehezerrüttung als Scheidungsgrund" und promovierte im Frühjahr 1930 an der Universität Göttingen bei Prof. Oertmann. Es folgte die Referendarzeit. Wie selten damals noch Juristinnen waren, wurde in meinem Fall an folgendem kleinen Beispiel in Form einer Sensationsmeldung deutlich: Der Kassler Tageszeitung war es ein Artikel mit großem Foto wert unter der Überschrift, „Kassel's erste Staatsanwältin", als ich vor dem Schwurgericht an der Seite des ersten Staatsanwaltes in einem Meineidsverfahren die Anklage vertrat und plädierte. Die ganze Ausbildung war mir nur möglich, weil ich in meinem Mann einen vorbildlichen Partner und gütige Eltern hatte, die mich in jeder Weise unterstützten. Das hat große Opfer gekostet und brachte wirtschaftliche Schwierigkeiten (Studiengebühren, Fahrtkosten etc.), man bedenke auch, daß ich eine Frau mit zwei kleinen Kindern war. Mein Mann und ich waren natürlich beide politisch weiterhin aktiv. So kandidierte ich noch 1933 für die SPD auf der Landesliste des Reichstages und beteiligte mich aktiv an den Kommunalwahlen. Zu dieser Zeit war uns allerdings schon klar, was politisch geschehen würde und dann ja auch geschah, wir hatten ja Hitlers „Mein Kampf" gelesen. Mein Mann wurde im Sommer 1933 in Schutzhaft genommen, nachdem er als „Staatsfeind" aus dem Beamtenverhältnis entlassen war. Bis 1945 war er arbeitslos. Nach 1934 drängte er, nachdem ich mein Assessorexamen am preußischen Prüfungsamt in Berlin sogar mit Prädikat bestanden hatte, so schnell wie möglich die Zulassung als Anwältin in Kassel zu beantragen, es könne sonst zu spät sein. Wie richtig war dieser Schritt. Das Verbot der Frauen zur Anwaltsschaft war absehbar!

Richterinnen waren nach der Machtergreifung der Nationalsozialisten sofort aus dem Amt entlassen worden, hatten aber noch Zulassungen zur Anwaltschaft erhalten. Zum 15.12.1934 wurde ich als Anwältin zugelassen, und zwar gegen das Votum der Rechtsanwaltskammer und gegen die Entscheidung des Gauleiters und des NS-Juristenbundes. Hitler hatte damals die Justiz noch nicht „erobert". Zwei ältere Senatspräsidenten, die meinen Werdegang als Tochter eines alt gedienten, mit hohen Ehren verabschiedeten Justizbeamten kannten, hatten in Vertretung des OLG-Präsidenten meine Zulassung ausgesprochen. Sie hätte mir nur im Wege des Ehrengerichtsverfahrens aberkannt werden können. Dies war nach geltendem Recht nicht möglich. Freisler, früherer Kasseler Anwalt, hatte zwar gedroht, mich zu relegieren, doch er hatte dann sein Interesse an Kassel verloren. Vielleicht waltete auch der Segen meines Vaters über mir. Ab 15. Januar 1935 galt das Verbot der Neuzulassung für Frauen zur Anwaltschaft. Ich hatte damals von einem jüdischen Kollegen auf seine Bitte hin, seine Bibliothek und einige Einrichtungsgegenstände übernommen, weil dieser Kollege Geldmittel zur Flucht brauchte. Es war abzusehen, was mit den Juden geschehen würde. Das alles war nur möglich mit der Aufnahme eines größeren Darlehens. So stand ich dann 1934 in

meiner eigenen Praxis: Erstmal völlig verschuldet mit Schuldgeld –, Miet-
und Darlehensschulden. Ich habe dann gearbeitet und nochmals gearbeitet.
Als dann der zweite Weltkrieg begann, mußte ich zeitweise 3 Praxen führen,
weil 1939 viele Kollegen zum Kriegsdienst eingezogen worden waren. Während des Faschismus hatte ich wie alle anderen Anwälte unter besonderen
Schikanen der NSDAP zu leiden. Aufgrund meiner bekannten Vergangenheit war ich als Verteidigerin in Hochverratsprozessen ausgeschlossen und
mußte auch bei gewöhnlichen Strafverteidigungen vorsichtig sein. Mehrere
Male wurde ich zum Landgerichtspräsidenten zitiert, z.B. weil ich den „Deutschen Gruß" angeblich verweigere und wegen meiner Plädoyers, die, wie mir
der Präsident erklärte, von der Gestapo überwacht wurden. Es kam dann der
Krieg mit seiner ganzen Grausamkeit. Im Oktober 1943 wurde die Kasseler
Innenstadt durch schwere Bombenangriffe – darunter das Justizgebäude –
zerstört und mit ihr auch zwei Drittel aller Anwaltspraxen. Die Ausübung
der Praxis in jener Zeit zu schildern, ist mir an dieser Stelle nicht möglich.
Über die Anwaltskammer erhielt ich an der Peripherie der Stadt Behelfs-
räume; Anwälte und Gerichte versuchten mühselig, die Rechtspflege aufrecht
zu erhalten. Es ist richtig, daß ich dann eine der vier Frauen im Parlamentarischen Rat, der das Grundgesetz erarbeitete, war. Deswegen werde ich auch
als eine der Mütter des Grundgesetzes genannt. Dem persönlichen Einsatz und
Kampf vieler Frauen und Frauenverbände, mit denen ich zusammenarbeitete,
ist es zu verdanken, daß die Gleichberechtigung der Frauen als bindendes und
zwingendes Recht in der Verfassung verankert wurde. Dabei waren die vier
Mütter des Grundgesetzes keineswegs gleicher Ansicht. Für mich war es selbstverständlich, daß die Gleichberechtigung der Frauen rechtlich abgesichert
werden mußte. Gerade auch nachdem die praktische Gleichwertigkeit der
Frauen im Berufsleben durch die Einbeziehung der Frauen in die Kriegspro-
duktion während des Krieges und durch den Wiederaufbau ganz deutlich
geworden war. Die Gleichstellung der Frau auf allen Gebieten des Rechts war
längst überfällig: In der Verfassung und ihr folgend im Ehe und Familienrecht. Gleichberechtigung im Arbeitsleben und der Grundsatz ‚gleicher Lohn
für gleiche Arbeit' sollte künftig verwirklicht werden, denn ich wollte•die
Gleichstellung als imperativen Auftrag an den Gesetzgeber, im Gegensatz zur
Weimarer Verfassung verstanden wissen. Ich hatte nicht geglaubt, daß 1948/
1949 noch über die Gleichberechtigung überhaupt diskutiert werden müßte
und ganz erheblicher Widerstand zu überwinden war! Aber ich habe es dann
doch mit Hilfe der Proteste aller Frauenverbände geschafft. Es war ein harter
Kampf, wie die Protokolle des Parlamentarischen Rat beweisen. 1957 und
1977 brachten das neue Familien- und Ehescheidungsrecht die Gleichberechtigung in diesem Bereich.
Meine politischen Ämter habe ich alle 1958 niedergelegt und mich dann
wieder ganz meiner Anwalts- und Notarpraxis gewidmet. Grund: Die gesetz-
geberische Kompetenz des Landes, ich war hessische Abgeordnete, war im
wesentlichen auf den Bundestag übergegangen. Ich sah meine große Aufgabe
als erfüllt an. Lediglich das hessische Einweisungsgesetz (Durchführungsgesetz
zu Art. 104 GG) trägt noch meine Schrift. Hinzu kam, daß mein Mann meine
Fürsorge brauchte, nachdem er 1957 kränkelnd in den Ruhestand ging.
Ob mich die Juristerei persönlich geprägt hat? Ich denke ja. Ich fühlte mich
als Anwältin aus Berufung. Natürlich muß man sein Metier beherrschen: Logisch denken, abstrahieren, subsumieren. Aber man kann seine Eigenart und
vor allem seine Eigenständigkeit bewahren. Man sagt mir nach, daß ich mir
auch bis zuletzt eine gewisse Wärme erhalten habe.

Daß politische und juristische Fortschritte zäh errungen werden müssen, und man vor Rückschlägen nicht gefeit ist, mußte ich in meiner eigenen Familie erleben. Mein Enkel, der Jura studiert hatte, und den ich in meine Sozietät aufnehmen wollte, ist aufgrund des Extremistenerlasses und der darauf ergangenen Gerichtsentscheidungen in Hessen nicht ins Referendariat übernommen worden. Erst mit langer Verzögerung konnte er in Berlin anfangen. Über die hessische Entscheidung war ich als Sozialdemokratin, die die politischen Organe des Landes Hessen mit aufgebaut hatte, u.a. auch an der hessischen Verfassung mitgewirkt hatte, sehr betroffen. Ich hätte niemals geglaubt, daß es angesichts des Grundgesetzes zu dieser jetzigen Entwicklung im Zusammenhang mit dem Extremistenbeschluß hätte kommen können. Ich halte den Erlaß und seine Handhabung für einen schweren Verstoß gegen die freiheitlichen Grundrechte des Grundgesetzes.

Was ich heute jungen Kolleginnen raten würde? Sie sollten sich so schnell wie möglich eine eigene wirtschaftliche Existenz aufbauen. Wenn wirtschaftlich nicht anders möglich, dann in Sozietät mit Kolleginnen und weitgehendst unter Spezialisierung. Ich denke dabei insbesondere an das Arbeits- und Sozialrecht. Hier ist noch ein weites Feld, um rechtlich im Sinne der Gleichberechtigung zu Gunsten der Frauen, die gerade in Zeiten der wirtschaftlichen Rezession ja immer besonders benachteiligt werden, zu wirken. Und die mangelnde Heranziehung von Frauen zu öffentlichen Ämtern und ihre geringe Beteiligung in den Parlamenten ist doch schlicht Verfassungsbruch in Permanenz.

Abschließend: Ich hatte ein erfülltes und interessantes Berufsleben. Aber Vorbild kann es nicht sein.

,,Die vier Mütter des Grundgesetzes" von links nach rechts:
Helene Wessel (Zentrumspartei, später SPD), Dr. Helene Weber (CDU), Frieda
Nadig (SPD), Dr. Elisabeth Selbert. (Foto: Hehmke-Winterer)

*Adelheid Koritz-Dohrmann, Rechtsanwältin und Notarin in Berlin, Jahrgang
1935. Bundesvorstandsmitglied des Deutschen Juristinnenbundes seit 1979
Zur gesellschaftspolitischen Biographie: Mitglied der SPD seit 1960 mit
Funktionen auf Kreis-, Landes- und Bundesebene. Bundesvorstandsmitglied
der Arbeitsgemeinschaft Sozialdemokratischer Frauen von 1973 bis 1976.
Mitglied verschiedener rechts- und gesellschaftspolitischer Kommissionen
beim Parteivorstand der SPD und der Bundesregierung, u.a. Mitglied der Kommission zur Kontrolle der Reform des § 218 StGB.
Von 1969 bis 1976 nebenberuflich Leiterin der Rechtsberatungsstelle für
Minderbemittelte beim Bezirksamt Spandau von Berlin.
Erste Vorsitzende der Gedok in Berlin (Gemeinschaft der deutschen und
österreichischen Künstlerinnen und Kunstfreunde) von 1978 bis 1981. Für
die Gedok Mitglied des Landesfrauenrates Berlin e.V.
Mitglied des Berliner Ehrengerichts der Rechtsanwaltschaft Berlin, verheiratet,
eine Tochter.*

Deutscher Juristinnenbund
(Vereinigung der Juristinnen, Volkswirtinnen und Betriebswirtinnen e.V.)

Was macht der Deutsche Juristinnenbund? Was hat er für ein Instrumentarium? Ist eine Juristinnenvereinigung mehr als 30 Jahre nach Inkrafttreten
von Art. 3 des Grundgesetzes noch von genügend gesellschaftlicher Relevanz,
um den Energieeinsatz einer Mitgliedschaft zu rechtfertigen? Oder ist es eine
der Nebenbühnen in der von männlichen Machtstrukturen gezeichneten Gesellschaft für spezifische gesellschaftspolitische Leichtlohngruppenarbeit von
Juristinnen? Das fragen Kolleginnen uns, und das fragte ich mich, als ich
schon Jahre im Beruf war, ohne über Sympathiekontrolle mit der Juristinnenvereinigung hinausgekommen zu sein.
Meine Berliner Kollegin Rechtsanwältin und Notarin Kramer-Schulz, die
selbst 1953 dem Juristinnenbund beigetreten ist und bis zu ihrem Tode im
Jahre 1979 seine Arbeit in verschiedenen Funktionen und durch die Wahrnehmung internationaler Kontakte aktiv mitgetragen hat, veranlaßte dann
1976 auf dem Deutschen Juristentag in Stuttgart meinen Beitritt, indem sie
mir erklärte, ich sei jetzt 'dran, den Staffelstab zu übernehmen'. Ich hatte
seit meiner Zulassung zur Rechtsanwaltschaft im Jahre 1964 das Zusam-
mengehörigkeitsgefühl der Berufskolleginnen dankbar empfunden, nachdem
mir auf der Universität und in der Referendarzeit ausnahmslos männliche
Lehrer und Ausbilder begegnet waren. Das mir im Kontakt vor Gericht von
den Richter- und Anwaltskolleginnen entgegengebrachte Interesse hat mich
ihnen in ganz selbstverständlicher Loyalität zuwachsen lassen. Aber die Prio-
rität für gesellschaftspolitische Aktivitäten sah ich für mich in unmittelbar
politischem Engagement an der demokratischen Front. Eine Juristinnenvereinigung empfand ich in meiner historischen Unerfahrenheit lange als zu
elitär. Aus der Aufarbeitung des fehlenden Wissens um die Bedeutung der
Arbeit deutscher Juristinnen in diesem Jahrhundert für die emanzipations-
geschichtliche Entwicklung der Gesellschaft wird sich die Frage einer Mitgliedschaft für jede fragende Kollegin beantworten. Die Stellung der Frau
hat sich durch die soziale Revolution in wenigen Jahrzehnten so unerhört
verändert, daß der gleichberechtigte Anspruch selbstverständliches Lebens-

gefühl geworden ist. Das soziale Wissen um die historische Entwicklung und um die mit Vorurteilen gegen Frauen insbesondere im Arbeitsleben belastete Realität[1], tritt weit dahinter zurück. Dabei tritt gerade erst die erste Juristinnengeneration an, die gleich berechtigt geboren ist.

Der Deutsche Juristinnenbund e.V. dient nach § 1 seiner geltenden Satzung dem Zweck, zur Fortentwicklung des nationalen, supranationalen und internationalen Rechts beizutragen, weltweit die Lage der Frau in Familie, Beruf und Gesellschaft zu verbessern und ihr eine angemessene Partizipation in den verschiedenen Bereichen des beruflichen, politischen und geschichtlichen Lebens zu sichern. Diese Ziele werden insbesondere durch wissenschaftliche Tagungen auf nationaler, supranationaler und internationaler Ebene, Initiative und Stellungnahme zur Gesetzgebung gefördert. Der Juristinnenbund arbeitet hierbei zusammen mit den auf verschiedenen Gebieten des Rechtslebens national, supranational und international tätigen Juristinnen und Vereinigungen.

Der Deutsche Juristinnenbund hat im Jahre 1979 unter dem Vorsitz der Richterin am Hanseatischen Oberlandesgericht Hamburg Lore Maria Peschel-Gutzeit sein 30jähriges Bestehen gefeiert[2]. Am 28. August 1948 gründeten in Dortmund die Rechtsanwältin Hildegard Gethmann, die Assessorin Luise Purps, die Rechtsanwältin Dr. Ruth Rogalski-Rohwedder, die Regierungsrätin Dr. Anna Schlieper, die Anwaltsassessorin Alma Schmidt-Perchner, die Anwaltsassessorin Annette Schücking und die Rechtsanwältin Elisabeth Späth-Uhden mit der Vereinigung weiblicher Juristen und Volkswirte e.V. mit Sitz in Dortmund die deutsche Juristinnenvereinigung neu, die 1933 mit der ideologischen Entrechtung der Frauen in Deutschland ihre rechtliche Existenz verloren hatte und aufgelöst worden war. Die Geschichte des Deutschen Juristinnenbundes hat bisher drei Abschnitte:

1. Der Gründungsakt im Jahre 1918 in Berlin ist nicht mehr verifizierbar, weil die Registerakten im Krieg untergegangen sind. Im Jahrbuch des Bundes Deutscher Frauenvereine erscheint 1918 der Name Deutscher Juristinnenverein e.V. Der Sitz war in Berlin. Die erste Vorsitzende war Dr. jur. Margarete Meseritz. Die Vorsitzende Richterin am LG Hamburg i.R. Alice Prausnitz hat für die Vorbereitung einer lange vom Deutschen Juristinnenbund beabsichtigten Dokumentation seiner Geschichte alle erreichbaren Urkunden und Erwähnungen dargestellt[3].

Die Vereinsgründung war ein Zusammenschluß von Frauen, die zwar Rechtswissenschaft hatten studieren können, denen aber wegen ihres Geschlechts der Zugang zu den Ämtern der Rechtspflege verschlossen war. Als 1918 die Reichsverfassung[4] in Kraft trat, war der Zugang zu juristischen Berufen für Frauen zwar politisch vorbereitet, aber noch längst nicht erzwungen. Am 12. Januar 1920 beantragten die Frauen in einer Eingabe an die Deutsche Nationalversammlung, durch entsprechende Gesetzesänderung den Vorbereitungsdienst bei der Justiz Frauen im gleichen Umfang wie Männern zu eröffnen[5]. Die weiblichen Abgeordneten aller Parteien stellten den gleichen Antrag in der preußischen Landesversammlung am 21. Februar 1920. Am 28. Juli 1920 fragten die Abgeordneten Marie Juchacz und Dr. Radbruch die Reichsregierung, wann sie gedenke, eine Vorlage einzubringe, die das Gerichtsverfassungsgesetz und die Rechtsanwaltsordnung dem Art. 109 der Reichsverfassung anpasse. Die gesellschaftlichen Vorurteile waren noch einmal eine schwere Barriere. Frau Prausnitz dokumentiert, daß am 6. Dezember 1920 die Politische Arbeitsgemeinschaft der Frauen von Groß-Berlin einen Diskussionsabend veranstaltete, an dem die Vorsitzende des Deutschen Juristinnenvereins e.V. Dr. Margarete Berent einen Vortrag „Die Frau als Richter" hielt. Am 2. Dezember 1920 forderten 31 sozialdemokratische Abgeordnetinnen, unter ihnen von den Mitgliedern des Juristinnenvereins der ersten Stunde, Dr. Maria-Elisabeth Lüders, den Reichstag in einem Antrag auf, schleunigst einen Gesetzentwurf vorzulegen, durch den Frauen zu den juristischen Prüfungen und zum Vorbereitungsdienst unter den gleichen Voraussetzungen wie Männer zuzulassen seien, und in der folgenden großen Debatte im Reichstag am 25. und 26. Januar 1921 trug Maria-Elisabeth Lüders die Reformforderungen der Frauen an das Justizministerium vor: das Staatsangehörigkeitsrecht, die Gleichberechtigung im Beamtenrecht, die Reform des Familienrechts, des ehelichen Güterrechts und des Rechts des unehelichen Kindes.

Fast 50 Jahre später ist die Gleichstellung des nichtehelichen Kindes in Deutschland Gesetz geworden.[6] Die Durchsetzung der Juristinnen ging etwas schneller. Am 18. Dezember 1922 wurde als erste Rechtsanwältin in Deutschland Dr. Maria Otto in München zugelassen. Die erste Richterin in Deutschland wurde Dr. Marie Munk in Preußen 1924. 1926 stellte der Deutsche Juristinnenverein in seiner Mitgliederversammlung fest, daß in einigen Oberlandesgerichtsbezirken Frauen kommissarisch im Richterdienst tätig seien, in Sachsen eine Frau als Richterin aufgrund eines dort zugelassenen Privatdienstvertrages arbeite, im Preußischen Justizministerium eine Frau als Hilfsarbeiterin beschäftigt werde, im Berliner Polizeipräsidium eine Juristin als Referentin für Kinder und Jugendliche in der Theater-Abteilung beschäftigt sei und daß in Berlin 120 Referendarinnen den Vorbereitungsdienst leisteten[7].

In den folgenden Jahren kamen die Juristinnen durch Leistung zu Geltung und Ansehen. Der 1. Senat des Bundesverfassungsgerichts, der mit seiner Entscheidung vom 29. Juli 1959 alle Theorien über „das natürliche Entscheidungsrecht des Mannes in Ehe und Familie" ausgeräumt hat, als er aus dem umfassenden Gleichberechtigungsgebot der Verfassung im Bereich der elterlichen Gewalt die volle Gleichordnung von Vater und Mutter herleitete, zitiert in seiner Entscheidung Gutachten, Referate und Verhandlungen des 36. Deutschen Juristentages im Jahre 1931, auf dem die Rechtsanwältin Dr. Emmy Rebstein-Metzger ein Gutachten über „die Gleichberechtigung der Geschlechter" erstattete und Dr. Marianne Weber, die Landgerichtsrätin Dr. Marie Munk, MdR Dr. Lüders, MdR Pfülf, die Rechtsanwältin Dr. Berent und Frau Dr. Jellinek emanzipatorische Rechtsreformkonzeptionen vorgetragen haben. Die Liste der Rednerinnen liest sich wie das Mitgliederverzeichnis des Juristinnenbundes. Das Bundesverfassungsgericht zitiert[8] die von den Juristinnen artikulierten Ansprüche der Frauen als „jahrzehntelange Bestrebungen von Frauenverbänden" neben den Müttern des Grundgesetzes, den Mitgliedern des Parlamentarischen Rates MdB Dr. Helene Weber[9], MdB Frieda Nadig[10], MdB Helene Wessel und Rechtsanwältin und Notarin Dr. Elisabeth Selbert, die Mitglied des Deutschen Juristinnenbundes bis zum heutigen Tage ist.

2. Eine Dokumentation über die Verfolgung jüdischer und sich antifaschistisch bekennender Kolleginnen und die Diskriminierungen aller Juristinnen in der Zeit von 1933 bis 1945 hat die Bundesrichterin beim Bundesarbeitsgericht i.R. Dr. Anne-Gudrun Meier-Scherling zusammengestellt[11] und auf der Jahrestagung des Deutschen Juristinnenbundes 1973 vorgetragen. Frauen wurden auf Führererlaß weder als Richterinnen noch als Anwältinnen zuge-

lassen und in der Verwaltung in Positionen im mittleren Justizdienst zurückgedrängt. Für diejenigen, die Zeuge der Menschenverachtung und Menschenvernichtung dieser Zeit waren, sind die eigenen Verletzungen der Menschenwürde zurückgetreten hinter Not, Verfolgung und Qual zu vieler anderer, so daß die eigene Lebensgeschichte nicht beispielhaft genug erscheint. Aber wir brauchen das Zeugnis der Betroffenen der beruflichen Diskriminierung für unsere Geschichte, und müssen an die Kolleginnen appellieren, ihre persönlichen Dokumentationen in unser Wissen einzubringen.

3. Nach 1945 haben zwei Generationen Juristinnen in wenigen Jahrzehnten auf dem Weg der Selbstbestimmung die entscheidendsten emanzipatorischen Durchbrüche in der Geschichte des Rechts erlebt. Alle Vorsitzenden des Deutschen Juristinnenbundes seit 1948 haben ein wichtiges Stück der Emanzipationsgeschichte mitgeschrieben.

Erste Vorsitzende waren seit Gründung des Vereins:

1948 bis
1958 Rechtsanwältin und Notarin Hildegard Gethmann, Dortmund;
1960 Rechtsanwältin Dr. Agnes Nath-Schreiber, München;
1962 Notarin Justizrätin Dr. Renate Lenz-Fuchs, Diez/Lahn;
1965 Rechtsanwältin Dr. Charlotte Graf, Berlin;
1976 Regierungsdirektorin Dr. Hertha Engelbrecht, Bonn;
1970 Notarin Justizrätin Dr. Renate Lenz-Fuchs, Diez/Lahn;
1973 Ministerialrätin Helga-Christa Partikel, Düsseldorf;
1977 Notarin Justizrätin Dr. Renate Lenz-Fuchs, Diez/Lahn;
1977 Richterin am Oberlandesgericht Lore Maria Peschel-Gutzeit, Hamburg;
seit
1981 Vorsitzende Richterin am Landessozialgericht Dr. Annelies Kohleis.

Jeder Name steht für ein Stück deutscher Rechtsreformgeschichte, um die auf den Arbeitstagungen des Deutschen Juristinnenbundes und den Foren des Deutschen Juristentages, der traditionell den Fraueninteressen breiten Raum eingeräumt hat und einräumt und qualifizierte Kolleginnen gefördert hat, gerungen worden ist.[12]

Der Deutsche Juristinnenbund hat in Kommissionen zum Familienrecht, Familienlastenausgleich, Steuerrecht, Jugendhilferecht, Rentenrecht, Unterhaltsrecht, Beamtenrecht Voten, Entwürfe, Alternativentwürfe[13] und Konzepte zu allen großen rechtspolitischen Themen der letzten 30 Jahre und der Zukunft erarbeitet. Er hat kein anderes Instrumentarium als seinen Vorstand und die engagierte, selbstlose, disziplinierte Arbeit seiner Mitglieder, deren Freundschaften und Verbindungen. Er ist unabhängig von Förderungsmitteln. Seine Sacharbeit trägt er mit seinem Mitgliederaufkommen (Jahresbeitrag DM 100,— je Mitglied) und privaten Spenden, die meisten auch aus den Reihen der Mitglieder stammen. Seine Mitglieder arbeiten in den Fachausschüssen des Deutschen Frauenrats, nehmen Vorstandsfunktionen in allen frauenpolitischen Organisationen wahr und tragen traditionell die juristische Arbeit in den deutschen Frauengruppen.

Das Bundesverfassungsgericht hat als ersten und zunächst einzigen Frauenverband an seinen Hearings in dem Streit über die Verfassungsmäßigkeit des neuen Ehescheidungsrechts, des Versorgungsausgleichs und des Unterhaltsrechts den Deutschen Juristinnenbund beteiligt. Später ist noch der Deutsche Frauenrat und der Verband alleinstehender Mütter und Väter hinzugeladen

worden. Wie die damalige 1. Vorsitzende und jetzige Past-President des Deutschen Juristinnenbundes Peschel-Gutzeit im Mitgliederrundschreiben im März 1980[14] feststellt, ist es nicht zufällig, daß sich diese großen Verbände von Mitgliedern des Deutschen Juristinnenbundes repräsentieren lassen.
So hat Frau Dr. Annelies Kohleiss, die damalige stellvertretende und jetzige 1. Vorsitzende des Deutschen Juristinnenbundes in dem Streit um die Verfassungsmäßigkeit des neuen Scheidungsrechts für den Deutschen Frauenrat plädiert, die 1. Vorsitzende Lore-Maria Peschel-Gutzeit den Juristinnenbund vertreten, während der Verband alleinstehender Mütter und Väter e.V. mir, einem weiteren Vorstandsmitglied des Deutschen Juristinnenbundes, seine Vertretung übertragen hatte. Alle Mitglieder stellen ihren Sachverstand und ihr Können in Tagungen, Seminaren, Konferenzen und Presseveranstaltungen den Fraueninteressen zur Verfügung, die es zu vertreten gilt. Der Deutsche Juristinnenbund pflegt international die Interessen der Frauen durch seine Kontakte mit den ausländischen Juristinnenorganisationen, denen er wie der International Federation of Women Lawyers (FIDA)[15] auch durch Mitgliedschaft verbunden ist. Mit der Federation internationale des femmes magistrats et avocats, die vor allem europäische, asiatische und afrikanische Gruppen umfaßt, werden Sachkontakte ausgetauscht.
Als Beispiel für aktuelle Sacharbeit mag die Thematik der letzten ordentlichen Mitgliederversammlung und Arbeitstagung in Stuttgart im September 1981 dienen, die als Themen Nichteheliche Lebensgemeinschaften, Ehegattensplitting und Lastenausgleich, Jugendhilferecht und Jugendpflegegesetz und eine Bestandsaufnahme über den Gleichberechtigungsstand in Deutschland und Europa zum Gegenstand hatte[16].
Die formale Gleichberechtigung der Frauen ist weitgehend durchgesetzt. Die soziale Emanzipation[17], die Gleichbehandlung von Frauen bei beruflichen Entwicklungs- und Aufstiegschancen und ihre Beteiligung an politischer und sozialer Macht befindet sich — was ich sehr persönlich anmerken darf — in einem Stadium von Rückschrittlichkeit, das die Grenzen der Verfassungswidrigkeit streift. Es genügt nicht, daß Frauen nicht durch Differenzierung diskriminiert werden, obwohl wir noch weit davon entfernt sind, wenigstens dafür gesellschaftlichen und sozialen Konsens zu haben. Die Grundrechtsgewährleistung aus Art. 3 Abs. 2 GG verpflichtet vielmehr die Träger öffentlicher und sozialer Gewalt, eine angemessene Beteiligung der Frauen an gesellschaftlicher und politischer Macht sicherzustellen.
Nun ist der Deutsche Juristinnenbund nach seinem Selbstverständnis nie eine Lobby zur Durchsetzung von Juristinnen gewesen. Die Frauen, die als Ministerinnen, hohe Richterinnen, politische Funktionsträgerinnen und Inhaberinnen sozialer Macht Rang und Einfluß gewonnen haben, haben sich ihrerseits mit den Interessen des Deutschen Juristinnenbundes solidarisiert, ohne eigenen Vorteil, eher belastet mit dem Vorurteil, „hat die das eigentlich nötig?". Ob diese noble Orientierung ausschließlich an Qualifikation und selbstlosem Einsatz für Fraueninteressen die richtige gesellschaftspolitische Perspektive ist, müssen künftige Vorstände des Deutschen Juristinnenbundes und seine Mitglieder überdenken.

---

1 Vgl. Ministerialrätin Irene Maier: Gleiche Rechte — gleiche Chancen. Konsequenzen aus Art. 3 Grundgesetz in Probleme der Frauen — Probleme der Gesellschaft in Leverkusener Protokolle des DGB, S. 123 ff.
Vgl. Adelheid Koritz-Dohrmann „Die prägende Kraft von Vorurteilen im Recht", a.a.O., S. 113 ff.

2 Mit einer Arbeitstagung in Bonn.
Mit einem Festvortrag der Staatssekretärin im Bundesministerium für Arbeit und Sozialordnung Anke Fuchs „Gleichstellung von Frauen und Männern in der sozialen Alterssicherung".
Zwei Hauptthemen der Arbeitstagung:
„Neuordnung des Familienlastenausgleichs" und „Eigenständige soziale Sicherung der Frau und der Hinterbliebenen".
3 Vergl. Alice Prausnitz, Dokumentation Juristinnen in ihrer Zeit, Fotodruck 1980 im Rahmen der Rundschreiben des Deutschen Juristinnenbundes.
4 Art. 109 II RV: Männer und Frauen haben dieselben staatsbürgerlichen Rechte und Pflichten; Art. 128 I, II: Alle Staatsbürger ohne Unterschied sind nach Maßgabe der Gesetze und entsprechend ihrer Befähigung und ihren Leistungen zu den öffentlichen Ämtern zuzulassen. Alle Ausnahmebestimmungen gegen weibliche Beamte werden beseitigt.
5 Vergl. die Kollegin Prausnitz, a.a.O.
6 Vgl. dazu Verhandlungen des 44. Deutschen Juristentages (1962) und die von der Bundesverfassungsrichterin Dr. Wiltraut von Brüneck (Rupp-von Brüneck) erarbeiteten Empfehlungen zum Recht des unehelichen Kindes und die Diskussionen in NJW 1962, 401 1854.
7 Vgl. Prausnitz a.a.O.
mit Zitat Jahrbuch des Bundes Deutscher Frauenvereine 1927, S. 31.
8 Entscheidung des 1. Senats des BundesVerfG vom 29.7.1959 in FamRZ 1959, 416 (418) mit dort verwendeten Zitaten: die Denkschrift „Die Frau im neuen bürgerlichen Gesetzbuch" (1897) von Sera Proels und Marie Raschke; Marianne Weber „Ehefrau und Mutter in der Rechtsentwicklung" 1907; die Denkschrift des Bundes Deutscher Frauenvereine, verfaßt von Dr. Marie Munk, Vorschläge zur Umgestaltung des Rechts der Ehescheidung und der elterlichen Gewalt, 1923.
9 Vgl. Dr. Helene Weber, Rede vor dem Bundestag am 12.2.1954 „Änderung des Familienrechts", Frauen sprechen im Bundestag, Bonner Texte, herausgegeben von Liselotte Funcke, S. 60 ff.
10 Vgl. Frieda Nadig, Rede vor dem Bundestag am 27.11.1952 „Gleichberechtigung von Mann und Frau" in „Frau Abgeordnete, Sie haben das Wort"., herausgegeben von Herbert Wehner (1980), S. 30 f.
11 Richterzeitung 1975, 10 f.
12 Vgl. dazu die Verhandlungen der Deutschen Juristentage aus denen nur sehr beispielhaft verwiesen wird auf:
1948 wurde Dr. Marie-Elisabeth Lüders als erste Frau in den Hauptdeputationsausschuß gewählt. 37. DJT;
Die Empfehlungen des 38. DJT 1950 zur Verwirklichung der Gleichberechtigung von Mann und Frau zur Verwirklichung des Grundgesetzes, die unter großer Beteiligung der deutschen Juristinnen zustande gekommen sind, sind Rechtsgeschichte geworden.
Die damalige Verwaltungsgerichtsrätin, später Bundesverfassungsrichterin Dr. Erna Scheffler referierte zu Staatsangehörigkeit gegen den Verlust der deutschen Staatsangehörigkeit bei Frauen, die Ausländer heiraten. 1968 auf dem 47. DJT leitete die Justizrätin Dr. Renate Lenz-Fuchs, die bereits zum Mitglied der ständige Deputation gewählt war, die Arbeitstagung zur eigenständigen Sicherung der nicht berufstätigen Frau.
In Mainz 1970 (48. DJT) wurden zum Thema: „Empfiehlt es sich, Gründe und Folgen der Ehescheidung neu zu regeln?" leidenschaftliche Diskussionen geführt und Beschlüsse verabschiedet. Für den Deutschen Juristinnenbund waren beteiligt die Gutachter Dr. Hedwig Maier-Reimer, die Bundesverfassungsrichterin Dr. Rupp-von Brüneck, die Oberlandesgerichtsrätin Dr. Anneliese Cuny, die Bundestagsabgeordnete Dr. Emmi Diemer-Nicolas, Notarin Dr. Renate Lenz-Fuchs, die Ministerialrätin Irene Maier, Bundesverfassungsrichterin Erna Scheffler und Rechtsanwältin Dr. Helga Stödter.
1972 auf dem 49. DJT führte die Notarin Dr. Lenz-Fuchs den Vorsitz zu dem Thema: „Empfiehlt es sich, das gesetzliche Erb- und Pflichtteilsrecht neu zu regeln?".
Und die Bundesverfassungsrichterin Dr. Rupp-von Brüneck leitete die Sitzung:
„Empfiehlt es sich, zum Schutze der Pressefreiheit gesetzliche Vorschriften über die innere Ordnung von Presseunternehmen zu erlassen?". Rechtsanwältin Dr. Helga Stödter wurde Mitglied der ständigen Deputation.
1974 wurden auf dem 50. DJT in Hamburg unter dem Thema: „Welche rechtlichen Maßnahmen sind vordringlich, um die tatsächliche Gleichstellung von Frauen mit den Männern im Arbeitsleben zu gewähren?" unter dem Vorsitz von Frau Rechtsanwältin

Dr. Stödter gesellschaftspolitische Vorstellungen bewegt umstritten. (Vgl. Gutachten und Verhandlungen des 50. DJT, insbesondere das steuerrechtliche Gutachten der Ministerialrätin Dr. Annemarie Mennel).

13 Beispielhaft für diese Arbeit ist der im Gieseking-Verlag 1977 veröffentlichte Alternativentwurf des Deutschen Juristinnenbundes „Neues elterliches Sorgerecht" sowie der auf der Fachtagung des Deutschen Juristinnenbundes am 19. September 1981 in Stuttgart vorgelegte Entwurf der Jugendhilfekommission des Deutschen Juristinnenbundes für ein Gesetz über die Erziehung außerhalb der eigenen Familie — Jugendpflegegesetz.

14 Rundschreiben 67, Seite 11.

15 deren Publikationsorgan über ihre Kongreßarbeit und die Situation der Juristinnen in den Mitgliedsstaaten „La Abogada News Letter" ist.

16 Vgl. Referate auf der Arbeitstagung des Deutschen Juristinnenbundes in Stuttgart September 1981 Nichteheliche Lebensgemeinschaften Notarin Justizrätin Dr. Renate Len-Fuchs, Referentin Renate Augstein-Thalacker. Ehegattensplitting und Familienlastenausgleich — Prof. Dr. Karl-Heinrich Friauf, Ministerialrätin Dr. Christine Windbichler Gleichberechtigung? Wie weit ist sie in Deutschland und Europa verwirklicht? Deutschland: Dr. Hertha Däubler-Gmelin MdB; DDR: Rechtsanwältin und Notarin Adelheid Koritz-Dohrmann; Europa: avocat a la court Dr. Lise Funck-Brentano. Jugendhilfegesetz — Jugendpflegegesetz, Landgerichtsdirektorin i.R. Dr. Hedwig Maier, Oberregierungsrätin Ilse Schedl.

17 Vgl. Tatsachenmaterial und soziale Daten. Dorothea Brück im Wege zur Selbstbestimmung. Sozialpolitik als Mittel der Emanzipation. Marie Schlei, Dorothea Brück, Europäische Verlagsanstalt 1976.

Inge Donnepp, geb. 1918, studierte Sprachen (Dolmetscher-Examen in Englisch und Französisch) und Rechtswissenschaften; 1941 legte sie die erste, 1947 die zweite juristische Staatsprüfung ab; zunächst arbeitete sie bis 1954 als Rechtsanwältin, anschließend wurde sie Richterin am Sozialgericht. 1975 wurde sie Ministerin für Bundesangelegenheiten des Landes NW, seit 1978 ist sie Justizministerin des Landes NW. Nicht zu trennen hiervon ist der politische Werdegang: 1947 war Inge Donnepp eine der Gründerinnen des Juristinnenbundes; 1957 erfolgte der Eintritt in die SPD, wo sie zunächst im Ortsverein tätig war. 1973 Vorsitzende der auf Landesebene gegründeten Arbeitsgemeinschaft sozialdemokratischer Frauen. Als sie im Juni 1975, dem „Jahr der Frau", als Ministerin für Bundesangelegenheiten ernannt wurde, war sie die fünfte Frau unter 113 Ministern der Bundesrepublik und seit 25 Jahren die erste sozialdemokratische Ministerin in der Landesregierung von NW; 25 Jahre zuvor war Christine Teusch, CDU-Mitglied, Kultusministerin gewesen. Im Januar 1976 wurde ihr in ihrem Amt als Minister für Bundesangelegenheiten auch die Verantwortung für die Frauenpolitik in der Landesregierung NW übertragen; im Februar 1978 wurde sie erste Justizministerin seit Bestehen der Bundesrepublik.

„Ob eine Frau nur mit der Karriere glücklich wird oder einen anderen Weg geht, muß jede für sich selbst herausfinden."

Das Gespräch mit Frau Inge Donnepp (D), Justizministerin von Nordrhein-Westfalen (NW), das M. Fabricius-Brand (F) im Oktober 1981 führte, wird in leicht gekürzter Fassung abgedruckt.

F.: Warum studierten Sie Jura, wer beeinflußte Sie bei dieser Entscheidung?
D.: Man sagt mir nach, daß ich schon als Kind das Bestreben hatte, Leuten, die nach meiner Ansicht zu kurz kamen, zur Gerechtigkeit zu verhelfen. Und

ich muß sagen, daß es mich heute noch stört, und ich es schlecht hinnehmen kann, wenn ich irgendetwas für ungerecht halte. Ich weiß natürlich, daß jeder nur die Gerechtigkeit vertreten kann, die er nach seinem besten Wissen und Gewissen für Gerechtigkeit hält.

F.: Hat Ihr Vater als Rechtsanwalt Sie nicht entscheidend beeinflußt?

D.: Ich habe in den juristischen Zeitungen und Zeitschriften, die auf dem Schreibtisch meines Vaters herumlagen, gern gelesen; ich hatte aber, solange er lebte, nie den Gedanken, Jura zu studieren. Dazu gab es in der national-sozialistischen Zeit auch wenig Motivation für Mädchen. Ich studierte deshalb Sprachen am Dolmetscher-Institut der Universität Heidelberg. Nach dem Tode meines Vaters wollte ich zunächst aus finanziellen Gründen mein Studium aufgeben. In einem Gespräch mit einer Ärztin der älteren Generation wurde ich nachdrücklich ermutigt, nicht aus finanziellen Gründen auf ein weiteres Studium zu verzichten. Man könne das Geld auch leihen und später zurückzahlen. Außerdem solle ich mich nicht durch die verbreitete Einstellung, daß Frauen in männlichen Berufen nichts zu suchen hätten, davon abhalten lassen, Jura zu studieren. So entschloß ich mich, nach dem Dolmetscher-Examen Jura zu studieren.

F.: Hatten Sie Nachteile im Studium, weil Sie eine Frau waren und wie beeinflußte die Nazizeit Ihre Entwicklung?

D.: Als Frau war man ziemlich allein im Studium, aber die Kommilitonen waren nie unfreundlich zu mir; vielleicht liegt das daran, daß ich ein kommunikatives Verhältnis zu Menschen habe; mit Frauen komme ich besonders gut aus und Animositäten gegen Männer habe ich nie gehabt. Ob Männer hinter meinem Rücken über mich geredet haben, weiß ich nicht, ich habe es zumindest nie bemerkt. Wenn sich der eine oder andere mal aufgeplustert hat und meinte, er sei was besseres, habe ich mich nicht darum gekümmert und hab die eben leben lassen, so wie sie mich leben ließen. Vielleicht habe ich mich da auch angepaßt, aber ich würde eher sagen, ich ging mit dem Optimismus der Jugend an die Dinge heran. Und dann dürfen Sie nicht vergessen, es war Krieg und man war mehr mit dem schwerwiegenden Sorgen und den Fragen des Überlebens beschäftigt. Im Jahre 1944 hörte ich zunächst mit der juristischen Ausbildung auf.

F.: Aus persönlichen Gründen?

D.: Meine offizielle Begründung war Mutterschutz. Im Februar 1945 wurde mein ältester Sohn geboren. Sicher gab es aber auch einige Schwierigkeiten, die sich aus der Tatsache ergaben, daß ich nicht Mitglied der nationalsozialistischen Partei war.

(Aus den Düsseldorfer Nachrichten vom 21. Mai 1975 ist zu entnehmen: Im NS-Staat hatte sie Mühe gehabt, die notwendigen Bürgschaften für ihre Heirat zu bekommen, weil sie ausländische Sender abgehört und durch anti-nationalsozialistische Äußerungen aufgefallen war.)

D.: Bis Kriegsende habe ich bei meiner Schwester in Oberstdorf (Allgäu) gelebt; dann gingen wir zurück ins Ruhrgebiet, wo es zwar nichts zu essen, nichts zu heizen, gar nichts gab, aber wir wollten in unsere Heimat zurück. In einer abenteuerlichen Busfahrt mit den Babies im Wäschekorb fuhren wir zurück und lebten zunächst bei meiner Mutter. Aber was soll ich Ihnen das alles erzählen, es war ungewöhnlich schwierig für unsere Generation, alles wieder aufzubauen . . . die jungen Leute wollen das heute gar nicht hören . . .

F.: Das sehe ich nicht so; ich glaube, wir jüngeren Juristinnen sollten wissen, was die älteren Kolleginnen auch für uns geschaffen haben. Können Sie sich an Vor- oder Nachteile in der Referendarzeit erinnern, die mit Ihrem Frausein zusammenhängen?

D.: Wissen Sie, es gibt Leute, die sind relativ unempfindlich; vielleicht bin ich das gewesen. Und dann gehöre ich einer Generation an, die alles hingenommen hat. Selbst wenn mir in dieser Zeit ein Nachteil aufgefallen wäre, dann hätte ich den als gegeben akzeptiert.

Aber es ist doch wohl eher so, daß wir – natürlich bestehende – Nachteile als völlig selbstverständlich empfanden und versuchten, uns trotzdem durchzusetzen. Ich erinnere mich noch, daß ich 1947 vor meinem Assessor-Examen gefragt wurde, ob ich denn den Männern die Arbeitsplätze wegnehmen wolle. Die meisten vertraten damals die Ansicht, man solle die Arbeitsplätze den heimkehrenden Männern und nicht etwa Frauen geben. Nach dem Assessor-Examen arbeitete ich bei einem Rechtsanwalt in Marl als Anwaltsassessorin. Als ich meine eigene Zulassung beantragte, wurde mir bei einem Gespräch empfohlen, einen Assoziationsvertrag mit einem Anwalt abzuschließen und auf die selbständige Zulassung zu verzichten.

Zitat aus der Zeitung „Westfälische Nachrichten" vom 23. Mai 1975:
„Während die Juristin mit Dolmetscher-Examen in Englisch und Französisch sieben Jahre lang tagsüber in einer Marler Anwaltssozietät („Weil man als Frau damals kaum eine Zulassung bekam") die Mandanten betreute, mußte sie in den übrigen Stunden für ihre Söhne Burkhard und Joachim sorgen."

D.: 1954 bewarb ich mich bei der Sozialgerichtsbarkeit.

F.: Sie haben es dann 1954 geschafft, Richterin am Sozialgericht zu werden. Spielte ihr Frausein in der Justiz und/oder in Bezug auf Ihre Familiensituation eine Rolle?

D.: Ich wollte immer Richterin werden, weil es mir mehr liegt, abzuwägen und nach gerechten Lösungen zu suchen als eine Seite der streitenden Parteien zu vertreten. Der mehr dynamische Aspekt, den der Anwaltsberuf bietet, war in meine Tätigkeit auch integriert, da die Sozialgerichtsbarkeit damals ein völlig neuer Zweig der Rechtsprechung war. Wir konnten noch nicht in so eingefahrenen Gleisen arbeiten.

F.: Da konnten Sie ein bißchen Rechtsgeschichte machen.

D.: Na, Geschichte nicht, aber die Rechtsprechung ein wenig beeinflussen schon; ein Urteil zu fällen, das in der II. Instanz anerkannt wurde, ja das hat mir Spaß gemacht.

F.: Glauben Sie, daß Sie als Frau andere Aspekte in Ihre Urteilsfähigkeit eingebracht haben?

D.: Das ist schwer zu sagen, Beispiele fallen mir jetzt nicht ein, aber natürlich ist die eigene Betroffenheit als Frau ein Faktor und man bringt andere Aspekte mit herein. Ich weiß noch, daß man scherzhaft sagte, „also, wenn die Frau Donnepp da schon ,nein' gesagt hat, dann ist da nichts mehr zu machen", gemeint war die Berücksichtigung sozialer Aspekte.

F.: Eine Art sozialer Gradmesser . . .

D.: Ja, aber damit will ich mich nicht etwa zum Wertmaßstab für andere erheben, das widerstrebt mir völlig; aber was Frauen angeht, habe ich mich doch immer sehr eingesetzt.

F.: Wieviele Kolleginnen waren damals bei Gericht?

D.: Anfangs war ich allein, später betrug der Frauenanteil ca. 25 %.

F.: Hatten Sie Schwierigkeiten mit der Verbeamtung, ich komme darauf, weil Frau Schmitt, I. Vorsitzende Richterin eines Senats am Bundesverwaltungsgericht, sich beklagt hat, daß Kollegen, selbst wenn sie der NSDAP angehört hatten, vor ihr Beamte auf Lebenszeit wurden und sie deswegen schon eine Klage erwogen hatte.

D.: Ja, ich bin sehr lange Proberichterin gewesen, einfach wegen der Arbeitsmarktsituation, weil viele verheiratete junge Männer, die aus dem Krieg zurückkehrten, eine Planstelle anstrebten. Weder für die Versorgung noch für die Gehaltshöhe hatte ich damit einen Nachteil, nur die Sicherheit einer Lebensstellung hatte ich erst später.

Ich hatte mich allerdings immer mit dem Doppelverdienervorwurf auseinanderzusetzen und das fand ich wenig angenehm. Ich habe mich immer bemüht, zu erklären, daß ich einen Beruf gelernt habe und ihn gern ausüben möchte; mir lag wenig daran, die Aggressionen gegen berufstätige Frauen noch zu schüren.

F.: Zwischenzeitlich waren Sie ja Mutter von zwei Söhnen geworden; wie haben Sie das mit Ihrem Beruf vereinbaren können?

D.: Na ja, ich hatte sehr schwierige Jahre dazwischen; anfangs mußte ich jeden Tag nach Münster fahren, 60 km hin und 60 km zurück. Später wurde alles einfacher; es gab Diktiergeräte, und ich konnte die Urteile auch zu Haus absetzen. Münster war das für den gesamten Regierungsbezirk zuständige Gericht; bei auswärtigen Sitzungen tagten wir häufig im Ruhrgebiet, woher die meisten Kläger stammten, und so hatte ich es um einen weiteren Tag in der Woche leichter.

Zu der damaligen Zeit hatte man noch Hilfe zu Hause, die sich um den Haushalt und die Kinder kümmerten, aber man war immer sehr abhängig von ihnen, und ich hatte auch manchmal Pech mit diesen Hilfskräften, wenn sie wegen Krankheit plötzlich ausfielen.

F.: Sie versorgten nicht gleichberechtigt mit ihrem Mann den Haushalt und die Kinder?

D.: Haushalt und Kinderbetreuung wurden überwiegend von mir übernommen. Diese Rollenverteilung war in den Jahren doch absolut üblich. Ich glaube, mehr konnten die Männer auch nicht leisten, es wäre Unrecht, ihnen das anlasten zu wollen. Einmal würde man von ihnen ein Weltbild verlangen, das damals keiner hatte; damals war es eben so, daß der Vater die Familie ökonomisch versorgte und eine gesicherte Position zu erreichen versuchte. Nicht vergessen werden darf, daß diese Nachkriegsgeneration damals in vielen Fällen eine Existenz aus dem Nichts aufbauen mußte. So auch mein Mann.

F.: War Ihr Mann denn stolz darauf, daß Sie einen angesehenen Beruf hatten und den Haushalt und Kinder schafften oder war das nicht auch ein Problem. Ich meine, heute ist es eher üblich, daß Frauen arbeiten . . .

D.: Nein, mein Mann war fortschrittlich und aufgeschlossen. Ob er nun stolz war . . . Er begriff, daß jemand, der einen Beruf erlernt hat, diesen auch ausüben möchte.

F.: Welche Rolle spielte Ihr Frausein für ihre politische Karriere?

D.: Solange die Kinder klein waren, habe ich im Beruf meine Pflicht erfüllt, die Frage eines beruflichen Aufstiegs stand nicht im Vordergrund. Mir ist dieser zeitliche Verzicht auf Karriere auch nie schwer gefallen, ich hatte Freude am Familienleben und den heranwachsenden Kindern, das ist schon ein erfülltes Leben gewesen, meine ich.

F.: Aber Sie haben ja eine für Frauen ungewöhnliche Karriere gemacht, wie kam es dazu? Wer hat Sie gefördert oder benachteiligt?

D.: Ich habe im Ortsverein der SPD gearbeitet wie jeder andere, und war nicht darauf aus, Mandats- oder Funktionsträgerin zu werden. Ich dachte nicht daran, meinen mich sehr zufriedenstellenden Beruf aufzugeben. Allerdings haben mich natürlich die Probleme der Frauen immer ganz besonders interessiert, sowohl beruflich als auch politisch. Ich habe mich deswegen auch zusätzlich zu meinem Beruf bei vielen sich mir bietenden Möglichkeiten für Frauenpolitik eingesetzt. Insbesondere war ich oft verantwortlich für Referate oder Diskussionsveranstaltungen zu politischen, insbesondere auch frauenpolitischen Themen. 1973 wurde ich, als die Partei eine Landesvorsitzende für die neu gegründete „Arbeitsgemeinschaft sozialdemokratischer Frauen" in NW suchte, auch gefragt, ob ich mich zur Wahl stellen würde. Das habe ich dann getan und wurde gewählt. Zuvor war ich in der Partei Vorsitzende der Schiedskommission meines Unterbezirks. Als Vorsitzende ist es mir immer auf Gespräche, Aussprache und Vermittlung angekommen; es hat mich mit einiger Befriedigung erfüllt, daß das auch meistens gelang. Nur in einem Fall, als in sehr deutlicher Weise Geschäft und Politik vermischt worden waren, hat es einen Parteiausschluß gegeben.

F.: Waren Sie nebenher nicht auch aktiv im Juristinnenbund, den Sie mitbegründet haben?

D.: Also bei denen habe ich immer so ein bißchen in der falschen politischen Richtung gelegen. Aber ich habe mit allen, auch den politisch Andersdenkenden, gut zusammengearbeitet. Wissen Sie, in der Frauenpolitik gibt es parteipolitisch nicht so große Unterschiede, Frauen kämpfen eher gemeinsam in diesen Fragen.

F.: Wie ging es dann weiter mit dem politischen Aufstieg?

D.: Sie reden immer von Aufsteigen und Karriere und wie ich das gemacht habe. Ich glaube, ich war immer mit dem, was ich gerade machte zufrieden, als Richterin, mit der Parteiarbeit auf unterster Ebene, ich war auch nie sonderlich ehrgeizig, so in dem Sinne, daß ich morgens aufwachte und mir sagte, steh auf, damit Du was werden kannst.

F.: Kein systematisches Aufsteigen auf der Karriereleiter wie Männer das oft planen und durchführen?

D.: Nein, das konnte ich gar nicht. Ich bin erst in einem Alter hauptamtlich in die Politik eingestiegen als die Kinder groß waren. Und dann fand ich es nicht selbstverständlich als ich einen Platz auf der Reserveliste zur Landtagswahl bekam. Ich habe das als große Herausforderung empfunden und mich gefreut, daß ich vom Unterbezirk her und aus der Frauenarbeit heraus getragen wurde.

F.: Nach der Landtagswahl 1975 ernannte Ministerpräsident Heinz Kühn Sie zur Ministerin für Bundesangelegenheiten, daneben übernahmen Sie alsbald von der Sozialdemokratin Barbara von Sell nach deren Scheitern die Funktion einer Landesbeauftragten für Frauenfragen (vgl. FAZ vom 13. Dezember 1978).

D.: Barbara von Sell hatte es sehr schwer, da sie ohne Ressortkompetenz in einer Landesverwaltung Aufgaben übernehmen sollte. Ich habe immer schon gesagt, daß Frauenpolitik nur erfolgreich sein kann, wenn die dafür Verantwortliche einen eigenen Apparat, mit eigenen Mitteln und Kompetenzen hat. Meiner Meinung nach muß die Verantwortung für Frauenfragen ganz hoch, und zwar im Arbeitsministerium angesiedelt werden, hier haben Sie Einfluß auf die Steuerung der Arbeitsplätze; der Arbeitsbeschaffungsmaßnahmen und -schutzvorschriften; Sie müssen doch sagen können, jetzt will ich durchsetzen, daß z.B. Mädchen in handwerklichen Berufen ausgebildet werden, das ist eine gestalterische Aufgabe, die über Kontrollmaßnahmen bezüglich der Einhaltung von Gesetzen und Verordnungen weit herausgeht. Und, in einem Punkt bin ich mir sicher, wenn Sie in der Frauenpolitik nicht gestalten wollen, können Sie gleich aufgeben.

Ja, und was das Ministeramt angeht, so hatte ich eigentlich nicht weiter darüber nachgedacht oder geredet; ich fand es schon hervorragend, daß ich ein Mandat im Landtag hatte. Eines samstags abends kam mein jüngster Sohn Joachim nach Hause, machte die Tür auf und fragte: Bist Du denn nun eigentlich Minister oder nicht, das hält ja kein Mensch mehr aus. Ich mußte lachen, weil ich mir diese Frage eigentlich nicht gestellt hatte, ich habe mich da einfach nicht eingemischt. In Bonn war ich dann sehr damit beschäftigt, mich in die Bundesratsaufgaben einzuarbeiten.

F.: Kann man sagen, daß Sie die „Alibi-Ministerin" des Kühn-Kabinetts waren?

D.: Heinz Kühn hat mal während meiner Bundesratsministertätigkeit gesagt, ich würde das Amt in Bonn gut ausfüllen. Wenn ich nur eine „Alibi-Frau" gewesen wäre, dann hätte er mich kaum zur Justizministerin gemacht.

F.: Glauben Sie, daß es einen Unterschied macht, daß eine Frau auf dem Sessel des Justizministers sitzt?

D.: Nein, das glaube ich nicht.

F.: Vielleicht setzt eine Ministerin sich eher für die Belange der Frauen ein, wenn sie eine solche Position innehat?

D.: Das sowieso. Aber was wollen Sie mit so allgemeinen Aussagen anfangen? Die Handschrift einer Frau wird schon in vielen Fällen deutlich werden, ohne daß ich jetzt Einzelfälle darlegen möchte. Denken Sie nur an Beförderungsämter, die Frauen angeboten, von ihnen aber ausgeschlagen werden, weil sie eine Familie zu versorgen haben. Schauen Sie sich einmal die Statistik an (Frau Donnepp überreicht eine Statistik über die gestiegene Zahl der Jurastudentinnen und Referendarinnen, vgl. Anhang I); es gibt immer mehr Frauen, die das Jurastudium aufnehmen und auch den Referendardienst absolvieren. Außerdem kann man feststellen, (Frau Donnepp überreicht eine weitere Statistik über den Anteil der Frauen in der Justiz in NW, vgl. Anhang II), daß bei den Berufsanfängerinnen ein deutlicher Anstieg zu verzeichnen ist, mit einer gewissen zeitlichen Verzögerung auch ein Anstieg in der I. und II. Beförderungsstufe.

F.: Wie kann man den Juristinnen das Aufsteigen in die Beförderungsämter ermöglichen?

D.: Ich habe immer schon die Meinung vertreten, daß man den Frauen, die jahrelang die Kinder versorgt haben, die Rückkehr in den Beruf erleichtern soll, indem man ihnen diese Zeit irgendwie anrechnet. Es ist zwar kein Opfer, was diese Frauen gebracht haben, die Leistung, die sie für die Gesellschaft erbracht haben, sollte aber honoriert werden. Für mich heißt das, wenn Mann und Frau gleich qualifiziert sind, sollte die Frau bevorzugt eingestellt werden.

Die SPD hat übrigens auf ihrem letzten Landesparteitag einen Antrag über Frauenförderungspläne im öffentlichen Dienst verabschiedet. Da wir in anderen Bereichen wenig Einflußmöglichkeiten haben, sollte hier einmal mit der Gleichstellung bzw. Chancengleichheit der Frau angefangen werden. Anders als im politischen Bereich streben wir hier eine Quotenlösung an, Einstellung von Männern und Frauen zu gleichen Teilen.

F.: Das bedeutet, daß Sie eine Halbtagsbeschäftigung für berufstätige Frauen und/oder Männer, die gleichzeitig noch Haushalt und Kinder zu versorgen haben, nicht befürworten?

D.: Halbtagsarbeit bedeutet, mehr Ausnutzung der Arbeitskraft, schlechtere Versorgung im Alter, keine Aufstiegschancen, Verlust von Qualifizierung, Sie kennen sicher die berechtigten Argumente. Langfristig sollte man den 6-Stunden-Tag anstreben für Männer und Frauen, damit diese sich gleichermaßen um die Familie kümmern können. Aber man muß auch realistische Vorstellungen darüber haben, in welcher Zeit das erreichbar ist. Solange das noch nicht durchsetzbar ist, hilft es wenig, die Teilzeitarbeit nur zu verdammen. Im Augenblick muß wenigstens einer der Eheleute in der beruflichen Karriere zurückstecken, wenn Kinder da sind. Ich bin mir nicht sicher, ob es sich nicht auch lohnt für das, was einem an Freude und Erfahrungen mit den Kindern gegeben wird.

F.: Denken Sie, daß Sie einen Preis für Ihre Karriere gezahlt haben?

D.: Nein, das habe ich nicht. Zeitlich besonderen Einsatz habe ich erst erbracht, als die Kinder selbständiger waren. Ich habe auch nicht etwa durch meine Berufstätigkeit meine Kinder vernachlässigt; dieser Preis wäre mir zu hoch gewesen. Ich glaube übrigens, daß Kinder durch eine berufstätige Mutter weniger belastet werden, als wenn diese unzufrieden, sich isoliert und nicht anerkannt fühlend, ohne Beruf oder die Ehe schlecht ist. Ich empfinde es als ganz außergewöhnliche Chance und Herausforderung, jetzt noch einmal so produktiv werden zu können, ich mache meine Arbeit gern, mir wird nichts zuviel.

F.: Zum Abschluß möchte ich Ihnen noch eine Frage stellen, welchen Rat würden Sie jüngeren Juristinnen mit auf den Weg geben?

D.: Ich kann niemandem einen bestimmten Rat geben.

F.: Worauf sollte ich in Zukunft achten?

D.: Ich meine, ich finde es schön, wenn eine Frau zwei oder drei Kinder und einen Beruf hat und wenn sie alles miteinander verbinden kann. Möglicherweise muß eine Frau, wenn die Kinder klein sind, im Beruf ein wenig zurückstecken. Da muß man bereit sein, nicht an Karriere zu denken. Aber, ob eine Frau nur mit der Karriere glücklich wird oder einen anderen Weg geht, muß jede Frau für sich selbst herausfinden, da kann ich keine Empfehlung aussprechen. Ich weiß nur aus eigener Erfahrung, daß die paar Jahre, wo man kleine Kinder zu Hause betreut, sehr schön sein können. Auf der anderen Seite weiß ich auch, daß Frauen, die nur mit den Kindern isoliert zu Hause sitzen, manchmal nicht ausgefüllt sind. Für mich ist es ein guter Kompromiß – und das Leben besteht aus Kompromissen – wenn die junge Frau sich von ihrem Beruf nicht abhängen läßt, solange ihre Kinder klein sind und später ihre Berufstätigkeit ausbauen kann.

Anhang I:

aus der von Frau Donnepp übergebenen Statistik:

Zahl der Referendare und Studienanfänger sowie durchschnittliche Studiendauer (in NW)

	1971	1972	1973	1974	1975	1976	1977	1978	1979	1980
1. Referendare	3339	3537	3792	3854	3568	3063	2670	2536	2587	2942
2. davon Frauen (%)	12,3	12,8	12,2	11,4	11,0	9,7	16,3	19,2	21,0	24,0
3. Studienanfänger	1618	2238	2410	2986	2884	3182	3294	2944	3197	3328
4. davon Frauen (%)	19,3	21,8	27,6	34,3	26,2	24,4	36,9	35,4	33,7	34,9
5. Studiendauer in Semestern	9,6	9,9	10,1	10,5	11,1	11,2	11,3	11,5	11,3	11,2

Anhang II:

aus der für den Landesparteitag der SPD am 27.6.1981 in NW erstellten Statistik:

1. Richter aller Gerichtsbarkeiten

Am 1.1.1981 (Quelle: BJM-3110/6) waren in NW von den 4697 Richtern (Richtern auf Lebenszeit, kraft Auftrags und auf Probe) aller Gerichtsbarkeiten 734 (= 15,6 %) Frauen und 3963 (= 84,4 %) Männer. Zum Vergleich: Im Bundesdurchschnitt belief sich der Anteil der Frauen zur gleichen Zeit auf 13,6 %. In den einzelnen Gerichtsbarkeiten ergibt sich folgendes Bild:

Gerichtsbarkeit	insgesamt	davon Frauen	Bundesdurchschnitt
ord. Gerichtsbarkeit	3.727	606 = 16,3 %	14,2 %
Staatsanwaltschaft	1.019	110 = 10,8 %	11,8 %
VerwGerichtsbk.	409	50 = 12,2 %	11,7 %
FinanzGerichtsbk.	144	7 = 4,9 %	2,8 %
ArbGerichtsbk.	176	32 = 18,2 %	13,5 %
SozialGerichtsbk.	243	40 = 16,5 %	14,4 %

2. Richter auf Probe

Im Vergleich der planmäßig angestellten zu den Richtern auf Probe stellt sich der Anteil der Frauen in den einzelnen Gerichtsbarkeiten per 1.1.1981 wie folgt dar (in Klammern Anteil der Frauen im Bundesdurchschnitt):

Gerichtsbarkeit	planmäßig	auf Probe
ord. Gerichtsbarkeit	14,3 % (12,9 %)	26,3 % (25,0 %)
Staatsanwaltschaften	9,3 % (9,6 %)	17,9 % (21,9 %)
VerwGerichtsbarkeit	11,2 % (9,9 %)	13,6 % (17,9 %)
Arbeitsgerichtsbarkeit	14,8 % (12,3 %)	32,4 % (25,7 %)
Sozialgerichtsbarkeit	15,1 % (13,9 %)	25,0 % (24,2 %)

(. . .)

3. Neueinstellungen in der ordentlichen Gerichtsbarkeit

So hat der Anteil der Frauen an den neu eingestellten Richtern der ordentlichen Ge-

richtsbarkeit in NW in den letzten Jahren deutlich zugenommen (Quelle: Einstellungs-
listen JM NW):

    1978   22 (16,1 %)
    1979   57 (23,2 %)
    1980   60 (29,6 %)
1. Hj. 1981   13 (32,5 %)

(. . .)

4. Neueinstellungen bei den Staatsanwaltschaften:
Bei den Staatsanwälten lauten die entsprechenden Zahlen weniger günstig, weisen aber
gleichfalls steigende Tendenz auf:

    1978   4 (11,8 %)
    1979   10 (14,9 %)
    1980   15 (17,6 %)
1. Hj. 1981   sind bisher nur 11 Assessoren in den staatsanwaltlichen Dienst eingestellt
            worden; darunter befindet sich eine Frau.

(. . .)

5. Richter der ordentlichen Gerichtsbarkeit im Beförderungsamt
Weniger günstig, jedoch gleichfalls mit Tendez nach oben, ist die Lage in den richterlichen Beförderungsämtern. Am 20.6.1981 wurden insgesamt
            54 Richterinnen (1.1.78:39)
in einem Beförderungsamt geführt. Bezogen auf alle 1058 richterlichen Beförderungs-
stellen entspricht das einem Anteil von
            5,1 %.
Während von den im richterlichen Dienst planmäßig angestellten Männern 31,5 % ein
Beförderungsamt innehaben, beträgt der Anteil bei den Frauen nur 12,1 %.

*Herta Däubler-Gmelin, geb. am
12.8.1943. 1. Examen 1969,
2. Examen 1974, Dr. jur., Rechtsanwältin in Stuttgart, MdB seit
1972; zur Zeit Vorsitzende des
Rechtsausschusses des Deutschen
Bundestags.*

Das Interview führte Frau Professor Dr. jur. Heide Pfarr

P.: Obwohl wir zusammen Jura studiert haben, weiß ich nicht, warum Du
Jura studiert hast?
DG.: Ich habe das sehr lange selbst nicht gewußt und war zunächst sehr un-
schlüssig, was ich studieren sollte. Nach dem Abitur wußte ich eigentlich nur,
daß ich auf Dauer nicht in der Schule landen wollte — Lehrerin zu sein, so
wichtig das ist, liegt mir nicht. Ich suchte mir Studienfächer und Studienort
zunächst nach meinen Interessen aus, das hieß für mich: in Berlin Geschichte,
politische Wissenschaften, etwas Zeitungswissenschaften und dann Volkswirtschaft zu studieren. Nach etwa einem Jahr kam ich darauf, daß ich mit einer
solchen Fächerkombination einen interessanten, chancenreichen, nicht zu
engen Beruf wohl würde schwierig finden können und so habe ich mich denn

der Frage zugewandt, was ich eigentlich beruflich tun wollte. Daß ich beruflich tätig sein wollte, stand für mich außer Frage. Nach einigen langen Gesprächen, beispielsweise mit meinem Vater, der selbst Jurist ist und damals ein Wahlamt ausübte, fand ich dann, daß wohl ein Jurastudium die weiteste und die breiteste Möglichkeit an Berufen, die mich interessierten, bieten könnte. Meine Interessenskala reichte damals, soweit ich mich heute noch erinnern kann, vom Journalisten oder Kommunalbeamten bis zum Anwalt, Richter oder Gewerkschaftsjuristen. Für diese Perspektive habe ich dann in Kauf genommen, daß die eigentlichen Studienfächer mich nicht schrecklich interessieren würden. Diese Einschätzung übrigens habe ich während des Studiums beibehalten. Aber man brauchte seine speziellen Interessen ja nicht ganz aufzugeben.

P.: Du bist also die erste Juristin in der Familie?

DG.: Die erste Juristin in der Familie ja, aber bei weitem nicht das erste Familienmitglied, das Jura studierte. In meiner Familie gibt es seit mehr als zehn Generationen Pfarrer und Juristen. Von daher lag es wohl gar nicht so fern, daß eines von uns Kindern Jura studieren würde. Üblicherweise gilt das ja für Söhne — mein Bruder hat sich aber, wahrscheinlich auch, um sich von meinem erfolgreichen Vater etwas abzusetzen, ganz auf den Bereich Technik und Naturwissenschaften geworfen und das mit großem Erfolg. Meine beiden Schwestern sind qualifizierte Pädagogen, übrigens haben sie alle eine Familie.

P.: Nach meiner Erinnerung warst Du ja während des Studiums schon von Beginn an hochschulpolitisch tätig, deswegen muß man die Frage, ob Du während Deiner Ausbildung Nachteile oder Vorteile erlebt hast, die Du darauf zurückführst, daß Du eine Frau bist, gleich mit ausdehnen auf diese hochschulpolitische Tätigkeit.

DG.: Ja, ich kann mich noch gut daran erinnern, wie das war, als ich begann, mich für Hochschulpolitik und Studentenpolitik zu interessieren. Allerdings muß ich dazu sagen, daß ich schon während meiner Schulzeit in Tübingen politisch interessiert war, als Klassensprecher, auch mal eine Weile als Schülerredakteur. Aber das war insoweit nichts Neues, als meine ältere Schwester ebenfalls politisch aktiv war. In meiner Familie wurde überhaupt viel über politische Dinge, über Geschichte, was Demokratie sei usw. gesprochen.

Ich studierte dann in Berlin und ging eines Tages in den damals noch bestehenden allgemeinen Studentenausschuß, um mich nach Mitarbeitsmöglichkeiten zu erkundigen. Und da war es eigentlich ganz typisch, daß mich der dort anwesende Studentenfunktionär (ein junger Mann) sofort auf das Sozialreferat schickte. Damals habe ich mich so darüber geärgert, daß ich fortgegangen bin. Ich fühlte mich in eine ganz unpassende Ecke gestellt, weil ich mich mehr für Pressearbeit interessierte, oder für internationale Beziehungen und dieser Typ da wollte mich herablassend auf eine Schema F-, weibliche Tätigkeit abdrängen. Nachdem ich mich ausgeärgert hatte, ging ich zurück und sagte ihm die Meinung und schaute mir die einzelnen Tätigkeitsbereiche an. Später dann übernahm ich doch das Sozialreferat, nachdem ich gesehen hatte, daß damit sehr viel unmittelbare Arbeit mit Menschen erforderlich war, daß dort über Stipendien, über Wohnheimfragen, über viele Hilfen und ganz konkrete Dinge entschieden werden mußte. Das war dann sehr interessant und sehr vielseitig.

Als ich zum erstenmal, auf einer konservativen Liste zunächst, für das Studentenparlament kandidierte, fiel mir auf und das hat sich dann im Grundsatz immer wieder bestätigt, daß man dort nach dem Prinzip verfuhr: Männer haben wir genug, jetzt brauchen wir noch eine Frau. Die Listen waren danach zusammengesetzt; das hat mich bis heute gestört, dieses „wir brauchen noch eine Frau, haben wir nicht noch eine". Man fühlt sich da, wenn man betroffen ist, einfach falsch bewertet, nicht in jedem Fall unterbewertet, aber doch zu einseitig.

P.: Kannst Du Dich eigentlich an Situationen erinnern, wo das Geschlecht in unserer Ausbildung selbst eine Rolle gespielt hätte? Hast Du Dich in der Ausbildung als Frau diskriminiert gefühlt?

DG.: Ja, das glaube ich schon, daß es ständig solche Situationen gegeben hat. Zunächst lebte man irgendwie normal mit der unnormalen Selbstverständlichkeit, daß es keine weiblichen Juraprofessorinnen oder Assistentinnen gab, oder daß wir unter den Studenten eine kleine Minderheit waren. Dann fiel mir auf, – auch damals – daß es unter den Studentinnen selbst klare Unterschiede gab. Da waren zunächst die überangepaßten, hervorragend zurechtgemacht, meist teuer gekleidete Mittel- bis Oberschichttöchter, von denen man nie etwas merkte und dann waren auf der anderen Seite die mehr auf Aggressivität, Selbstbewußtsein, Provokation und auch Diskussion angelegten Studentinnen, und wir wollten uns schon in unserer äußerlichen Erscheinung deutlich von den anderen absetzen. Mir ist sehr aufgefallen, daß die Professoren den Studentinnen anders gegenüber traten als den Studenten: herablassender, unernster, geschmeidig-höflicher. Fragte eine Studentin irgend etwas, so stand sie immer ein bißchen in der Gefahr, belächelt zu werden. So jedenfalls kam es mir vor, Ausnahmen – gerade in den Seminare, gab es freilich. Unangenehm sind meine Erinnerungen an einen aus Bayern stammenden Strafrechtsprofessor, der ja bekannt war für seine deftigen Aussprüche im Strafrecht: seine Beispiele – ob nun im Bereich der Sexualdelikte oder sonst irgendwo im Strafrecht – habe ich als für Frauen entwürdigend, als primitiv empfunden, wenn er auch häufig den Geschmack vieler männlicher Studenten traf.

P.: Du hast Dich dann weiter politisch betätigt und doch verhältnismäßig rasch das gemacht, was ich eine Karriere nennen würde. Damit gehörst Du zu den wenigen Frauen, die das geschafft haben. Wie kam das eigentlich?

DG.: Nun Deine „Karriere" ist ja auch nicht von Pappe. Du weißt ja, ich habe zunächst mal Examen gemacht, gemessen an meinen damaligen Kenntnissen ein erstaunlich gutes. Dann habe ich geheiratet, einen hervorragenden Juristen, meine Referendarzeit angefangen. Das war dann wieder Tübingen. Damals habe ich mich verstärkt in der SPD betätigt, während mein Mann seine Habil-Arbeit schrieb. In diesen Jahren hatte ich natürlich die Absicht, zunächst einmal Kinder zu haben, dann zu promovieren, meinen Assessor zu machen und dann entweder zur Gewerkschaft oder in die Kommunalverwaltung zu gehen oder vielleicht Anwältin zu werden. Das wußte ich noch nicht so genau. Aber dann kam etwas dazwischen, was eigentlich gar nicht planbar war. Ich habe gesagt, daß wir in der Zwischenzeit in Baden-Württemberg lebten. Da habe ich politisch auch auf Landesebene gearbeitet und 1972 im Sommer wurde der Bundestag aufgelöst, man brauchte ja relativ schnell geeignete Kandidaten, die bereit waren, in einen Wahlkreis zu gehen, der nicht unmittelbar im Zentrum Baden-Württembergs lag. Da ich auf Landesebene bekannt war und gute Freunde in Ost-Württemberg hatte, wurde ich aufgefordert, dort zu kandidieren. In der parteiinternen Entscheidung habe ich – im 9. Monat schwanger – gegen einen Mitbewerber haushoch gewonnen. Da ich auf der Landesliste abgesichert war, konnte ich in den Bundestag einziehen, und so blieb mir nichts übrig, als die Reihenfolge meiner Planungen zu verändern: sie hieß dann: Kind — Bundestag — Examen — Promotion — Anwaltszulassung in Stuttgart.

P.: Was hat Dir das Jura-Studium für Deine derzeitige Tätigkeit gebracht, also abgesehen davon, daß Du immer noch Anwältin bist?

DG.: Für meine Tätigkeit als Abgeordnete? Ja, schon etwas — aber nicht allzu viel. Genützt hat mir die Tatsache, daß ich überhaupt studieren konnte. Genützt hat mir sicherlich auch, daß ich in Bereichen studiert habe, in denen es nicht überwiegend Frauen gab. Man konnte sich früh an diese spezifische „Minderheitensituation" gewöhnen. Genützt hat sicherlich auch, daß ich Fächer studiert habe, die mit Durchsetzungsmöglichkeiten, mit Klagen, mit Entscheidungen, mit Gegenentscheidungen angehend zu tun haben, Fächer also, in denen man das lernt. Wahrscheinlich hat es mir auch genützt, mit Gesetzestexten umzugehen. Das ist sicher so. Aber die enge juristische Ausbildung, die eigentliche Referendartätigkeit mit ihrem ganz klaren Zuschnitt auf die Beurteilung vorgegebener Situationen mit ihrer Vernachlässigung der Veränderung, der Gestaltung von Gegebenheiten, das war insgesamt zu wenig.

P.: Würdest Du so weit gehen, daß Dir ein anderes Studium mehr genützt hätte, z.B. Gesellschaftswissenschaften?

DG.: Das weiß ich nicht. Ich weiß nur, daß ein Jurist, der die traditionelle Juristerei betreibt, für den Beruf, den ich zur Zeit ausübe, zu wenig weiß: Ich kann nur sagen, daß ich zu wenig über volkswirtschaftliche Zusammenhänge, über internationale Beziehungen, über soziale Zusammenhänge und deren Ursachen gelernt hatte. Ich mußte und muß immer wieder neu lernen, daß gestalterische Politik viel mehr bedeutet und etwas ganz anderes ist, als einen Sachverhalt nach vorgegebenen Texten zu beurteilen.

P.: Obwohl man sich ja vorstellen kann, daß diese von Dir beschriebenen Inhalte auch für juristische Berufe im engeren Sinne möglich sind und deswegen ruhig in ein Jurastudium integriert werden könnten.

DG.: Ich sehe das auch so. Zur Zeit sind wir wieder dabei, ein Gesetz zu formulieren, das wieder zu einer bundeseinheitlichen Juristenausbildung führen soll. Und da sieht man, wie sehr die großen Reformträume verflossen sind. In immer weniger Ländern, die ja die Durchführenden der Juristenausbildung sind, besteht der Mut und die Bereitschaft, die Praxis oder große Bereiche der Sozialwissenschaften, der Gesellschaftspolitik, in das juristische Studium einzubeziehen. Es wird sehr schwer werden, den konservativen Zug in die fünfziger Jahre zurück zu stoppen.

P.: Nach meiner Erfahrung mit der einstufigen Juristenausbildung ist die Möglichkeit, die Praxis durch Einbringung in das Studium theoriegeleiteter zu machen, nicht sehr erfolgreich. Erfolgversprechender wäre wohl der Weg, die Theorie stärker in die Praxis einzubeziehen.

DG.: Wichtig scheint mir, daß wir am Schluß der Ausbildung nicht Leute bekommen, die zwar meinen, alles über Praxis und Theorie gelernt zu haben, die aber eigentlich von nichts eine richtige Ahnung haben, also alles nicht richtig durchgedacht anwenden können. Deswegen scheint mir die Frage zu sein, was man zu den juristischen Kernfächern hinzunehmen kann und wann man den Blick über den Zaun macht, in die Praxis oder in andere Wissenschaftsbereiche, und wie man das eigentliche Studium integriert. Entscheidend könnte möglicherweise noch etwas anderes werden: Ich hielte es für möglich, wenn der Weg eines Studenten generell nicht direkt von der Schulbank zur Universität führen würde, sondern wenn dazwischen, also zwischen Beendigung der Schule und Beginn des Studiums, mindestens ein Jahr praktischer Berufstätigkeit läge.

P.: Nicht unbedingt juristische Praxis?

DG.: Nein, Berufstätigkeit allgemein.

P.: Weitere Frage. Dein Leben sieht so aus, als hättest Du alles mühelos miteinander verbinden können. Du hast zwei Kinder, einen mehr als voll berufstätigen Mann, bist selbst voll berufstätig, und zwar wohl etwas mehr, als eine 40-Stunden-Woche, wenn ich das richtig übersehe. Was kostet das?

DG.: Na, ja, das heißt, daß Zeit für mich selbst meistens fehlt. Man braucht dann viel Organisationstalent, man braucht eine robuste Gesundheit, und zwar nicht nur eine physische, sondern auch eine psychisch robuste Gesundheit, und die braucht man nicht nur selbst, sondern die braucht unsere ganze Familie. Um die erhebliche Beanspruchung beider Eltern dennoch tragbar zu machen — es darf ja nicht zu Lasten der Kinder gehen —, braucht man auch eine intakte Großfamilie, wo einer für den anderen da ist. Und das ist bei uns so. Und man braucht vor allen Dingen relativ viel Geld, so daß man sich für alles, wozu man im zwischenmenschlichen Bereich nicht selbst unmittelbar persönlich erforderlich ist, jemand wirklich gutes leisten kann.

P.: Das heißt, Dein Leben kann nicht als Modell für andere Frauen gelten, ist zugeschnitten auf ganz bestimmte Personen. Ich z.B. könnte es nicht.

DG.: Ich weiß nicht, ob Du es nicht könntest, teile aber Deine Meinung, daß wir kein Modellfall sein können. Die vielen Dinge, die bei uns dazu führen, daß es nicht nur ,,klappt" — jedenfalls meistens —, sondern daß wir uns wohlfühlen — jedenfalls meistens —, fehlen häufig. Schon das weist darauf hin, warum so wenig Frauen die Möglichkeit haben, in meinem Alter die Berufe auszuüben, die ich ausübe.

P.: Wenn Du heute am Anfang Deines beruflichen Werdeganges stündest, mit dem Studium anfangen würdest, was würdest Du heute anders machen, also selbst, wenn es wieder Jura wäre?

DG.: Ich würde nach dem Abitur länger, als ich es getan habe, einen praktischen Beruf erlernen und ausüben. Ich glaube, daß mir das viele der Schwierigkeiten ersparen oder erleichtern würde, die ich am Anfang auf der Universität hatte. Dann würde ich das Jurastudium etwa wieder in der Form durchführen wollen, in der ich es praktiziert habe. Das geht unter den heutigen Bedingungen von Massenuniversität und zunehmender Schulung wahrscheinlich nicht. Ich würde das Studium noch breiter anlegen und insbesondere geschichtliche Fächer, Politikwissenschaften, Volkswirtschaft, internationale Beziehungen noch stärker betonen. Und im übrigen würde ich versuchen, nicht alles immer so ernst zu nehmen, wie ich es wohl auch während meines Studiums getan habe.

Umsteigerinnen 8

Nach so vielen erfolgreichen oder nur zähen, kraftvollen, sensiblen, kritischen, noch kämpfenden oder schon resignierten, jedenfalls aber von und mit der Jursterei lebenden Frauen, sollen nun einmal diejenigen zu Wort kommen, die ihr – und das nicht aus Altersgründen – den Rücken gekehrt haben. Das Jurastudium zeichnet sich durch eine hohe Abbruchquote bei den Studentinnen aus; ,,zehn kleine Jurastudentinnen . . ."! Auch nach dem Referendardienst treten viele Frauen gar nicht erst ins Berufsleben ein, oder nach kurzer Zeit wieder aus, etwa weil die Familie nun doch ihren Tribut fordert oder weil schlechte Erfahrungen die Juristin allzusehr entmutigt haben. Ein Aus- oder Umstieg wird Frauen mit entsprechend finanzkräftigem Partner in unserer Gesellschaft eher verziehen als einem Mann, denn das bestätigt ja nur die alten Vorurteile, daß Frauen launisch seien und der harten Berufsrealität nicht gewachsen. Das Vorurteil hat allerdings auch seine Vorteile, es eröffnet z.B. die Möglichkeit, Irrtümer bei der Studien- und Berufswahl zuzugeben und entsprechende Konsequenzen daraus zu ziehen, ohne das eigene Selbstbild erst völlig demontieren zu müssen. Um die Motive und Verläufe eines solche ,,Abspringens" authentisch kennenzulernen, suchten wir – u.a. durch einen Aufruf in einer Magazinsendung des Senders Freies Berlin – nach ,,Aus- oder Umsteigerinnen". Heraus kamen die folgenden drei Darstellungen von vier Ex-Jurastudentinnen, die inzwischen erfolgreich und mit mehr Spaß als am Jurastudium andere Berufe ausüben. Aus dem Berufsleben direkt ausgestiegene Juristinnen meldeten sich leider nicht. So entwerfen nun eine Lehrerin, eine Pädagogik-Wissenschaftlerin und zwei Journalistinnen, alle vier nach dem ersten Examen umgestiegen, ein trostloses Bild vom Jurastudium, und dies unabhängig vom Zeitraum der Ausbildung, die die eine der Frauen in den sechziger Jahren, die drei anderen in den siebziger Jahren absolvierten.

Es fällt auf, daß die geschilderten Negativaspekte z.T. dieselben sind, die auch in den Berichten anderer, allerdings „dabeigebliebener" Juristinnen auftauchen, wie z.b. der starke Leistungsdruck, die frauenfeindliche und verklemmte Mentalität männlicher Kommilitonen und die Strukturen und Inhalte des Rechts, die mit üblicherweise nichthinterfragten „Techniken" auf Lebenssituationen von Menschen angewendet werden sollen.

Was unterscheidet nun die umgestiegenen vier Frauen von ihren dabeigebliebenen Ex-Kolleginnen? Was bewirkte die Entscheidung zum Umstieg?

Ein Teil der Gründe mag von Zufällen bestimmt worden sein, wie z.b. von Ort, Zeit und Mitstudenten bzw. Studentinnen. Freundschaften, Einflüsse aus anderen Ausbildungsbereichen und die Gelegenheit oder der Anreiz zum Wechsel im rechten Zeitpunkt gehören sicherlich auch hierher.

Ausdrücklich genannt werden der politische Standpunkt und die Erfahrungen mit seiner Durchsetzbarkeit im Studium und vor allem die individuelle Lebenssituation, die subjektive Befindlichkeit in einer als männlich empfundenen Studienwelt.

Daß Juristen in bestimmter Weise schon vor ihrer speziellen Ausbildung für die Juristerei sozialisiert sein müssen, bestätigt sich also auch bei den Jura-Studentinnen; nur müssen diese in zweifacher Weise ihre Identität finden, einmal — wie auch die Männer — in Bezug auf juristische Denk- und Handlungsstrukturen, die dem Umgang mit Normen überhaupt immanent sind, und zum anderen in Bezug auf die spezifisch männlich ausgestalteten Gefühlsbahnen, Sprach- und Umgangsformen in den rechtlichen Berufsbereichen unserer Gesellschaft.

Eine berufliche Identität zu finden, ist ein mühsamer Prozeß — nicht nur für Juristinnen. Da hier nur Frauen berichten, die eine neue Identität gefunden haben, bereuen sie verständlicherweise ihren Umstieg nicht. Die Dabeigebliebenen, die z.T. auch oft von entsprechenden Selbstzweifeln geplagt werden, sollten sich von den folgenden Berichten allerdings nicht entmutigen lassen oder sich gar als „anpasserisch" diffamiert fühlen, denn ein gewisser „Leidensdruck" bei insgesamt doch überwiegend positiver Einstellung ist eine gute Voraussetzung zur Veränderung von Ausbildung und Beruf. Und diese tut offenbar not!

Sigrid Ständer (geb. 5.9.1940),
Studium der Rechtswissenschaften
an der FU Berlin von 1959 bis
1966. Abbruch des Studiums. Be-
ginn des Lehrstudiums an der PH
Berlin (Fach Geschichte). Inzwischen
seit 10 Jahren als Lehrerin tätig.

Es fällt mir sehr schwer, nach so langer Zeit über mein juristisches Studium zu berichten. Ich schob deshalb lange hinaus, über mein Aussteigen aus der Juristenzunft zu berichten.

Ich ging auf ein Berliner Gymnasium zur Schule, einem reinen Mädchengymnasium, und machte dort auch mein Abitur. Gleich nach dem Abitur begann ich mit dem Jurastudium. Ich hatte keine besonderen Vorstellungen von meinem zukünftigen Beruf, ich wußte nur, daß ich Volkswirtschaftslehre oder Jura studieren wollte. Schließlich machte Jura das Rennen. Wie mir später bewußt wurde, wollte ich mit diesem Studium endlich herausfinden, was Gerechtigkeit ist. Denn meine Familie war nicht sehr angesehen, ich wollte es allen zeigen, die uns hämisch ansahen. Ferner wollte ich es auch den Männern zeigen, daß ich ähnlich klug oder durchsetzungsfähig war wie sie. Also wählte ich das Studium, wo es fast nur Männer gab. Mit einer Freundin zusammen studierte ich. Wir hielten zusammen wie Pech und Schwefel. Damals zog man sich noch fein an, wenn man zum Studieren ging. In den Pausen lustwandelte man im schwarzen Anzug oder im kleinen Kostüm. Es war wie im Theater, als Frau war man ständig auf der Bühne.

Ich war in der ersten Studienzeit mit dieser neuen Rolle zu sehr beschäftigt, übernahm sie auch voll: war schüchtern, gut angezogen, sagte kein Wort in den Seminaren. Benachteiligungen der Studentinnen nahm ich überhaupt nicht wahr.

Für mich war damals dieser Zustand nicht problematisch.

Außerhalb des Studiums suchte ich allmählich in politischen Gruppen Halt. Ich schrieb dann auch über die juristische Emanzipation der Frau, vor allem über das Namensrecht, und befaßte mich mit psychologischen Fragen. Rechtswissenschaftliche und strafrechtliche Fragen interessierten mich beim Studium am meisten.

1966 bestand ich die erste juristische Staatsprüfung nicht. Aus persönlichen Gründen wiederholte ich sie nicht noch einmal. Ich begann dann mit dem

Studium an der Pädagogischen Hochschule und bestand 1969 die erste Staatsprüfung als Lehrer.

Ich bin oft gefragt worden, ob ich es nicht bedauere, abgebrochen zu haben: Dazu kann ich nur mit nein antworten.

Theoretisch wäre es sicher ganz gut gewesen, zwei bestandene Studien hinter sich gebracht zu haben. Doch ich wollte damals keinen Tag länger Jura studieren. Problematisch ist aus meiner jetzigen Sicht nur, daß ich nicht den Mut besaß, schon früher das Studium zu beenden. Ich war eben zum Durchhalten erzogen worden. Was man einmal begonnen hatte, mußte auf Biegen und Brechen zuende geführt werden.

Das juristische Studium hatte mit meiner Person überhaupt nichts zu tun. Ich erlebte es als gespalten – da die Pflicht des Studiums ohne Bezug zu dem Studieren, hier die individuelle Person mit ihrer Psyche. Den Sprung zum Studium an der PH (Pädagogische Hochschule) habe ich als sehr befreiend erlebt. Endlich gab es dort Menschen, wie ich sie mir wünschte. Nicht nur diese formalen, langweiligen und spitzfindigen Juristen. Vor allem gab es auch wesentlich mehr Frauen beim Studium, was ich auch als sehr befreiend erlebt habe. Dann hatte ich mich neben dem Auswendiglernen beim Jurastudium schon mit pädagogischen und psychologischen Fragen beschäftigt. Dieses kam mir bei dem neuen Studium sehr zu Hilfe. Ich wußte inzwischen, was mich interessierte, brauchte nicht mehr alles belegen, suchte mir das aus, was mir auch wirklich sinnvoll erschien. Das Studium bestand ich dann nach der vorgesehenen Zeit. Seit fast zehn Jahren bin ich nun Lehrerein – inzwischen unterrichte ich Bildende Kunst und Gesellschaftskunde an einer Berliner Gesamtschule. Bedauert habe ich es bis zum heutigen Tage nicht, daß ich nun nicht Richterin oder Rechtsanwältin geworden bin, sondern Lehrerin. Mir erscheint mein jetziger Beruf nicht so abgehoben zu sein, wie der des Juristen. Ich bemühe mich auch, eine verstehende menschliche Lehrerin zu sein.

Vikki S. ist 31 Jahre alt, hat 1976
ihr erstes juristisches Staatsexamen
gemacht und arbeitet heute als
freie Journalistin für den Rundfunk.

Gundel K. ist 29 Jahre alt, hat 1979
ihr erstes juristisches Staatsexamen
gemacht und arbeitet ebenfalls als
freie Journalistin für den Rundfunk.

Vikki S., Gundel K. und die Rechtswissenschaft

G.: Also ich habe 1971 angefangen mit dem Studium, allerdings nicht gleich mit Rechtswissenschaft, sondern erst einmal mit Philosophie und Publizistik – typischen Hungerkünstlerfächern. Nach einer Weile habe ich mir dann überlegt, Du mußt etwas studieren, mit dem Du auch Geld verdienen kannst, und da bin ich beim Durchblättern des Vorlesungsverzeichnisses bei Jura hängengeblieben.

V.: Kanntest Du schon irgendwelche Leute, die Jura studiert haben oder auch fertige Juristen?

G.: Nein überhaupt nicht. Ich hatte da sehr verschwommene Vorstellungen, aber da war viel von Politik die Rede und das interessierte mich. Es gab damals gerade einen Reformstudienplan, der die gesellschaftspolitischen Bezüge stark betonte, so daß ich die ersten drei Semester so gut wie nichts mit Paragraphen zu tun hatte und mich mit angenehmeren Dingen beschäftigen konnte. Z.B. haben wir den Eigentumsbegriff durchleuchtet: aus marxistischer Sicht, aus soziologischer Sicht, aus katholischer und evangelischer Sicht – das fanden wir sehr spannend damals und toll. In diesen ersten Semestern habe ich eigentlich überhaupt keine Vorstellung von dem Jurastudium gehabt – ich habe mich gebildet und fand das gut.

V.: Bei mir war das eigentlich ähnlich. Ich habe mir auch am Anfang Zeit genommen, um alles mal auszuprobieren, bloß mit dem Unterschied, daß ich gleich mit Jura angefangen habe. Das war ziemlich wenig zielgerichtet. Ich dachte nur: Lehrerin, das wollte ich auf keinen Fall werden, das war der absolute Horror. Ich bin auch zunächst da gar nicht richtig eingetaucht, ich habe die ersten Semester alles mögliche studiert und auch ganz andere Sachen gemacht und bin nicht so richtig in Kontakt mit den Paragraphen gekommen.

G.: Ich finde das im nachhinein ganz schön komisch, daß man an dieses Studium herangeht, ohne überhaupt zu wissen, was einen erwartet.

V.: Das fand ich gerade spannend – ich wollte gerade gucken, was das für ein Studium ist.

G.: Bei mir war noch wichtig, daß ich schon immer in den journalistischen Bereich wollte und daher eine möglichst schlaue und seltene Fächerkombination suchte und mir halt dachte, mit Jura und Publizistik schlägst Du zwei Fliegen mit einer Klappe. Ich habe das dann parallel studiert und der große Knaller kam bei der Juristerei dann am Ende des dritten oder vierten Semesters. Da merkte ich, daß ich da ernsthaft arbeiten mußte. Ich habe mich dann nach einer Arbeitsgruppe umgesehen – zum Repetitor wollten wir damals alle nicht – und diese Gruppen funktionierten dann auch ganz gut. Allerdings war ich oft die einzige Frau und hatte immer das Gefühl, im Hintertreffen zu sein. Ich habe die Paragraphen usw. längst nicht so gut behalten können und hatte immer Schwierigkeiten mit den abstrakten Formeln. Ich konnte sie mir zehn Mal einpauken, beim elften Mal hatte ich sie wieder vergessen – sicher auch, weil ich den Sinn einfach nicht einsah, Sachen auswendig zu lernen, die man nachschlagen konnte. Durch das Studium habe ich mich dann mit Hilfe meiner diversen Arbeitsgruppen so durchlaviert, die Leute haben mich oft getreten und gereizt, und diese Unterstützung war sehr wichtig für mich. Oft habe ich auch wirklich nichts gemacht, denn im Publizistikstudium gab es viel tollere Sachen, ich habe da schon alles mögliche ausprobiert, z.B. ein Praktikum bei einer Zeitung gemacht. Das fand ich viel spannender als etwas über den Eigentumsvorbehalt zu lernen.

Hinzu kam, daß mein Freund auch Jura studierte und im Gegensatz zu mir für diese Dinge ein Gedächtnis wie ein Elephant hatte – während ich mich sehr mühsam durchbeißen mußte. Die Leiden fingen dann eigentlich an, als ich beschloß – so im 6./7. Semester – nun machst Du das Studium auch zu Ende, obwohl ich immer noch schwankte. Denn im Grunde machte es mir nur sehr mäßig Spaß, ich hatte das Gefühl, das liegt mir nicht. Vor allem empfand ich die Juristen auch als extrem freudlos, so humorlos, die guckten immer so ernst und taten so wichtig mit ihren dicken Wälzern unterm Arm.

V.: Du meinst jetzt die Studenten?

G.: Ja — ich kriegte schon Beklemmungen, wenn ich den juristischen Fachbereich betrat, denn bei den Soziologen oder Publizisten ging's rein äußerlich jedenfalls entschieden lockerer zu, die kannten diesen ganzen Notenkram nicht und hatten auch nicht die Zwänge, bestimmte Scheine zu machen. So eine juristische Hausarbeit, das weiß ich noch, war z.B. immer eine halbe Staatsaktion. Die haben wir dann immer zu 5 oder 6 Leuten geschrieben und waren nach den sechs Wochen ganz fertig vor lauter Schwitzen.

V.: Warum hast Du denn das Studium zu Ende gemacht — war das eine Art Gruppenzwang?

G.: Vielleicht auch, aber ich hatte mir in den Kopf gesetzt: nun ist es schon so weit, jetzt mußt Du's auch zu Ende machen, Du kannst es nicht einfach hinschmeißen — der sanfte aber gewichtige Druck meiner Eltern kam auch noch dazu.

V.: . . . Du kannst ja machen was Du willst — aber Hauptsache Du machst erst mal Dein Examen! Das kenne ich.

G.: Zum Teil bin ich über die Juristerei richtig krank geworden. Das lag auch daran, weil ich meinen eigenen Ansprüchen nicht gerecht werden konnte. Obwohl ich wußte, das ist ein Fach, das mir nicht sonderlich liegt, wollte ich trotzdem gut sein — und ich war nie gut. Nur wenn ich völlig entspannt und streßfrei war, gelang mir ab und an ein Glückswurf — wahrscheinlich nicht zufällig, sondern gerade dann, wenn ich den Kopf mal frei hatte und nicht so angespannt war. In die Klausurenkurse bin ich zum Teil mit inneren Krämpfen gegangen und wenn ich dann den Fall gesehen habe, war mein Gehirn wie zugenagelt, mir fiel nichts mehr ein. Ich fand auch die Sprache, die Worte oft so gräßlich, mit denen konnte ich nichts anfangen, die waren so altertümlich und umständlich und ich habe oft gedacht, meine Güte, warum reden die denn nicht mal geradeaus.

V.: Mir ist das auch so ähnlich gegangen und ich fand vor allem den Konkurrenzdruck so enorm bei diesem Studium, wobei ich nicht unbedingt den Konkurrenzdruck in den Arbeitsgemeinschaften meine. Ich habe dann aus persönlichen Gründen auch ein Jahr wieder ausgesetzt und bin ein halbes Jahr nach Amerika gefahren. Als ich zurück kam, war ich mir ganz sicher, ich höre auf und mache Sozialpädagogik — das wollte ich damals schon und jetzt mache ich das auch — und ich habe mich erkundigt, aber da gab es einen unheimlich hohen numerus clausus und da habe ich mir eben überlegt, ich mache dieses Examen jetzt erst einmal irgendwie fertig, dann kann ich das Pädagogikstudium immer noch dranhängen.

G.: Aber mit dem Journalismus hattest Du damals noch nichts am Hut?

V.: Nein, überhaupt nichts, gar keine Idee davon.
Und dann habe ich mich eben auch mit Freunden zu einer Arbeitsgemeinschaft zusammengetan und wir haben angefangen, den ganzen Stoff zu erarbeiten. Ich bin insgesamt durch drei Arbeitsgemeinschaften gegangen. Mein Hauptproblem war, daß das ganze Studium überhaupt nichts mit mir zu tun hatte, es war irgendwie ein fremder Teil von mir, aber das habe ich auch erst hinterher so richtig gemerkt. Das hing zum einen mit dieser Sprache zusammen — das ist, finde ich eine richtige Herrschaftssprache. Und wie das Studium aufgebaut ist, mit diesen ganzen Fällen, man löst ja nur Fälle. Und wenn Dich dann mal einer fragt — ja, wer hat denn nun wieviel Geld bekommen, dann hätte ich das gar nicht sagen können, denn obwohl ich den Fall vorher

nach Vorlage oder nach dem Gesetz gelöst hatte, hatte dieser Fall mit der normalen Realität im Alltag nichts zu tun. Es war immer Herr X oder Herr Kuckuck, der dieses oder jenes Problem hatte. Das war eben nicht der Mieter, den ich kenne oder der zu mir kommt. Ich konnte mir das auch gar nicht vorstellen, daß da mal jemand zu mir kommt und mich in so einer Angelegenheit um Rat fragt. Und wenn mich Leute gefragt haben, dann mußte ich mir das erst in einen „Fall" übersetzen, um es beantworten zu können.

G.: Das ging mir ähnlich. Ich konnte auch die schlichtesten Dinge nicht beantworten und dachte dann: um Gottes willen, da hast Du wieder mal nicht aufgepaßt, und mir war das alles auch immer kilometerweit weg.

V.: Ich denke auch, daß es daran lag: viele Leute, die ich kannte, haben in Mietergruppen gearbeitet oder in Knastgruppen. Ich meine auch, daß man während des Studiums unbedingt in solchen Gruppen arbeiten sollte, die sich außerhalb der Universität konkret mit Problemen beschäftigen. Ich habe zum Beispiel an einer Mieterbroschüre mitgearbeitet – aber das war eben auch wieder nur theoretisch und hatte mit mir und meinen Gefühlen überhaupt nichts zu tun.

G.: . . . weil Gefühl nun wirklich nicht gefragt war. Das wurde mir auch oft in den Arbeitsgemeinschaften klar, da ging immer so ein Grinsen durch die Runde. Da wo wir am Anfang noch soziale Zusammenhänge mitdiskutiert haben, verlor sich das am Ende des Studiums immer mehr, je näher das Examen rückte. Das wurde kategorisch abgelehnt. Jetzt hieß es nur noch: Anspruchsgrundlage, Subsumtion, Ergebnis. Ich habe dann das Examen auch nur durchgehalten, um hinterher etwas anderes zu machen.

V.: Für Dich war also schon vor dem Examen klar, daß Jura für Dich beruflich keine Zukunft hat?

G.: Ja – das war mir ziemlich klar. Ich konnte mir nur sehr schwer vorstellen, daß ich weiter mit einer so trockenen Materie umgehen würde. Allein dieser Schönfelder – ich konnte mir nicht vorstellen, daß ich da mein ganzes Leben – oder auch nur mein halbes – Paragraphen raussuchen würde. Dieses Blättern in den fitzligen dünnen Seiten, das ging mir schon auf den Nerv. Ich habe auch keinen wahnsinnigen Spaß daran, unbedingt ein Mosaik zusammenzusetzen oder komplizierte Rechnungen vorzunehmen, und das wird ja zum Teil verlangt bei der Juristerei.

V.: Ich glaube auch, daß es an der Vermittlung des Stoffs liegt, daß man immer nur nach Fällen arbeitet und ständig das Gefühl hat, das gibt es doch gar nicht, die sind doch alle konstruiert auf das Examenswissen hin und Gebiete, die wichtig sind, wie z.B. Mietrecht oder Arbeitsrecht, das sind dann nur Wahlgebiete.

G.: Ich habe dann auch Arbeitsrecht gewählt, weil ich das interessant fand. Da ging es um Streiks und Aussperrung, da konnte ich mir was drunter vorstellen – zumal wenn es parallel lief mit der Realität.

V.: Das fand ich z.B. beim Examen gut, da mußte man Zeitung lesen und gucken, wie könnte das jetzt rechtlich gewürdigt werden, das war zwar Streß beim Zeitunglesen, aber das hatte dann wenigstens noch ein bißchen mehr mit der Normalität zu tun.

G.: Ich habe diese ganzen Anforderungen übrigens so stark verinnerlicht, daß ich nachts oft schweißgebadet aufgewacht bin und gedacht habe, wie schaffst Du bloß Deine Karteikarten. Ich habe mir dann einen Plan gemacht.

V.: Das habe ich auch gemacht.

G.: Den Plan habe ich allerdings fast nie eingehalten und daraus entstand dann auch wieder Frust, denn ich bin meinem selbstgesteckten Klassenziel ständig hinterhergelaufen. Schließlich bin ich auch zwei Mal aus den Klausuren ausgestiegen und das Examen hat sich so über 1 3/4 Jahr hingezogen — es war wirklich eine sehr schlimme Zeit. Wie oft ich gedacht habe, ich schmeiß' es hin, das kann ich Dir gar nicht beschreiben. Das Examen beherrschte mich total. Ich konnte nicht mehr mit Freunden zusammensitzen, jede Stunde, die ich nicht an meinem Schreibtisch verbrachte, verursachte mir ein schlechtes Gewissen.
Was mich noch interessieren würde, warum hast Du gesagt, daß das Studium nichts mit Dir zu tun hatte?

V.: Es hat mich nicht berührt, es hat mich einfach unheimlich kalt gelassen, mich selber. Das merke ich besonders jetzt, wo ich Pädagogik studiere. Bei dem Studium habe ich das Gefühl, das sagt mir etwas, das kann ich verwenden im Umgang mit anderen Menschen, auch mit Arbeitskollegen aus anderen Arbeitsbereichen. Das, was ich lese, das kann ich, wenn ich jetzt mit Kindern, Jugendlichen oder Frauen arbeite, auch umsetzen. Das, was ich bei Jura gelernt habe, konnte ich nie umsetzen, das war etwas für den Kopf — und für das Examen, vielleicht noch für die Bestätigung, habe ich mir das halt in den Kopf geklopft.

G.: Ich hab auch oft gesagt, ich mache es, um mir zu beweisen, daß ich auch bei diesem Studium ein Examen machen kann. Außerdem war der Druck, der Sog an einem bestimmten Punkt so groß, daß ich nicht mehr aussteigen konnte. Ich hatte das Gefühl, es ist wie eine Spirale. Außerdem dachte ich, es gibt so viele wirklich schlimme Juristen, so viele beschränkte Richter, Staatsanwälte und Rechtsanwälte, die über alle Macht aus und bekleiden Schlüsselpositionen in unserer Gesellschaft — so doof kannst Du nicht sein, Du schaffst das auch. Trotzdem hab ich mich aufgeführt wie ein Hamster im Rad — das war schon bald zwanghaft.

V.: Ich habe es eigentlich erst so richtig hinterher gemerkt — in den zwei bis drei Jahren vor dem Examen habe ich mich auch hauptsächlich beschissen gefühlt. Muß ich wirklich sagen. Ich war niedergedrückt, hatte Komplexe, all das, was Du beschrieben hast. Ich hatte das Gefühl, ich kann das alles nicht, ich kann überhaupt nichts. Ich blieb auch immer irgendwie zurück. Ich wollte das auch manchmal nicht lernen. Ich weiß, daß ich manchmal vor Angst morgens um sechs aufgestanden bin, um mich für die Arbeitsgemeinschaft um neun vorzubereiten.

G.: Das ging mir auch so. Irgendwann bin ich dann doch zu einem Repetitor gegangen, der war unheimlich komisch und ich habe mich gebogen vor Lachen. Jura hat mir sogar die zwei Monate Spaß gemacht, doch leider hab ich nur über seine Witze gelacht und keinen Paragraphen behalten — bis auf ein paar lustige Sprüche, die mir nicht aus dem Kopf gingen.

V.: Ohne die Arbeitsgemeinschaft hätte ich mein Studium nicht geschafft. Das war sehr angenehm und toll bei dem Studium: Leute, die nett waren und mit denen man gut arbeiten konnte. Da haben sich auch ganz tiefe freundschaftliche Beziehungen draus ergeben. Und ich habe gelernt, in Gruppen zu arbeiten. Und zwar gut und effektiv und solidarisch und mit Spaß zu arbeiten. Das ist das einzige, was mir das Studium wirklich gebracht hat.

G.: Mir ging das auch so. Ich kann Leute nicht verstehen, die Gruppenarbeit nicht leiden können. Die Arbeitsgemeinschaften – das war der Dreh- und Angelpunkt für mich. Außerdem hat mir mein Freund natürlich ungeheuer viel geholfen –, vor allem wenn mein Selbstwertgefühl wieder völlig geknickt war, weil ich dachte, ich bestehe überhaupt nur noch aus Examensangst. Überhaupt haben viele Freunde immer wieder Aufbauarbeit geleistet, und manchen haben die Jahre vor meinem Examen beinahe genauso geschlaucht wie mich.

V.: Das ist ein gutes Gefühl, wenn man nette Leute um sich hat. Ich glaube aber, daß man dadurch zwar persönlich weiter kommt, aber es kann doch nicht der Sinn von einem Studium sein, daß man aus tiefer Verzweiflung heraus ab und an wieder auf seinen Füßen landet und meint, so, nun bin ich eigentlich gewappnet für alle schlimmen Sachen, ich hab ja alles schon durchgemacht; das geht doch nicht.

G.: Ich hatte wirklich Scheuklappen. Es war wie ein in sich geschlossenes System – und das liegt eben auch an diesem juristischen Gebäude. Ich glaube, es ist kaum ein Studium in der Lage, Dich so einzukesseln und einzukreisen wie dieses Studium.

V.: Das liegt auch daran, daß man bestimmte Denkgewohnheiten entwickeln muß und viele gesellschaftspolitische Sachen einfach ausklinken muß. Wenn es auf das Examen zugeht, dann beschäftigst Du Dich ja nur noch mit sturer Paukerei.

Ich wollte auch noch sagen, daß ich mich seit diesem Examen nie wieder so schlecht gefühlt habe. Ich hatte oft das Gefühl, ich pack' es nicht, und der entscheidende Punkt kam erst ein viertel Jahr vor dem Examen als ich schon meine Hausarbeit geschrieben habe und für die Klausuren lernte. Plötzlich saß ich da und dachte: jetzt hast Du's kapiert! Jetzt habe ich kapiert, worum es überhaupt geht bei dem ganzen Studium und bei der Systematik und dann wurde mir auch vieles leichter. In meinem Kopf hat sich dieses ganze System entfaltet. Dort, wo ich bisher nur an einigen Punkten gelernt hatte, aber die Verbindungen nie hingekriegt habe. BGB, Strafgesetzbuch – das waren alles Einzelteile. Ich habe dann zwar keinen besonderen inneren Zugang dazu bekommen, aber das ganze System war mir plötzlich durchsichtig geworden. Es war, wie wenn man ein Buch liest und nie etwas versteht, und irgendwann kommt ein Satz, der einem den Schlüssel gibt. Aber das war einfach alles wahnsinnig spät.

Als ich dann beim Jugendgericht ein Praktikum gemacht habe, da bin ich auch total desillusioniert worden, und da war für mich auch klar, das ist ein Beruf, den Du nicht machen willst. Das ist vielleicht für andere gut, die gerne was zu Papier bringen und sich weniger mit den Menschen direkt auseinandersetzen – aber das wollte ich nicht.

G.: Das einzige, was ich mir überhaupt noch vorstellen könnte, ist Rechtsanwältin zu werden – ich glaube, das könnte ich vielleicht noch machen.

V.: Du würdest jemandem, der Jura studieren will, auch nicht total abraten?

G.: Ich würde mir den jemand ganz genau angucken.

V.: Man muß einfach Freude und Spaß daran haben, logisch, fast schon naturwissenschaftlich, zu fummeln und vielleicht auch Spaß am austricksen haben. Ich hatte immer das Gefühl, wenn Du Anwältin bist oder Richterin, dann mußt Du Dich hinsetzen und sagen: dies oder jenes Ergebnis will ich, wie biege ich das jetzt am schlauesten hin, so daß der andere mir nichts kann.

G.: Es hat was von Geschicklichkeitsspielen – da werd ich auch immer rappelig, so viel Geduld habe ich nicht.

V.: Das hat mich auch von der Referendarzeit abgeschreckt. Die meisten Leute haben z.B. gesagt, mach. doch wenigstens die Referendarzeit, dann kannst Du Dich immer noch entscheiden. Und ich habe gedacht, wenn ich mein Leben lang so denke, dann bin ich mit 50 immer noch Juristin und deshalb muß ich mich jetzt anders orientieren. Was mich auch besonders abgeschreckt hat als Frau, war z.b. dieses Gericht. Dieses Machtspiel mitzumachen, denn Du bist ja dort ganz vielen Spielregeln unterworfen. Und als Frau bist Du dem doppelt ausgesetzt. Du mußt zum einen die souveräne Juritin spielen, die alle Paragraphen auf der Platte hat und Du mußt auch als Frau souverän auftreten. Ich habe da von Freundinnen, Referendarinnen, ganz schreckliche Sachen gehört, wo ich immer dachte, dem will ich mich nicht aussetzen, denn ich glaube, daß das auf die Dauer ganz schön auf die Persönlichkeit abfärbt.

G.: Ich hatte das Gefühl, ich bin schon verfärbt genug als ich das Examen machte und hatte mir geschworen: nie und nimmer jetzt gleich die Referendarzeit. Jetzt machst Du erst mal das, wozu Du Lust hast und was Du auch schon die ganze Zeit wolltest. Ich hätte z.B. auch keine Lust mehr, mich dauernd in diese Schulmädchensituation zu begeben und ständig von irgendwelchen Leuten wieder benotet zu werden.
Außerdem fühle ich mich jetzt viel zu wohl, um das gegen die Referendarzeit einzutauschen.

V.: Das geht mir ähnlich und die Juristerei verschwindet dann auch immer mehr am Horizont hinter den Bergen.

G.: Wenn ich allein an die Prüfung denke – es geht zu, d.h. die Stimmung ist wie bei einer Beerdigung. Die Leute sehen schon alle so aus in den schwarzen Fräcken und die Frauen in den schwarzen Kleidern, richtige Rituale laufen da ab. Ich weiß noch: dieser lange Gang, da läuft so eine Art Wachtmeister vorneweg und reißt die Türen auf, und die Prüflinge marschieren zitternd hinterdrein und viele auch wieder raus – denn es fallen ja jede Menge durch.

V.: Hast Du eigentlich den Eindruck gehabt, daß besonders viele Frauen während des Studiums oder während des Examens durchgehangen haben und es deprimierend fanden?

G.: Ja, den Eindruck hatte ich. Oder die Männer haben es nicht so erzählt. Ich hatte jedenfalls mit vielen Frauen Kontakt, die schrecklich gelitten haben, zum Teil richtig kaputt waren durch dieses Studium und manche haben sich nur noch mit Tabletten aufgemöbelt. Die Männer haben das besser überspielt, jedenfalls konnten sie besser bluffen.

V.: Und besser durch Arbeit kompensieren. Ich kann mich allerdings noch erinnern, daß ich mal eine andere Frau gefragt habe, und die hatte überhaupt keine Probleme und ihre Freundin auch nicht, die standen einfach drüber. So habe ich auch mehr Männer kennengelernt, die Versagensängste hatten – obwohl ich grundsätzlich schon sagen würde, daß Männer mit solchen Situationen besser umgehen können als Frauen.

G.: Ich habe Frauen erlebt, die haben sich voll identifiziert und ihr ganzes Selbstwertgefühl vom Bestehen einer Klausur abhängig gemacht. Ich habe natürlich auch andere kennengelernt, zu denen habe ich ehrfurchtsvoll hochgeblickt, weil sie das so gut schafften. Auf der anderen Seite war das auch manchmal so ein Typ Frau, der mir ein bißchen freudlos erschien.

V.: Die waren sicherlich auch zielstrebiger mit ihrem Beruf. Mir ist aufgefallen, daß wir beide nur sehr unbestimmte Vorstellungen von dem Juristen-beruf hatten, eigentlich überhaupt keine, bloß ein paar übergreifende Ideen im Kopf.

G.: Ich habe jedenfalls immer Fluchtwege aus dem juristischen Bereich ge-sucht.

V.: . . . und ich habe am Tag des Examens fünf Luftsprünge gemacht, ich war derartig begeistert und erleichtert wie noch nie. Ich hab mich drei Tage in den Sessel gehauen und „Tochter der Erde" gelesen, bin nach England gefah-ren und habe mich gefühlt wie im siebten Himmel. Ich wußte — das Examen noch und dann: Schluß.

G.: Ich wußte auch in dem Moment: jetzt kannst Du Dich endlich mit Dir selber beschäftigen, um herauszufinden, was Dir Spaß macht. Ich bin erst mal nach Italien gefahren und habe insgesamt auch sehr lange gebraucht, um mich von diesem Examen zu erholen — physisch und psychisch. Und meinen Examenstag, den habe ich ein Jahr lang zum monatlichen Feiertag erhoben. Als ich ihn das erste Mal vergessen hatte, wußte ich, jetzt ist diese Phase wirk-lich erst einmal abgeschlossen.

Helga Boye, geb. 1945,
Jura- und Pädagogikstudium von
1973 bis 1980 in Berlin,
abgeschlossen mit Magister;
seit Oktober 1981 Wissenschaftliche
Mitarbeiterin an der TU Berlin im
Fachbereich Erziehungswissen-
schaften mit dem Arbeitsschwer-
punkt: Steuerung und Reglemen-
tierung von Bildungs- und Sozial-
sationsprozessen durch juristische
und bürokratische Strukturen.
Geschieden, zwei „halbstarke" Söhne.

Was habe ich, weiblich, 36 Jahre alt, geschieden, vom Zweiten Bildungsweg kommend, Mutter zweier Kinder und Magisterexamen in Pädagogik und Jura in diesem Report zu suchen? Weder bin ich eine reguläre Jura-Studienabbre-cherin noch eine reguläre Juristin. Aber ich stelle mir vor, daß es ganz sinn-voll ist, die Erfahrungen mit dem Jurastudium aus der Distanz eines pädago-gisch-sozialwissenschaftlichen Studiums zu gewichten. Die Schwierigkeiten mit der juristischen Ausbildung und den meiner Ansicht nach spezifischen Sozialisationsprozeduren sind mir noch nah. Heute pendle ich noch zwischen Schauer und Lust, wenn ich mich recht-s-mäßigen Problemen zuwenden muß: bei Unterhaltsstreitigkeiten, bei Mietsachen, in der Schule und Hochschule.

Der Schauder setzt ein, wenn ich die Knebelungssprache juristischer Diktion erlebe, die Lust, wenn ich bornierten Sachzwangbürokraten einen Fußbreit Boden abgewinnen kann, weil sie nicht damit rechnen, daß ich mich ihrer Codierungen bedienen kann, sie anders interpretiere, als sie mir vorschreiben wollen.

Mich verblüfft immer wieder, wie mein Wert als Frau, als ernstzunehmendes Wesen, steigt, wenn ich in den traditionalen Formen männlicher Verkürzungen und falscher Problemreduktionen Widerstand formuliere. Der Hinweis auf drei oder vier Paragraphen hat mehr Überzeugungskraft als eine lange inhaltliche Argumentationskette. Er baut scheinbare Gewißheit auf und suggeriert Richtigkeit, verleiht mir zuweilen eine Autorität, die ich gar nicht haben will, die in bestimmten Auseinandersetzungen aber nützlich ist und Zeit spart. Ich versuche also auf einer entfernten Ebene, im Rückgriff meine – vielleicht doch verallgemeinerbare – auf Frauen jedenfalls beziehbare Besonderheit in der Auseinandersetzung mit der Jurisprudenz aufzuzeichnen.

„Die Rechtswissenschaft nimmt Sozialisationsfunktionen wahr" behauptet Hugo Rottleuthner; ich behaupte, daß die Ausbildung zum Juristen schädliche Sozialisationswirkungen zeitigt.

Dies gilt für Studenten wie für Studentinnen, aber Frauen trifft es ungleich herber, da sie sich in ein System hineindenken und hineinfühlen müssen, das ihnen fremd ist, das von Männern geschaffen wurde und das in seinen Strukturen zutiefst autoritär und männlich ist.

Es beginnt schon beim Szenarium des Lehr- oder besser: Paukbetriebes. Selten – und dann immer in sogenannten männlichen Domänen wie den Ingenieurwissenschaften, der Physik, der Mathematik – wird die Hierarchie zwischen Lehrenden und zu Belehrenden so deutlich vorexerziert wie bei den Juristen. Frontalbetrieb, Massenveranstaltungen, Massenklausuren, auf dem Podest steht der Professor, doziert, führt zuweilen hochnotpeinliche Befragungen durch: „Eine von den drei anwesenden Damen, bitte, ja Sie, in der vierten Reihe"; die so Angesprochene soll eine repetitorische Gedächtnisleistung abliefern. Nicht Denken, Austausch, Diskussion ist erwünscht, sondern das zügige Herunterleiern einer Regel. Nirgendwo ist denn auch die Unsicherheit über den eigenen Wissensstand, die Furcht, nichts zu wissen, alles übersehen zu haben, größer als bei den Jurastudenten. Vielleicht erklärt sich hieraus die traditionsreiche Einrichtung der Repetitorien, wo das Examenswissen eingetrimmt wird, da der universitäre Lehrbetrieb offensichtlich nicht geeignet ist, den Auszubildenden diese Sicherheit zu vermitteln.

Nirgendwo ist auch die Borniertheit pädagogischen oder didaktischen Vermittlungsangeboten gegenüber so groß wie in der Jurisprudenz, gewisse Ausnahmen machen die Universitäten in der einphasigen, reformierten Juristenausbildung (Bremen, Hamburg). Aber neben die Vermittlungsform, die sich allenfalls müht, den trockenen Stoff durch anrüchige Schlüpfrigkeiten etwas gleitfähiger zu machen, tritt die Verweigerung, Inhalte zur Kenntnis zu bringen. Am schwersten zu durchschauen und am meisten Wirkung entfaltet jedoch der Anspruch, das Netz von Regeln und Normen unhinterfragt zu erpauken. Da stecken die heimlichen Angreifer und Verformer; sie sind tief in das juristische Denken eingelagert. Im Rechtsgefüge herrscht schließlich Ordnung. Diese Ordnung ist streng hierarchisch, schließt ein oder aus, läßt keine Übertretungen zu. So wie die Beziehungen der Regeln zueinander von unterschiedlicher Mächtigkeit sind, so werden die Beziehungen von Menschen zu Menschen und von Menschen zu Dingen in Machtverhältnissen ausgedrückt, die man elegant als Recht umschreibt, das der Ehe, am Eigentum, schwächer schon das des Besitzes, am schwächsten das des Besitzes auf Widerruf. In der Ausbildung lernt man nicht die Inhalte der Regeln kennen, sondern die Ordnung der Regeln zueinander. Eine Regel erklärt sich durch die andere. Nach außen gibt sich die Jurisprudenz rational und objektiv, innerhalb ihres eigenen Ordnungsgefüges kann sie auch eine rationale Logik für sich beanspruchen, aber unter der Hand verlangt sie damit die Anerkennung der Hierarchie, der Macht, der Ungleichheit.

Frauen wird nachgesagt, sie würden häufig zu emotional mit dem Recht umgehen, sich von rechtsfremden Erwägungen leiten lassen, das logische System nicht immanent verfolgen. Wen wundert es, wenn die bruchlose Übernahme einer fremden und kalten Logik, die sich nur durch sich selber legitimieren kann, nicht immer gelingt, zumal sie den eigenen Haltungen, Wertsetzungen,· Erfahrungen und dem Gefühl häufig widerspricht.

Es sind andere, den Menschen oder den Schwächeren zugewandte Formen des Denkens und der Handlungsmöglichkeiten vorstellbar als die der juristischen Logik, und in anderen (z. B. den sozialwissenschaftlichen) Disziplinen existieren sie ja auch. Ebenso in den zu Hilfe gezogenen Disziplinen wie der Kriminologie, der Psychologie, die die allzu starken Auswüchse bei korrekter Normanwendung auf den einzelnen Fall hin ein wenig glätten sollen. Das Problem aber ist, daß die Rechtswissenschaft eben nicht als Teil der Sozialwissenschaften gelehrt wird, sondern als Handwerkzeug der Jurisprudenz beansprucht, die Verhältnisse der Menschen gültig zu regeln und zu definieren, was normal ist, was rechtens sei, was abweicht und ausgegrenzt und sanktioniert werden muß. Wer abweicht, kann sich nicht mehr auf ein, bzw. das Recht berufen.

Für die Verletzung der gewaltsam in Kraft gesetzten Normalität bietet die Jurisprudenz Problemlösungsmittel an. Das Problem wird erst mal zum Fall reduziert, zu einem Skelett, auf das dann das Korsett der abstrakten Norm gestülpt wird. Die Besonderheiten werden unterschlagen, damit Regelförmigkeit — aber auch die regelmäßige Abweichung von der Norm — behandelt oder verhandelt werden kann. Die Gewaltverhältnisse werden so über die Technik, die Abstraktion und Anonymität verschleiert, das spektakulär Politische, einmal in Form gebracht, wird unpolitisch. In dem Rechtfertigungszusammenhang der dogmatischen Formeln versteckt und legitimiert sich die Gewalt, wird reingewaschen, indem sie sich nur noch als Problem einer cleanen Subsumtion darstellt. Man könnte von einem dauernden Vergewaltigungszusammenhang sprechen, weil Werthaltungen und Vorurteile sich so verkleiden, als seien sie nur distanzierte und objektive Subsumtionstechnik, Anwendung geltender Rechtssätze mit dem hochwohllöblichen Ziel, den Konsens aller billig und gerecht Denkenden durch positive oder negative Sanktionen wiederherzustellen.

Eine Zeitlang hatte ich die Hoffnung, die Korruptionsfähigkeit des Rechts könne auch in dem Sinne subversiv gewendet werden, dazu führen, den weniger Starken zu mehr Stärke zu verhelfen.

Aber die Komplizenschaft des „Rechts" mit der Macht ist nicht zu durchbrechen — und schließlich entscheidet auch nicht die Norm, so oder so gedeutet, sondern eine autoritäre Instanz. Um bis zu ihr vorzudringen, in ihr hörbar zu werden, muß man schon das ganze Kampfgepäck des „Oben" und „Unten", des „Gut" und „Schlecht", des „Normal" und des „Abweichend" mit sich herumschleppen. Man muß sich der Kunstsprache des unantastbaren Rechts

bedienen, seine Denkstrukturen übernehmen, sich mit gegebenen Machtkon-
stellationen arrangieren, als Richtlinie das Lineal männlicher Gedankenge-
burten anlegen und — über die Klinge springen. Der schöpferische Akt, den
einige Rechtslehrer für das Reizvollste bei der Lösung juristischer Fälle halten, ist etwa so inspirierend und kreativ wie das Ausmalen eines Kindermal-
buches. Er beschränkt sich darauf, innerhalb der gegebenen Rechtsordnung
eine kleine Lücke zu finden, im Kanalsystem auch mal rückwärts zu schwim-
men oder einen Seitenweg auf Zeit zu nutzen. Im Laufe der Zeit gewöhnte
ich mir an, meine kreativen Anstrengungen dahingehend umzubiegen, daß ich
bei Klausuren und Hausarbeiten immer das Ergebnis anstrebte, das mir zutiefst ungerecht erschien und meinem Gefühl zuwiderlief — es waren ja nur
Fälle! So bestand ich schließlich meine Übungen, aber ein arger Zynismus
schlich sich auch ein.
Mir ist aufgefallen, daß Juristinnen und Juristen immer schnell Rezepte und
Lösungen bei der Hand haben. Die Problemreduktion, das Hinüberführen
auf ein Gebiet, das technisch sicher gehandhabt werden kann, verführt aber
auch zur Transformation des Problems, verleitet zu nicht adäquaten oder
sogar falschen Ersatzlösungen. Diese Entscheidungsfreudigkeit, das Macher-
tum, bedeutet aber zugleich, daß Offenheit, eine unbefangene Sicht, alternative Lösungen — mit all ihren Unsicherheiten — verschwinden, zumindest
zu kurz kommen. Diese ansozialisierte Mentalität, alles in den ,,Griff'', den
rechtlichen Kunstgriff bekommen zu wollen, macht blind für große Zusammenhänge, für eben schwer durchschaubare soziale Komplexe. Dies, verstärkt durch das Anspruchsgehabe der Jurisprudenz, umfassende Regelungen für menschliche Beziehungen vornehmen zu können und sie vorbildlich
gestalten zu können, ist die erwähnte Sozialisationsfunktion des Rechts.
Was einmal entschieden ist, haben wir in unser alltägliches und erst recht
unser juristisches Denken aufzunehmen und als Werthaltung mitzutragen.
Jurisprudenz, das ist für mich ein Mann, ein Macho aus dem Bilderbuch: die
Welt ist in Unten und Oben eingeteilt, und was und wer oben und unten ist,
bestimmt er. Denken ist nur in den Regeln erlaubt, die ihm passen, die schon
immer seine Regeln waren, die ihm genehm sind. Was da abweicht, wird zu-
rechtgetrimmt oder übersehen, überhört; was nicht reinpaßt in sein Ordnungs-
gefüge, wird passend gemacht; was sich da wehrt, ist Mangel an Logik, Mangel
an Geist, Mangel an Abstraktionsvermögen, kurzum: langhaarig und verstan-
deslos. Wo noch Spielräume sind, müssen sie geschlossen werden; wo es dif-
fus wird, wird von der reinen Lehre gesprochen, für das Gefühl nicht nachvollziehbar, aber in sich gerecht; wo Stellung bezogen werden muß, werden Sonntagsreden von Würde gehalten; wo Unrecht sich nicht kaschieren läßt, wird
von der notwendigen Rationalität oder den Sachzwängen gesprochen. Dies
alles im Namen eines auf Gerechtigkeit und Gleichheit bedachten Ordnungsgefüges, das ich nicht verstehe; aber ich kann eben nicht herrschaftlich denken, weil ich nicht lange genug der Jurisprudenz, so wie sie gelehrt wird, ge-
huldigt habe.

Daten, Fakten, Einschätzungen

9

Die subjektive Sicht des Berufes, der Ausbildung und der eigenen Rolle von Juristinnen soll nun ergänzt werden durch Daten, Fakten und Einschätzungen zum Phänomen Juristin und zum Thema „Frau im Recht".
Statistische Angaben und Hinweise finden sich bereits in einzelnen Berichten und Interviews (siehe: Anhang des Interviews mit Justizministerin Donnepp und Bericht der ehemaligen Richterin Becker). Was lag da näher, als einmal systematisch die Zahlen und Anteile von Juristinnen zusammenzustellen und ihre Entwicklung über die Jahre zu dokumentieren. Rechtsanwältin Kristine Sudhölter tat dies und stellte dabei fest, daß es bisher keine alle juristischen Berufe umfassende statistisch-wissenschaftliche Arbeit gibt. Wegen der schlechten Quellenlage und in der Absicht, nicht einem hiermit angeregten größeren Forschungsvorhaben den Boden zu entziehen, stellt sie hier nun die Zahlen von Frauen in der Justiz und beispielhaft die Zahlen der Rechtsanwältinnen eines OLG-Bezirks dar.
Auch das historische Thema: „Frau in der Rechtswissenschaft" gerät zur Defizitanalyse. Die Rechts- und Sozialwissenschaftlerin Ute Gerhard wirft anhand der Rechtsgeschichte des 19. Jahrhunderts „Frauenfragen an die Rechtswissenschaft" auf. Juristinnen gab es im 19. Jahrhundert noch nicht; Frauen als solche wurden in rechtswissenschaftlichen Abhandlungen unter „besondere Zustände" geführt. Die Kenntnis dieser gar mittelalterlich anmutenden Geisteshaltung gegenüber der Frau läßt uns ermessen, welchen Sprung es für die Gesellschaft bedeutete, als Frauen zur Wahl, zur Hochschule und zu den juristischen Berufen zugelassen wurden. Insofern stellt Ute Gerhards rechtshistorischer Beitrag auch eine Art Vorgeschichte des 1918 gegründeten „Juristinnenbundes", über den hier die Rechtsanwältin Adelheid Koritz-Dohrmann (im 7. Kapitel) berichtete, dar, denn ohne den Kampf von Frauen des 19. Jahrhunderts um die Anerkennung der Frau als gleichberechtigtes Rechtssubjekt hätten Frauen auch nie „Juristinnen" werden können und wäre es auch demzufolge nicht zu einem verbandspolitischen Zusammenschluß gekommen.
Mit dem Niederschlag des Kampfes von Frauen um gleiche Rechte im 20. Jahrhundert in der Literatur und insbesondere mit Aussagen von oder über Juristinnen beschäftigt sich die Jurastudentin Sabine Mönkemöller in ihrem Beitrag „Anstelle einer Literaturzusammenstellung" – wiederum eine Art Defizitanalyse! Die gleichwohl in diesem Beitrag gegebenen Literaturhinweise und Empfehlungen stehen daher in sinnvoller Ergänzung zu diesem Buch bzw. umgekehrt.

225

Juristinnen in der Justiz — Zahlen

Kristine Sudhölter

Die nachfolgenden Schaubilder wurden angefertigt aufgrund der Angaben im Handbuch der Justiz 1964, 1970 und 1980, die sich jeweils auf den Stand des Anfanges eines Jahres beziehen. Das Handbuch für 1981 war bei der Erstellung der Daten noch nicht erschienen. Das Handbuch der Justiz, welches auch Frau Becker in ihrer Erzählung erwähnt, wird herausgegeben vom Deutschen Richterbund (Bund der Richter und Staatsanwälte in der Bundesrepublik Deutschland e. V.) nach Unterlagen der Bundes- und Landesjustizverwaltungen. In diesem Handbuch befinden sich keine Angaben über die Anzahl der Juristinnen in der Justiz, alle Richter und Staatsanwälte sind vielmehr namentlich aufgeführt. An Hand der Vornamen ist die Anzahl der Juristinnen und Juristen ausgezählt worden. Wenn ein Vorname trotz Nachfrage beim Standesamt geschlechtsspezifisch nicht zu klären war, dann wurde er als weiblicher Vorname gewertet. Bedauerlicherweise stimmen die Angaben in diesem Handbuch über die vorgebliche Gesamtzahl von Richtern bei einem Gericht öfters nicht überein mit der Gesamtzahl der dann namentlich aufgeführten Richter. In diesen Fällen wurde jeweils mit der Summe der namentlich aufgeführten Richter (Richter auf Lebenszeit und kraft Auftrages) gearbeitet. Richter/Staatsanwälte auf Probe, die im Handbuch gesondert aufgeführt werden, wurden im Gegensatz zu der von Frau Donnepp übergebenen Statistik nicht berücksichtigt.

Statistiken sind mit Vorsicht zu betrachten. Es klingt hervorragend, wenn z. B. der Anteil der Richterinnen in der Finanzgerichtsbarkeit im Saarland 1980 25 % betrug. Dahinter stehen jedoch nur drei Richter und eine Richterin. Deshalb wird jeweils die tatsächliche Anzahl der männlichen Richter/Staatsanwälte und die der Frauen in diesen Ämtern aufgeführt und sodann der prozentuale Anteil der Frauen an der Gesamtzahl der Richter/Staatsanwaltschaft (die dritte Stelle hinter dem Komma blieb unberücksichtigt). Der prozentuale Anteil der Frauen bei den Bundesgerichten wurde nicht errechnet; ein Blick auf das Schaubild zeigt die Absurdität eines solchen Unterfangens.

Dargestellt wird zunächst die Richterschaft bei den Bundesgerichten. Die nachfolgenden drei Oberlandesgerichtsbezirke mit ihrer ordentlichen Gerichtsbarkeit (Hamburg, Berlin (West), München), sind beliebig ausgewählt worden. Hier wurde bei der Richterschaft der Oberlandes- und Landgerichte entsprechend der Hierarchie aufgeschlüsselt. Diese Vorgehensweise blieb bei den Amtsgerichten und den dann folgenden Fachgerichtsbarkeiten so unergiebig, weil Juristinnen in den höheren Rängen praktisch nicht vertreten sind, daß auf diese Aufschlüsselung verzichtet wurde. Die Fachgerichtsbarkeiten sind ländermäßig erfaßt worden.

Das Zeichen „−" bedeutet, daß keine Juristin tätig ist; das Zeichen „+" bedeutet, daß im Handbuch der Justiz keine Vornamen genannt werden.

Wir wollten auch gern die Anzahl der Rechtsanwältinnen der gewählten OLG-Bezirke aufführen. Leider erklärten die Rechtsanwaltskammern München und Hamburg, daß sie hierüber keine Angaben machen können, weil derartige Statistiken nicht geführt werden. Lediglich die Rechtsanwaltskammer Berlin vermeldet in ihren Geschäftsberichten jeweils die Anzahl der Rechtsanwältinnen:

Rechtsanwälte insgesamt:
1.1.1964: 1225 davon Frauen: 60 = 4,89 %
1.1.1970: 1374 davon Frauen: 95 = 6,91 %
1.1.1980: 1845 davon Frauen: 195 = 10,56 %
Im Anschluß an die Schaubilder werden diese kurz ausgewertet.

Bundesverfassungsgericht:

	1964 m	1964 w	1970 m	1970 w	1980 m	1980 w
Präsident	1	–	1	–	1	–
Vizepräsident	1	–	1	–	1	–
Richter	13	1	14	1	13	1

Bundesgerichtshof:

	1964 m	1964 w	1970 m	1970 w	1980 m	1980 w
Präsident	1	–	1	–	1	–
Vizepräsident	–	–	1	–	1	–
Vorsitzende Richter	14	–	13	1	15	–
Richter	86	3	88	–	94	3

Bundesfinanzgerichtshof:

	1964 m	1964 w	1970 m	1970 w	1980 m	1980 w
Präsident	1	–	1	–	1	–
Vizepräsident	1	–	1	–	1	–
Vorsitzende Richter	5	–	5	–	5	–
Richter	30	–	34	–	37	1

Bundessozialgericht:

	1964 m	1964 w	1970 m	1970 w	1980 m	1980 w
Präsident	1	–	1	–	1	–
Vizepräsident	–	–	1	–	1	–
Vorsitzende Richter	9	–	9	–	7	1
Richter	29	1	31	2	30	1

Bundesarbeitsgericht:

	1964 m	1964 w	1970 m	1970 w	1980 m	1980 w
Präsident	1	–	1	–	1	–
Vizepräsident	–	–	1	–	1	–
Vorsitzende Richter	3	–	3	–	4	1
Richter	9	2	10	2	17	1

Bundesverwaltungsgericht:

	1964 m	1964 w	1970 m	1970 w	1980 m	1980 w
Präsident	1	–	1	–	1	–
Vizepräsident	–	–	–	–	1	–
Vorsitzende Richter	6	–	11	–	9	–
Richter	40	–	50	1	42	3

Hanseatisches Oberlandesgericht in Hamburg :

	1964			1970			1980		
	m	w	%	m	w	%	m	w	%
Präsident:	1	–	0,00	1	–	0,00	1	–	0,00
Vizepräsident:	1	–	0,00	1	–	0,00	1	–	0,00
Vorsitzende Richter:	11	–	0,00	15	–	0,00	18	–	0,00
Richter:	57	–	0,00	51	–	0,00	62	4	6,06
Staatsanwaltschaft	7	1	12,50	9	1	10,00	10	1	9,09

Oberlandesgericht Berlin (West) (Kammergericht):

	m	w	%	m	w	%	m	w	%
Präsident:	1	–	0,00	1	–	0,00	1	–	0,00
Vizepräsident:	1	–	0,00	1	–	0,00	1	–	0,00
Vorsitzende Richter:	19	2	9,52	19	2	9,52	27	1	3,57
Richter:	52	6	10,34	59	9	13,23	91	7	7,14
Staatsanwaltschaft:	17	1	5,55	15	2	11,76	27	4	12,90

Oberlandesgericht München

	m	w	%	m	w	%	m	w	%
Präsident:	1	–	0,00	1	–	0,00	1	–	0,00
Vizepräsident:	11	–	0,00	1	–	0,00	1	–	0,00
Vorsitzende Richter:	1/	–	0,00	18	–	0,00	27	1	3,57
Richter:	56	–	0,00	70	3	4,10	86	10	10,41
Staatsanwaltschaft:	11	–	0,00	13	–	0,00	14	1	6,66

OLG Bezirk Hamburg: 1 Landgericht, 6 Amtsgerichte:

	1964			1970			1980		
	m	w	%	m	w	%	m	w	%
Präsident:	1	–	0,00	1	–	0,00	1	–	0,00
Vizepräsident:	1	–	0,00	1	–	0,00	1	–	0,00
Vorsitzende Richter:	58	2	3,33	73	2	2,66	84	4	4,54
Richter:	82	9	9,89	78	14	15,21	93	26	21,84
Staatsanwaltschaft:	77	2	2,53	86	5	5,49	107	13	10,83
Richterschaft der Amtsgerichte:	151	2	1,30	143	2	1,37	170	26	13,26

OLG Bezirk Berlin (West): 1 Landgericht, 7 Amtsgerichte:

	m	w	%	m	w	%	m	w	%
Präsident:	1	–	0,00	1	–	0,00	1	–	0,00
Vizepräsident:	1	–	0,00	1	–	0,00	1	–	0,00
Vorsitzende Richter:	71	5	6,57	84	5	5,61	81	10	10,98
Richter:	142	24	14,45	142	38	21,11	110	45	29,03
Staatsanwaltschaft:	80	8	9,09	84	6	6,66	87	22	20,18
Richterschaft der Amtsgerichte:	176	22	11,11	152	27	15,08	203	66	24,53

OLG Bezirk München: 9 Landgerichte:(Augsburg, Deggendorf, Kempten, Landshut, Memmingen, München I, München II, Passau, Traunstein); 37 Amtsgerichte:

	m	w	%	m	w	%	m	w	%
Präsident:	9	–	0,00	9	–	0,00	9	–	0,00
Vizepräsident:	2	–	0,00	4	–	0,00	9	–	0,00
Vorsitzende Richter:	99	–	0,00	110	–	0,00	135	7	4,92
Richter:	194	5	2,51	187	26	12,20	210	48	18,60
Staatsanwaltschaft:	131	6	4,37	194	16	7,61	171	31	15,34
Richterschaft der Amtsgerichte:	394	6	1,50	372	11	2,87	427	54	11,22

228

Arbeitsgerichtsbarkeit:

	1964			1970			1980		
	m	w	%	m	w	%	m	w	%
Baden-Württemberg:	36	–	0,00	40	1	2,40	54	7	11,47
Bayern:	39	3	7,14	35	2	5,40	70	5	6,66
Berlin (West):	18	3	14,28	18	4	18,18	33	13	28,26
Bremen:	+	+	+	+	+	+	11	2	15,38
Hamburg:	11	1	8,33	13	1	7,14	19	6	24,00
Hessen:	29	1	3,33	29	2	6,45	53	5	8,62
Niedersachsen:	28	1	5,26	28	2	6,66	43	2	4,44
Nordrhein-Westfalen:	68	4	5,55	72	5	6,49	118	23	16,31
Rheinland-Pfalz:	17	–	0,00	17	–	0,00	28	1	3,57
Saarland:	6	–	0,00	6	–	0,00	9	–	0,00
Schleswig-Holstein:	16	–	0,00	13	1	7,14	14	1	6,66

Finanzgerichtsbarkeit:

	m	w	%	m	w	%	m	w	%
Baden-Württemberg:	20	–	0,00	25	–	0,00	45	–	0,00
Bayern:	31	–	0,00	41	1	2,38	55	2	3,50
Berlin (West):	+	+	+	18	1	5,26	20	–	0,00
Bremen:	4	–	0,00	6	–	0,00	6	–	0,00
Hamburg:	12	–	0,00	22	–	0,00	20	–	0,00
Hessen:	16	–	0,00	+	+	+	36	1	2,70
Niedersachsen:	26	–	0,00	28	–	0,00	33	1	2,90
Nordrhein-Westfalen:	46	–	0,00	62	2	3,12	123	7	5,38
Rheinland-Pfalz:	8		0,00	14		0,00	20	–	0,00
Saarland:	3	–	0,00	4	–	0,00	3	1	25,00
Schleswig-Holstein:	7	–	0,00	8	–	0,00	13	–	0,00

Sozialgerichtsbarkeit:

	1964			1970			1980		
	m	w	%	m	w	%	m	w	%
Baden-Württemberg:	96	4	4,00	112	8	6,66	108	23	17,55
Bayern:	176	–	0,00	167	–	0,00	136	11	7,48
Berlin (West):	62	6	8,82	53	7	11,66	52	18	25,71
Bremen:	11	1	8,33	11	1	8,33	9	1	10,00
Hamburg:	29	1	3,33	31	1	3,12	25	1	3,84
Hessen:	56	2	3,44	56	6	9,67	58	8	12,12
Niedersachsen:	102	5	4,67	87	7	7,44	81	11	11,95
Nordrhein-Westfalen:	201	13	6,07	195	19	8,87	202	30	12,93
Rheinland-Pfalz:	56	2	3,44	54	2	3,57	47	4	7,84
Saarland:	31	1	3,12	25	1	3,84	20	4	16,66
Schleswig-Holstein:	+	+	+	+	+	+	34	4	10,52

Verwaltungsgerichtsbarkeit:

	m	w	%	m	w	%	m	w	%
Baden-Württemberg:	+	+	+	+	+	+	132	10	7,04
Bayern:	+	+	+	+	+	+	182	15	7,61
Berlin (West):	+	+	+	+	+	+	64	15	18,98
Bremen:	+	+	+	+	+	+	16	1	5,88
Hamburg:	35	–	0,00	27	2	6,89	48	5	9,43
Hessen:	+	+	+	+	+	+	89	11	11,00
Niedersachsen:	+	+	+	+	+	+	124	7	5,34
Nordrhein-Westfalen:	+	+	+	+	+	+	247	36	12,72
Rheinland-Pfalz:	+	+	+	+	+	+	51	7	12,06
Saarland:	15	1	6,25	20	–	0,00	21	1	4,54
Schleswig-Holstein:	+	+	+	24	2	3,22	40	2	4,76

Auswertung der Statistik

Wie gering war und ist der Anteil der Frauen an der Richterschaft? Es ist nicht falsch zu sagen, daß die Rechtsprechung der höchsten Gerichte klar und offensichtlich eine feste Domäne der Männer ist! Die Relation beim Bundesverwaltungsgericht mit drei Juristinnen gegenüber 53 Juristen muß sogar noch als günstig bezeichnet werden.

Der Vergleich der Zusammensetzung der Richter-/Staatsanwaltschaft der drei OLG's zeigt, daß von einer stetigen Zunahme des Anteils der Frauen auch in diesem Bereich nicht gesprochen werden kann. Die Positionen der Präsidenten/Vizepräsidenten sind wie bisher von Männern besetzt. Bei den Vorsitzenden Richtern gibt es in Hamburg überhaupt keine Frau, in München gerade eine, und in Berlin (West) ist der Anteil der Frauen stark rückläufig; nämlich von 9,52 % auf 3,57 %. Bei den Richtern ist ein leichter Anstieg des Frauenanteils festzustellen, jedoch gilt dies nicht in Berlin (West); hier finden sich 1980 prozentual weniger Frauen als 1964. Gab es bei der Staatsanwaltschaft des OLG Berlin (West) immerhin 1980 schon vier Frauen, damit einen höheren prozentualen Anteil sogar als bei den Richtern, so kann bei den übrigen OLG's von einem stetigen Anstieg nicht gesprochen werden: so gab und gibt es in Hamburg nur eine Frau als Staatsanwältin, in München gibt es 1980 ebenfalls nur eine.

Bei den Landgerichten sind auf die höheren Posten ebenfalls ausschließlich nur Männer befördert worden. Es gibt keine Präsidentin und keine Vizepräsidentin. Der Anteil der Frauen bei den Vorsitzenden Richtern ist zwar bei allen Landgerichten gestiegen, ist jedoch noch immer sehr gering. Hier hält Berlin (West) mit einem Anteil von 10,98 die Spitze und Hamburg mit 4,54 % bildet das Schlußlicht. Bei den Richtern der Landgerichte ist der Anteil der Frauen am größten und zwar sogar höher als bei den Richtern am Amtsgericht (obwohl seit 1980 die Familiengerichtsbarkeit voll bei den Amtsgerichten liegt und für die Scheidungsverfahren 1970 noch die Landgerichte zuständig waren). Kontinuierlich gestiegen ist auch die Zahl der Frauen bei der Staatsanwaltschaft bei den Landgerichten.

Die Angaben der Fachgerichtsbarkeiten zeigen, daß es noch immer in einzelnen Ländern Gerichtszweige gibt, in denen Frauen überhaupt nicht tätig sind: so in einigen Ländern in der Finanzgerichtsbarkeit und auch der Arbeitsgerichtsbarkeit im Saarland. Erstaunlich auch, in wievielen Gerichtsbarkeiten noch 1964 überhaupt keine Frau gearbeitet hat: keine Juristin in der Sozialgerichtsbarkeit in Bayern, keine in der Verwaltungsgerichtsbarkeit in Hamburg. Von einem kontinuierlichen Anstieg des Anteils der Frauen kann auch hier nicht die Rede sein: zwar stieg der Anteil der Frauen in vielen Gerichtsbarkeiten, zum Teil verblieb er jedoch auch bei 0 % wie z. B. in der Finanzgerichtsbarkeit im Saarland. Zum Teil sank er auch wie z. B. in der Arbeitsgerichtsbarkeit in Bayern und Niedersachsen oder der Verwaltungsgerichtsbarkeit im Saarland. Werden die Zahlen von Frau Donnepp für NRW mit dem Stand zum 1.1.1981 hinzugenommen, so ergibt sich, daß der Anteil der Frauen auch in NRW bei der Verwaltungs- und Finanzgerichtsbarkeit gesunken ist, bei der Arbeits- und Sozialgerichtsbarkeit ist er gering angestiegen.

Die Schaubilder lassen erkennen, daß der Anteil der Frauen in der Justiz in Berlin (West) 1964 höher war als in Hamburg und München/Bayern. Dieser Anteil konnte weder prozentual durchgängig erweitert noch generell gehalten werden. Im Bereich der Rechtsanwaltskammer in Berlin haben die Frauen in der Rechtsanwaltschaft zwar prozentual zugenommen, jedoch ist ihr Anteil 1980 (10,56 %) verglichen mit dem prozentualen Anteil der Frauen bei der Richterschaft etwa der Amtsgerichte Berlin (West) 1980 (24,53 %) sehr gering. Es wird sich in den nächsten Jahrzehnten zeigen, ob es die Frauen schaffen, ihren Anteil so zu erhöhen, daß sie demnächst vielleicht einmal an einem Gericht die Hälfte der Richterschaft bilden und sie auch in den höchsten Gerichten besser vertreten sind. Vielleicht gibt es auch einmal eine Präsidentin an einem Bundes- oder Oberlandesgericht. Bisher sieht es nicht so aus.

Ute Gerhard-Teuscher, geb. 1939,
Jurastudium, im Nebenfach
Geschichte und Soziologie in Köln,
Göttingen und Bonn,
1962 1. Jur. Staatsexamen,
Journalistin beim Rundfunk in Köln,
seit 1965 verheiratet, 1967 und 1969
Geburt meiner drei Töchter,
1971-1975 Zweitstudium der Sozial-
wissenschaften in Bremen, Lehr-
aufträge und Weiterbildungsarbeit
mit Frauen, 1977 Promotion zum
Dr. phil., seit 1978 wissenschaftliche
Mitarbeiterin im Projekt „Frauen
und Recht" an der Universität Bremen.

Frauenfragen an die Rechtswissenschaft
Zur Rechtsgeschichte der Frau im 19. Jahrhundert

Die Frage nach den Rechten der Frauen war immer unzeitgemäß,
– schon zur Zeit der französischen Revolution, als „die Menschenrechte laut und auf den Dächern gepredigt wurden", wie Th. G. v. Hippel in seinem für die deutsche Rechtswissenschaft ungewöhnlichen Plädoyer für die „bürgerliche Verbesserung der Weiber" feststellen mußte, (1792);
– insbesondere im ganzen 19. Jahrhundert, als die bürgerliche Gesellschaft und ihre Rechtsordnung männliche Personen mit „freiem Willen" oder jener „Rechtsmacht" ausstattete, die Vorbedingung aller Rechte und Pflichten und gleichbedeutend mit „allgemeiner" Rechtsfähigkeit ist,
– aber auch in unserer Zeit, in der kluge Leute meinen, daß die Gleichberechtigung der Frauen „zu spät komme",[1] da „die Entfaltung bürgerlicher Subjektivität ihre Geschichte hinter sich (hat)".[2] M. Horkheimer begründete diese Ansicht mit gerade heute wieder sehr aktuellen Argumenten: „Sie (die Emanzipation der Frau) erfolgt in einer Periode der gegenwärtigen Gesellschaft, in der die Arbeitslosigkeit bereits strukturell geworden ist. Die Frau ist hier aufs höchste unwillkommen ...."[3]

Das Ergebnis war immer dasselbe: Frauen wurden und werden aus der allgemeinen Rechtsentwicklung und der sie begründenden Rechtswissenschaft
ausgegrenzt, ihre Rechtsprobleme werden entweder nicht behandelt oder mit
anderem Maß gemessen. Weil diese Ausgrenzung nicht zufällig, auch nicht nur
als unbeabsichtigte Nebenfolge, vielmehr gerade in der Jurisprudenz mit dem
Mittel sog. Systematik betrieben wurde, geht sie uns Juristinnen an. Sie gehört zu unserer Geschichte und betrifft uns in unserer gegenwärtigen Situation, in der die Gleichberechtigung der Frauen immer noch nicht verwirklicht ist, weil sie in der rechtspolitischen oder -wissenschaftlichen Diskussion
allenfalls als Rechtsanwendungs- oder Durchsetzungsproblem des Einzelfalles
kleingearbeitet wird, ihr systematischer Angelpunkt jedoch unbegriffen
bleibt.
Ich meine, die Frage nach den Rechten der Frauen ist sowohl rechtshistorisch wie aus dem Blickwinkel von Frauenforschung bisher desiderat geblieben, dabei wäre gerade in diesem Punkt ein fälliger Beitrag zur Analyse und
Kritik des Patriarchalismus zu leisten. Ein Programm also, zu dem ich im
folgenden Beitrag nur Anregungen geben kann mit Hinweisen auf Vorarbeiten und Literatur, in der Hoffnung, hiermit einen Diskurs auch unter Fach-
frauen zu eröffnen.

1. Die Frau als Rechtsperson in der Rechtslehre des 19. Jahrhunderts.
„Bei jeder wahren Ehe muß die Frau unter der Vormundschaft ihres Mannes
stehen." (W. Th. Kraut 1835)

Öffentliche Rechte:
Die Frau als Rechtsperson ist in der juristischen Literatur des 19. Jahrhunderts nur mühsam zu finden; das Stichwort „Frauenrechte" gibt es noch
nicht. Überall da, wo wir ihre Erwähnung vermuten, selbst wenn es im Ergebnis um den Ausschluß oder die Verweigerung von Rechten geht, kommen
Frauen nicht vor – weder in den Debatten um das Wahlrecht oder die Grundrechte der Deutschen in der Frankfurter Paulskirche, noch in den Verfassun-
gen der Einzelstaaten (z. B. Preußen von 1850) oder in den neuen Freiheiten
für Handel und Gewerbe.[4] Selbst in den Verfassungsgeschichten der Gegenwart wird die Tatsache, daß mit der Formulierung „allgemeines, gleiches"
Wahlrecht ohne weiteres nur die männlichen Deutschen gemeint waren, gar
nicht oder nur im Kleingedruckten thematisiert.[5]
Allerdings wurden nach der gescheiterten Revolution von 1848 und den damit im Zusammenhang stehenden Anfängen einer ersten Frauenbewegung in
Deutschland einige folgenreiche Gesetze erlassen, die Frauen für ein halbes
Jahrhundert lang ausdrücklich aus dem politischen Leben ausschalteten. Es
waren die im Zuge der Reaktion in fast allen Bundesstaaten verabschiedeten
Vereinsgesetze, die „Frauenzimmern" wie Minderjährigen und Lehrlingen die
Mitgliedschaft, aber auch die bloße Anwesenheit in politischen Vereinen und
Versammlungen verboten. Darüber hinaus gab es nach 1850 in einzelnen Staaten des Deutschen Bundes Pressegesetze, wonach nur „männliche Personen"
die Redaktion von Zeitschriften übernehmen durften.
Erst wenn wir das völlige Totschweigen, „Vergessen", von Frauenrechten berücksichtigen, wird verständlich, wie Louise Otto, gegen deren „Frauen-Zeitung" sich das sächsische Pressegesetz richtete, wenigstens die „Bestimmt-
heit" der die Frauen ausschließenden Paragraphen loben konnte. Sie schrieb
in der letzten Nummer ihrer Zeitschrift von 1850: „Wir wissen, daß die
Gleichheit von Männern und Frauen vor dem Gesetz bis jetzt noch nicht

existiert, was man auch davon fabeln möge, wir wissen, daß die Gesetze, welche im allgemeinen von „Staatsbürgern" handeln, höchst willkürliche Auslegungen finden in bezug auf die Staatsbürgerinnen, daß diese in dem einen Fall (bei der Steuerpflicht) als solche anerkannt werden und mitzählen, im anderen hingegen als gar nicht existierend betrachtet werden, und dies alles infolge einer schweigenden Übereinkunft."[6]

Private Rechte:
Keineswegs besser erging es den Frauen im privaten Recht. Dabei ist es schwierig, ja, voreilig, ein pauschales Urteil zu fällen, weil die Privatrechtsverhältnisse vor ihrer Vereinheitlichung im Bürgerlichen Gesetzbuch von 1900 vielschichtig, unübersichtlich und in viele Rechtsgebiete und Rechtskreise zersplittert waren. Gerade darum kommt der Rechtslehre große, Recht oder Unrecht schaffende Bedeutung zu. Aber während sich die Rechtswissenschaft insbesondere in der historischen Rechtsschule anschickte, mit dem Ziel der „Erneuerung der Wissenschaft vom positiven Recht"[7] „den ganzen Stoff des deutschen Rechts in seinem historischen und wissenschaftlichen Zusammenhang aufzufassen",[8] d. h. seine römischen und germanischen Quellen, rezeptiertes Gemeines Recht, Partikular- und Landrechte usf. zu systematisieren und in allgemeinen Begriffen zu organisieren, blieben die Frauenrechte aus dieser Entwicklung weitgehend ausgeschlossen und wurden als gleichsam vorbürgerliches Recht unter „besondere Zustände" subsumiert.
Beispielhaft für diese Inkonsequenz ist C. F. v. Gerber in seinem „System des Deutschen Privatrechts". Obgleich Gerber in seiner Einleitung die Beschränkungen des „freien Willens", die Besonderungen der „vereinzelten Lebenszustände" im deutschen Recht als „Unvollkommenheit" und Mangel juristischer Abstraktion rügt, stehen seine allgemeinen Ausführungen zur Rechtsfähigkeit von Frauen doch unter der Überschrift: „Einfluß besonderer Zustände auf die Rechtsverhältnisse der Personen, 1) natürliche Zustände".[9]
Wer mehr über die Rechtsstellung der Frauen wissen will, muß unter anderen Schlüsselworten nachlesen, z. B. im Eherecht unter 1. „Mißheiraten" (= Ehe zwischen Personen ungleichen Standes) oder — wie in allen Zivilrechtsbüchern sehr ausführlich — unter 2. „Einfluß der Ehe auf das Vermögen". Lediglich hier findet sich einleitend ein Hinweis auf den bemerkten Widerspruch, die „noch andere Grundlage" des Eherechts:

§ 222 „Wohl aber beruht der besondere Charakter der elterlichen und der Kindesrechte, der väterlichen Gewalt, des ehelichen Verhältnisses und der *Herrschaft des Mannes im heutigen Recht* (Hervorheb. v. mir, U. G.) noch immer zum großen Teil auf jener tieferen Auffassung der Familie und jener besonderen sittlichen Kraft, welche der deutsche Volksgeist dieser natürlichen Verbindung beilegt."[10]
Mit dem so freimütigen Anspruch auf die Herrschaft des Mannes im Hause steht Gerber nicht allein, im Gegenteil, er vertritt mit seinem besonderen Engagement in familienrechtlichen Fragen den ganzen Zweig der Germanisten oder der deutschrechtlichen Tradition. Immer wieder dient die „gerade bei unserem Volk (so) würdige Auffassung von der Ehe" zur Rechtfertigung systematischer Ungereimtheit. So heißt es bei G. Beseler in seinem „System des gemeinen deutschen Privatrechts": „. . . die Ehe (ist) nicht zu einer juristischen Person im technischen Sinne verdichtet, sondern eine Rechtsgemeinschaft geblieben, welche durch die Individualität der Teilnehmer getragen wird, für diese aber eine so innige Vereinigung begründet, daß sie in den ge-

meinsamen Angelegenheiten namentlich nach außen hin als eine Einheit erscheinen und handelnd auftreten . . . Diese Aufgabe hat das deutsche Eherecht erreicht, indem es die *gleiche Stellung der Ehegatten* in wesentlichen Beziehungen anerkennt, *dem Manne* aber einen *vorwaltenden Einfluß einräumt.*" (Hervorheb. v. mir, U. G.) ,,So erscheint der Mann als Haus- und Eheherr, indem ihm seine Gewalt aus verschiedenen Rechtstiteln erwächst, deren genauere Unterscheidung im einzelnen nicht immer ohne Schwierigkeiten ist."[11]

Also doch Begründungsschwierigkeiten? Keineswegs, für alle Juristen, die bis zum Ende des Jahrhunderts und darüber hinaus in den Kanon der ,,eheherrlichen Vormundschaft", sie hieß auch ,,Ehe- oder Kriegsvogtei", einstimmten, hat W. Th. Kraut durch sein dreibändiges Werk über die ,,Vormundschaft nach den Grundsätzen des Deutschen Rechts" (1835-1859) mit historischem Material die patriarchalische Rechtstradition gesichert und die notwendigen Argumente für seine verunsicherten Zeitgenossen aufbereitet.

Zur Geschlechtsvormundschaft:

Kraut beschreibt das Mundium (gleichbedeutend mit römisch-Manus oder germanisch-munt) als eines der wichtigsten Institute des deutschen Rechts, das die Grundlage des ganzen Familienrechts bildet. Trotz der Vielfalt der Ausprägungen beinhaltete ,,Geschlechtsvormundschaft" in der Regel, daß Frauen bestimmte Rechtshandlungen nicht ohne männlichen Beistand vornehmen konnten:

1. Sie konnten allein keine Prozesse führen, außer die rein persönlichen wie Ehesachen oder Strafsachen,

2. bei jeder Art gerichtlicher Handlungen, bei der Veräußerung oder Pfändung von Grundstücken oder Rechtsgeschäften über ein ganzes Vermögen benötigten sie männlichen Beistand,

3. teilweise waren Frauen überhaupt verpflichtungsunfähig, völlig ausgeschlossen waren sie von Bürgschaften und Schuldversprechen.

Ausgenommen waren von alters her die Kauffrauen oder die Geschäfte zur Führung des Haushalts im Rahmen der sog. Schlüsselgewalt.

Den Grund für die Vormundschaft im germanischen Recht über Frauen leitete Kraut aus ihrer Unfähigkeit ab, Waffen zu tragen und damit Fehde zu führen. In einer Zeit, in der die Störung des Rechtsfriedens nur mit Waffengewalt gesühnt werden konnte, ,,versteht es sich von selbst, daß durch Fehde nur diejenigen ihre Rechte verfolgen und sich verteidigen" und damit vor Gericht in der Volksversammlung auftreten konnten, die wehrfähig waren. Alle anderen, die ,,durch ihre körperliche und geistige Beschaffenheit daran gehindert waren wie Kinder, Frauenzimmer, Geisteskranke und preßhafte Leute", waren auf die Vertretung durch einen Vormund angewiesen. Hieraus folgert Kraut, daß ,,der Vormund immer der Beschützer eines anderen (sei), der sich selbst nicht zu schützen vermag."[12]

Eine — wie wir sehen werden — kühne Rechtfertigung, denn wie sollte damit die Geschlechtsvormundschaft bis ins 19. Jahrhundert hinein legitimiert werden, nachdem Stammes- und andere Fehden seit einem Jahrtausend durch Staatsgewalt geführt wurden? Dennoch gelingt es den ,,neueren Juristen" und damit auch Kraut, der ehemännlichen Gewalt einen ,,neuen Grund" zu unterlegen, weil sich ,,nicht verkennen läßt, daß teils wegen der Unerfahrenheit der Weiber mit den Verkehrsverhältnissen überhaupt, teils wegen der ihnen eigentümlichen Nachgiebigkeit und Weichheit des Charakters es oft als wünschenswert erscheinen muß, daß sie wichtige Geschäfte nicht ohne Zuziehung eines erfahrenen und Zutrauen verdienenden männlichen Ratgebers abschließen . . ."[13]

In seinen Erläuterungen zum heutigen Recht (19. Jahrhundert) hat Kraut darum keine Bedenken, aus dem „Gemisch von Rechtsbüchern (des Mittelalters), städtischen Statuten (z. B. des wegen seiner frauenfeindlichen Bestimmungen immer wieder erwähnten Lübischen Rechts), römischen Rechtsansichten der Rezeptoren sowie aus partikularen Landrechten" eine gemeinrechtliche Theorie über Geschlechtsvormundschaft zu behaupten, die seiner Meinung nach noch „keineswegs alles praktische Interesse verloren hat".[14]

Obgleich nun das überlebte Rechtsinstitut in zahlreichen Einzelgesetzgebungen der deutschen Länder ausdrücklich aufgehoben wurde, hielten die Rechtslehrer nichts davon, die „hausherrliche Gewalt" zu lockern. Einige Gesetze hatten darum bereits bei der Aufhebung der Geschlechtsvormundschaft ausdrücklich erklärt, daß die eheliche Vormundschaft fortbestehen soll, z. B. das sächsische Recht von 1838. Im übrigen aber waren sich die meisten Rechtslehrer einig, und es ist einigermaßen gleichgültig, wen wir zitieren, Beseler, Kraut, Gerber oder diesmal C. J. A. Mittermaier:

„Allein unabhängig von der Fortdauer des Mundiums ist die deutschrechtliche Stellung der Ehefrau eine von der römischen Ansicht abweichende, durch die sittliche Ansicht von der Ehe und die Gleichstellung der Ehegatten, die nur durch die hausherrliche Gewalt und die Stellung des Ehemannes als Haupt der häuslichen Gemeinschaft näher bestimmt ist."[15]

Gleichstellung der Ehegatten . . . durch hausherrliche Gewalt − deutlicher können die Widersprüche nicht formuliert werden. Dennoch haben wir den Hauptkampfplatz der Juristen gegen die Rechte der Frauen im 19. Jahrhundert bisher außer acht gelassen, das eheliche Güterrecht. Ohne hier auf Details eingehen zu können, weil bekanntlich die fast 100 verschiedenen möglichen Güterstände im Deutschen Reich vor 1900 bereits den Kodifikatoren des BGB arg zu schaffen gemacht haben, möchte ich andeuten, welche Auswirkungen die verschiedenen Rechtsmeinungen über die Vermögensverhältnisse in der Ehe auf die Stellung der Frau als Rechtsperson hatten.

Eheliches Güterrecht:

„Aus der Vereinigung der Herzen erfolgt notwendig die Vereinigung der Güter, unter der Oberherrschaft des Mannes."[16] Mit dieser dem Zeitgeschmack angepaßten Verschnörkelung hat schon J. G. Fichte in seinem „Grundriß des Familienrechts" als Anhang der „Grundlagen des Naturrechts" von 1796 die alte Formel der deutschrechtlichen Tradition „ein Leib − ein Gut" aufgegriffen und aufbereitet. Überhaupt sind in Fichtes Gedankengängen über Ehe und Eherecht alle Widersprüche des bürgerlichen Patriarchalismus vorgezeichnet und haben mehreren Juristengenerationen als wohlfeile Interpretationshilfe gedient − weshalb sich schon mehrere Generationen von Frauenforscherinnen an ihm abarbeiten müssen.[17]

Trotzdem gibt es entscheidende Differenzen in der Beurteilung von Frauenrechten zwischen den Vertretern der deutschrechtlichen und der römischrechtlichen Tradition, die auf der unterschiedlichen Güterrechtsregelung beruhen.

Für die Germanisten ist die Gütergemeinschaft ungebrochene Rechtstradition, selbst da, wo von einem „gezweiten" Gut, also nicht von der Übertragung des Frauenvermögens in das Eigentum des Mannes ausgegangen wird, sind die alleinigen Verwaltungs- und Nutznießungsrechte des Mannes doch unbestritten. Es gibt lediglich Nuancierungen in den Begründungsweisen, zumal die Legitimierungszwänge im 19. Jahrhundert offensichtlich stärker werden. Während Kraut bei jedem Rechtsgeschäft der Ehefrau mit Dritten, gerichtlich oder außergerichtlich, auch ohne Geschlechtsvormundschaft und unabhängig vom Güterrecht von einer ehelichen Vormundschaft, „der Herrschaft des Mannes im Hause", ausgeht, will Mittermaier Rücksicht auf das am Orte geltende Gütersystem nehmen und kommentiert: „Wo das römische Dotalrecht siegte, ist anzunehmen, daß auch das Mundium unterging."[18] Diese Ansicht ist offensichtlich rechtspraktisch gewesen, auch wenn sie bei jedem Rechtsstreit vor die überaus komplizierte Aufgabe stellte, herauszubekommen, nach welchem Güterrecht die Ehe geschlossen war.

Welche Vorteile bot nun das römische Dotalrecht für Frauen? Das Dotalrecht beruht auf dem Grundsatz der Gütertrennung, ausgehend von der Rechtsauffassung, daß die Ehe an und für sich an dem Vermögenszustand der Ehegatten nichts ändere.[19]

„Beide Teile sind, was ihr Vermögen betrifft, nicht nur in Bezug auf dritte Personen, sondern auch in Beziehung zueinander, gerade so anzusehen, wie wenn keine nähere Verbindung unter ihnen obwaltete, sondern jeder unabhängig für sich dastünde."[20]

Da aber der Mann die Kosten des ehelichen Unterhalts zu leisten hatte, war es üblich, daß die Frau einen Beitrag zu den Ehelasten in Form eines Heiratsgutes, der Dos, einbrachte. Obgleich die Dos zur Nutzung und Verwendung in das Eigentum des Mannes überging, behielt die Frau jedoch weitgehende Rechte zur Sicherung ihres Vermögens, insbesondere auch ein Restitutions- und Rückgaberecht bei Beendigung der Ehe. Das nicht in Form einer Dos eingebrachte Vermögen, die sog. Paraphernen, blieben Eigentum der Frau und zu ihrer freien Verfügung.

Auffällig sind bei allen Romanisten und Pandektisten die zurückhaltenden und abgesehen vom Vermögensrecht geradezu spärlichen Auskünfte über die persönlichen Verhältnisse der Ehegatten.[21] Die Zurückhaltung der Gesetzgeber wird damit begründet, daß die Ehe nicht allein ein Rechtsverhältnis, sondern vor allem ein sittliches Verhältnis sei, – eine merkwürdige Identität der Argumentation, die auch die Deutschrechtler wie die neuere Familienrechtslehre verwendet hat, jedoch mit unterschiedlichen Konsequenzen für die Rechtstellung der Frau. Das zeigt, daß die „Sittlichkeit" dieses Verhältnisses doch wohl nur als Leerformel dient, die mit sehr verschiedenen Inhalten und Interessen zu füllen ist. Quer zu allen Rechtsschulen und unbeschadet von formaljuristischer Strenge scheint vereinzelt bei einigen Romanisten eine Sensibilität für das Frauenrechtsproblem durchzuscheinen, so bei dem Begründer der klassischen Begriffsjurisprudenz, G. Puchta, der in einer kleinen Anmerkung ,sine ira et studio' im Gegensatz zu anderen Autoren feststellt: „Einen Zwang der Frau zu häuslichen Diensten hat man vergeblich aus dem römischen Recht ableiten wollen."[22]

In Anbetracht der Unterschiede zwischen römischem und deutschem Güterrecht wird einsichtig, warum die Frauenbewegung am Ende des 19. Jahrhunderts in der Kritik und in den Kämpfen gegen die Regelungen des BGB für das Dotalsystem eintrat. Der Regelgüterstand der Verwaltung und Nutznießung des Ehemannes, bis 1953 gültiges Recht, wurde von den Verfassern des BGB mit dem Hinweis auf „wirtschaftliche Bedürfnisse" und mit dem „Bewußtsein des Volkes" verteidigt.[23] Es ist überflüssig zu fragen, um wessen Bedürfnisse es sich dabei allein handelte. Die Schutzbehauptung aus den „Motiven" zum BGB, wonach der Mann hauptsächlich die Gefahr des Erwerbs- und Lebensunterhalts trage und deshalb auch ihm allein der Gewinn gebühre, entsprach zu keiner Zeit, auch nicht am Ende des 19. Jahrhunderts den realen Lebens- und Arbeitsbedingungen der Frauen.[24]

2. Die Rechtslage aus der Sicht der Frauen.

Einige deutsche Gesetz-Paragraphen:
Die Rechtslage der Frauen im 19. Jahrhundert war nicht nur schlecht, sie war kompliziert und unübersichtlich. Der Versuch, mit Hilfe der Rechtslehre einen Überblick oder Einblick in die Rechte, richtiger, das Unrecht gegenüber den Frauen zu gewinnen, muß fehlgehen, weil die Juristen ihre rechtswissenschaftlichen Errungenschaften Frauen als Rechtspersonen nicht zukommen ließen, und weil sie die Rechtsprobleme von Frauen aus ihrer Systematik ausgrenzten durch den Rückgriff auf feudale Traditionen und überholte Rechtsinstitute oder durch Einführung eines neuen Rechtsgrundes, den sie ,,die Herrschaft des Mannes im Hause" nannten.
Wie aber können wir, wie konnten die Frauen des vorigen Jahrhunderts ihre Rechtslage beurteilen, wenn Auskünfte oder Kenntnisse darüber so schwer zu gewinnen sind?
,,Bis jetzt sind fast in jedem deutschen Staate verschiedene Gesetze (über die Stellung der Frau) zu Recht bestehend und bei der Dehnbarkeit, wie bei der veralteten Fassung von manchen derselben ist auch ihre Handhabung eine sehr verschiedene, und so hängt vorkommenden Falles auch manches in der Ausführung derselben noch von der Ansicht und Einsicht der betreffenden Richter ab. Dies ist mit einer der Hauptgründe, welcher die Kenntnisnahme derselben so erschweren, sowohl für die Einzelnen im einzelnen Staate, als noch mehr für uns, die wir einen Überblick gewinnen und geben möchten über die gesetzliche Stellung in ganz Deutschland." Dies schrieb Louise Otto 1876 in ihrem Vorwort zu der vom Allgemeinen Deutschen Frauenverein herausgegebenen Schrift ,,Einige Deutsche Gesetz-Paragraphen über die Stellung der Frau" und traf damit genau das Problem, auch unsere rechtshistorischen Schwierigkeiten. Ich möchte mich daher in meinen Anmerkungen zur Rechtslage auf die Vor- und Nachgeschichte dieser ,,Gesetz-Paragraphen" beschränken und damit die in der Jurisprudenz so vernachlässigte Perspektive der betroffenen Frauen wählen.
Der nächstliegende Anlaß für die Empörung der Frauen über das Unrecht der Gesetze war die völlige Entrechtung der Mutter bei der Sorge und Erziehung ihrer Kinder durch die allein dem Vater zugestandene elterliche Gewalt. Ein Vortrag auf dem Frauentag in Gotha im Jahr 1875 über ,,Die Rechte der Mutter auf ihre Kinder", in dem Charlotte Pape den Fall einer Frau schilderte, die nach ihrer schuldlosen Scheidung alle 6 Kinder an den Vater verlor, bestärkte den Allgemeinen Deutschen Frauenverein in dem schon seit seinem Bestehen im Jahr 1865 gehegten Plan, ,,die auf die Tagesordnung gesetzte Frauenfrage nicht allein von der Seite des Rechts auf Bildung und Erwerb, sondern auch des Rechtes schlechthin, wie des Rechtes vor dem Gesetz zu beleuchten."
1874 war nach Erweiterung der Reichskompetenz für das gesamte bürgerliche Recht die erste Vorkommission zur Vorbereitung eines Entwurfs für ein bürgerliches Gesetzbuch in Deutschland zusammengetreten. Die Frauen meldeten ihre Interessen an, weil sie begriffen hatten, daß ,,Gesetze von Männern

für Männer gemacht keine Mutter- bzw. Frauenrechte kennen."[25] Der Vorstand des ADF beschloß, nach gründlichen Vorarbeiten eine Petition an den Reichstag zu richten mit der Aufforderung, „bei der Abänderung der Zivilgesetzgebung die Rechte der Frauen besonders auch im Ehe- und Vormundschaftsrecht zu berücksichtigen."[26]

Der hierzu in den „Neuen Bahnen" mehrfach veröffentlichte Aufruf an die Leserinnen, an Frauenvereine und „gesetzkundige Juristen" Mitteilungen und Informationen über die Rechtsstellung der Frauen in den verschiedenen deutschen Staaten zu machen, fand ein unerwartetes Echo. „Das Material weiblihen Martyriums reichte aus um Bände zu füllen . . ." schrieb Louise Otto im Vorwort der „Gesetz-Paragraphen", doch ihr „weibliches Zartgefühl" sträubte sich dagegen, ein unglückliches Ehe- und Familienleben zu veröffentlichen, als auch Furcht und Angst der Schreiberinnen „. . . den Zorn und die Rache auch des geschiedenen Ehegatten noch zu reizen."[27] Für Rechthistorikerinnen ist diese Unterschlagung mehr als bedauerlich.

Der Allgemeine Deutsche Frauenverein beschränkte sich stattdessen auf eine ziemlich nüchterne Zusammenstellung der in Deutschland jener Zeit gültigen gesetzlichen Bestimmungen für Frauen in Ehe- und Vormundschaftsrecht, die große Nachfrage fand und auch für uns eine Übersicht über die wichtigsten Rechtsprobleme der Frauen gibt.

Die verbesserte Auflage von 1892, die von Emilie Kempin — einer der ersten, auch vom ADF für ein Studium in Zürich geförderten Juristinnen — herausgegeben wurde, enthält eine Gliederung, die wenigstens einen kleinen Einblick in die Vielfalt und Buntscheckigkeit der Rechtsverhältnisse jener Zeit gibt:

Neben nur wenigen privatrechtlichen Bestimmungen der Reichsgesetzgebung seit 1871, sind die Rechtsquellen und Rechtskreise grob in vier Gruppen einzuteilen:

1. Gruppe: Die Länder des gemeinen Rechts.
   Dazu gehören Bayern, Lübeck, Bremen, Hamburg, Herzogtum Braunschweig, Herzogtum Oldenburg, Fürstentümer Lippe, Schaumburg-Lippe und Waldeck, Großherzogtum Hessen, Württemberg, Die beiden Mecklenburg, Von den preußischen Provinzen: Lauenburg, Hannover, Hessen, Nassau, Frankfurt am Main.

2. Gruppe: Die Länder des sächsischen Rechts mit dem Königreich Sachsen, Thüringen und Anhalt, Von den preußischen Provinzen: Schleswig-Holstein.

3. Gruppe: Die Länder des preußischen Landrechts:
   Ober-, Mittel- und Unterfranken, Die altländischen Provinzen: Preußen und Posen, Sachsen, Westfalen, Pommern, Brandenburg, Schlesien, Das Märkische Provinzialrecht.

4. Gruppe: Das Gebiet des französischen Rechts.
   Baden, Die Rheinprovinz, Rheinhessen, Die Pfalz, Die Reichslande.[28]

Man kann sich die Landkarte des Rechts im Deutschland des 19. Jahrhunderts tatsächlich wie einen bunten Flickenteppich vorstellen, dessen Muster ebenso verblichen oder miteinander verwoben wie Regelungen unter Juristen strittig sind, mit Überlagerungen verschiedener Rechtsschichten, veränderten Ländergrenzen und wechselnden Staatsgewalten. Welches Recht angewendet wurde, richtete sich in der Regel nach dem Wohnort der Rechtsunterworfenen, bei Eheleuten nach dem Gesetz des Ortes, an dem die Ehe geschlossen wurde.

Das *Gemeine Recht* ist noch am meisten von römisch-rechtlichen Prinzipien geprägt, d.h. auch die Ehefrau ist grundsätzlich handlungsfähig, kann selbständig Geschäfte mit Dritten eingehen und ist nur durch örtlich und landesrechtlich verschiedene Modifikationen des ehelichen Güterrechts an die Zustimmung des Mannes gebunden. Grundlage des ehelichen Vermögensrechts ist das Dotalsystem, das jedoch vielfältig abgewandelt wurde durch Regelungen aus Modellen der Gütergemeinschaft, Verwaltungsgemeinschaft oder Errungenschaftsgemeinschaft. Interessant ist, daß diese Abwandlung oft ständisch gegliedert war, z.B. galt in Hessen partikularrechtlich das Dotalrecht nur für den Adel, Studierte und Beamte, während Bürger und Bauern eine Errungenschaftsgemeinschaft führten. Eine Härte des Gemeinen Rechts gegenüber Frauen bestand darin, daß sie auch bei schuldloser Scheidung niemals einen Unterhaltsanspruch gegenüber dem Mann hatten, allenfalls ihr oft genug verbrauchtes Heiratsgut (Dos) zurückfordern konnten.
Kindererziehung hieß gemeinrechtlich Elternrecht, wenn auch natürlich die Gewalt des Vaters bei Meinungsverschiedenheiten den Vorrang hatte. Der schuldig geschiedene Vater konnte jedoch seine väterliche Gewalt an die Mutter verlieren, jedoch durfte diese sich dann nicht wiederverheiraten. Uneheliche Kinder haben, wenn die Vaterschaft bewiesen werden kann, einen Anspruch auf notdürftige Alimente.
An einer Besonderheit, bzw. ausdrücklichen Regelung des bayrischen Rechts haben auch die Vertreterinnen des ADF Anstoß genommen: Bayerns gemeinrechtliche Variante bestand darin, dem Ehemann ein mäßiges Züchtigungsrecht einzuräumen.
Das *sächsische Recht* bewahrte vorwiegend die deutschrechtlichen Traditionen. Damit stand die Frau mit dem Eheschluß unter der Vormundschaft des Mannes, d.h. sie konnte ohne Beistand des Mannes nicht vor Gericht auftreten und bedurfte zu allen Rechtsgeschäften, ,,durch die sie nicht lediglich erwirbt", der Einwilligung des Mannes. ,,Der Ehemann ist" – so wörtlich das Bürgerliche Gesetzbuch des Königreichs Sachsen von 1865 – ,,berechtigt von seiner Ehefrau Gehorsam ingleichen Dienstleistungen zur Förderung seines Hauswesens und seines Gewerbes zu verlangen." Er hatte außerdem ein Nießbrauch- und Verwaltungsrecht am Vermögen der Frau, wobei alle Eigentumsvermutungen auch für ihn sprachen . . . Es gab viele Scheidungsgründe und merkwürdig abgewogene Scheidungsfolgen: Kinder unter 6 Jahren werden der Erziehung der Mutter, ältere Kinder dem Vater überlassen. Wenn der schuldlos geschiedene Ehegatte sich nicht ernähren kann, kann er – nach richterlichem Ermessen vom schuldigen Ehegatten Unterhalt fordern.
Über eheliche Kinder gab es nur eine väterliche Gewalt, uneheliche Kinder hatten genau geregelte Unterhaltsansprüche. Der Mutter konnte nach dem Tod des Vaters ausnahmsweise die Erziehung der Kinder überlassen werden, ,,wenn keine Bedenken dagegen vorhanden sind."
Das *preußische Landrecht,* 1974 kodifiziert, hat gerade im Hinblick auf die Frauenrechte im Laufe des 19. Jahrhunderts wichtige Änderungen erfahren; einige frauenfreundliche Ansätze wie Eigentumsrechte der Frau und ein verhältnismäßig großzügiges Unehelichenrecht wurden durch die Rechtsprechung und Gesetzgebung eingeschränkt und zu ungunsten der Frauen ausgelegt.
Auch nach Preußischem Allgemeinen Landrecht ist der Mann ,,das Haupt der ehelichen Gesellschaft und sein Entschluß gibt in gemeinschaftlichen Angelegenheiten den Ausschlag", (§ 184). Allerdings gibt es gegenseitige Rechte

und Pflichten der Eheleute, über deren minutiöse Regelung bereits im 19. Jahrhundert gespottet wurde, z.B.: „. . . säugende Ehefrauen verweigern die Beiwohnung mit Recht." (§ 180) Aber auch: „Zur ehelichen Treue sind beide Ehegatten verpflichtet" (§ 181). Die Frau war in ihrer Geschäftsfähigkeit beschränkt, sie bedurfte bei Geschäften, durch die sie verpflichtet wurde, also bei Arbeitsverträgen oder zum Betrieb eines Gewerbes, der Einwilligung des Ehemannes. Ferner konnte sie – sofern es um ihre Person, ihre Ehe und ihr Vermögen ging, nicht selbständig klagen. Trotzdem gab es ausdrücklich ein Notverwaltungsrecht bei Abwesenheit oder Verhinderung des Mannes, außerdem war die Ehefrau selbständig und verfügungsberechtigt im Hinblick auf das bei Eheschluß vorbehaltene Gut (§§ 205 f.)[29] Auch bezüglich ihres Verdienstes aus selbständiger Arbeit konnte sie sich ihr Eigentum daran vorbehalte – wenn sie es nur tat.

Die nicht schuldig geschiedene Ehefrau hatte gegen den Mann einen Anspruch auf eine Abfindung, ersatzweise auf standesgemäßen Unterhalt (§§ 183 f., 798, alle §§, auch die vorigen im II. Teil, 1. Titel ALR). Es gab viele und als „lax und frivol" beklagte Scheidungsgründe. Die weitergehenden Ansprüche der unehelichen Mutter und ihres Kindes, die zunächst eine Abfindung und Ersatz aller Unterhalts- und Pflegekosten auch von den Eltern des Mannes verlangen konnte, wurden durch ein Gesetz aus dem Jahre 1854 drastisch beschränkt, insbesondere wurde mit der Einführung der ‚Einrede des Mehrverkehrs' die sog. Unbescholtenheit der Frau zur Voraussetzung aller Rechtsansprüche gemacht.

In den *französischen Rechtsgebieten* galten im allgemeinen die Bestimmungen des Code Civil, auch wenn sie als Landesgesetzgebung erlassen wurden wie z.B. im badischen Landrecht.

Schon Marianne Weber hat in ihrer Rechtsgeschichte „Ehefrau und Mutter in der Rechtsentwicklung" (1907) festgestellt, daß der Code Civil von allen zeitgenössischen Gesetzen „die Züge des mittelalterlichen Patriarchalismus am reinsten und längsten bewahrt hat."[30]

Danach war die Frau zum Gehorsam verpflichtet, der Mann hatte die Oberleitung über alle gemeinsamen Angelegenheiten. Selbständig, ohne „Autorisation" = Ermächtigung des Mannes konnte die Frau keine Rechtshandlungen vornehmen, auch dann nicht, wenn sie die Verwaltung ihres eigenen Vermögens behalten hatte, selbst wenn sie ‚von Tisch und Bett getrennt' lebten. Diese ‚Herrenrechte' waren in Art. 1388 CC sogar ausdrücklich der vertraglichen Modifikation entzogen. In den „Gesetz-Paragraphen" wird hierzu kommentiert:

„Der Grund, aus welchem die Frau zu ihren Rechtsgeschäften der Autorisation des Mannes bedarf, ist nicht das Interesse der Frau (nicht die Schwäche des Geschlechts) . . . sondern das *Interesse des Mannes*." (Hervorhebung im Text)[31]

Durch vertragliche Vereinbarung waren die verschiedensten Güterstände möglich, jedoch hatten diese keinerlei Einfluß auf eine Besserstellung der Frau, weil ihre persönliche Abhängigkeit blieb.

Besonders empörend haben die Frauen die doppelte Moral des Scheidungsrechts empfunden: Ehebruch der Frau war immer Scheidungsgrund, beim Mann jedoch nur, wenn er den Ehebruch in der ehelichen Wohnung begangen hat. Als weiteren „Freibrief für die Zügellosigkeit" des Mannes werteten sie das gesetzlich geregelte Verbot von Vaterschaftsprozessen. Das nicht anerkannte uneheliche Kind hatte keinerlei Rechtsansprüche gegen den Vater.

Die elterliche Gewalt bei ehelichen Kindern stand ausdrücklich Vater und Mutter zu, wenn auch die faktische Ausübung der Autorität wiederum dem Vater vorbehalten war. Lediglich nach seinem Tod hatte die Mutter eine Chance, als Vormund zugelassen zu werden, wenn der Familienrat zustimmte.

Rechtskämpfe:

„Es erben sich Gesetz und Rechte wie eine ewige Krankheit fort." Dieses Goethe-Wort hat E. Kempin ihrer Edition der „Gesetz-Paragraphen" als Motto vorangestellt. Es eignet sich auch als Zusammenfassung der geschilderten Rechtslagen. Die Disziplinierung der Frauen in eine Hausgewalt, in „besondere" Rechtsformen, die der gesellschaftlichen und ökonomischen Entwicklung, ja, der Ideologie dieser Gesellschaft von sich selbst widersprachen, aber war immer schwerer zu ertragen. D.h. die Frauenbewegung wurde nicht nur aus den neuen gesellschaftlichen Widersprüchen zwischen den Produktionsverhältnissen und den ihnen ungleichen Rechtsverhältnissen hervorgetrieben, vielmehr schöpften die Frauen den Mut zur Selbstbestimmung und zum Kampf gegen die männliche Bevormundung aus der Berufung auf die Menschenrechte. „Wir Frauen fordern einfach nur unser Recht, unser Menschen-Recht", schrieb Louise Otto zum Auftakt der ersten Frauenbewegung in Deutschland in ihrer „Frauen-Zeitung"[32] die wie die Bewegung anderer Länder dieser Zeit im Zusammenhang revolutionärer Erhebungen entstnden war. Die Menschenrechte blieben Motiv und Maß aller weiteren Rechtskämpfe.

Der Allgemeine Deutsche Frauenverein, in den 1890er Jahren der Bund Deutscher Frauenvereine haben immer wieder und zwischen den letzten Lesungen zum BGB verstärkt Petitionen und Resolutionen an den Reichstag gesandt, hunderttausende Unterschriften gesammelt, Demonstrationen und Protestversammlungen veranstaltet. Der Mißerfolg war zunächst niederschmetternd. In keinem ihrer wichtigsten Kritikpunkte an dem neuen Bürgerlichen Gesetzbuch konnten die Frauen ihre Forderungen durchsetzen, weder im Güterrecht, noch in Bezug auf gleiche Rechte der Mutter bei der elterlichen Gewalt, noch im Hinblick auf das Entscheidungsrecht des Mannes „in allen gemeinschaftlichen Angelegenheiten", § 1354 BGB — eine wie auch kritische Juristen meinten, nur modernere Bezeichnung für „eheherrliche Vormundschaft"[33]

Die in diesen Rechtskämpfen engagierten Frauen machten die Erfahrung, daß ihre Interessen nicht berücksichtigt wurden, weil sie nicht mit den Interessen der Männer in den politischen Parteien identisch waren, obgleich einzelne „Angehörige der verschiedensten Fraktionen (insbesondere aus der SPD) warm und energisch für sie eintraten." Marie Stritt, Initiatorin der Rechtsschutzvereine für Frauen und auch als spätere Vorsitzende des Bundes Deutscher Frauenvereine in Rechtsfragen sehr aktiv, schildert ihre Enttäuschung und Entrüstung über das Verfahren bei der Verabschiedung des BGB: „Während ein ganzer, sehr stürmischer Verhandlungstag, der für die Beratung des Familienrechts bestimmt war, der denkwürdigen Hasendebatte . . . gewidmet war, wurde das Familienrecht und die wichtigsten Lebensfragen der größeren Volkshälfte in ganz oberflächlicher Weise erledigt, wohl unter üblicher Betonung der ‚idealen Standpunkte', der ‚gottgewollten Ordnung', des ‚Schutzes des schwachen Geschlechts' — aber auch unter einer das gewohnte Maß übersteigenden ‚Heiterkeit'!"[34]

Optimistischer ist das etwa gleichzeitige Resümee aus der ‚radikalen' Richtung der Frauenbewegung, die seit der Jahrhundertwende verstärkt den

Kampf ums Recht als A und O aller Frauenbestrebungen aufnahm. Else Lüders schreibt in ihrem Bericht „Der linke Flügel": „War mit diesem ‚Frauenlandsturm' gegen das Bürgerliche Gesetzbuch auch nur ein geringer positiver Erfolg erzielt worden, so doch ein großer ideeller — die Frauenbewegung in Deutschland hatte sich zum erstenmal in voller Einmütigkeit als eine Macht offenbart, die man nicht ignorieren konnte, sondern zu der man von nun an ernstlich Stellung nehmen mußte."[35]

3. Rechtskritik im Interesse von Frauen.

Eine vermutlich nicht neue feministische Erfahrung ist, daß Kritik tradierter Privilegien und männlicher Herrschaftsformen, also Rechtskritik im Interesse von Frauen als Polemik, in akademischen Diskussionen als unwissenschaftlich abgetan wird. Zu fragen ist, welcher wissenschaftliche Standard mit Denkmodellen von der „Herrschaft des Mannes im Hause" oder „eheherrlicher Gewalt à la Kraut, Gerber u.a. erreicht wurde, wie in der Rechtswissenschaft bis heute eine begriffliche Systematik Bestand haben konnte, die nur auf die eine Hälfte der Rechtssubjekte und Rechtsadressaten passen will. Denn das Verfahren ist keineswegs nur von historischem Interesse. Die Hilfskonstruktionen der Ausgrenzung und Diskriminierung verstecken sich in unserem Jahrhundert nur hinter anderen, anscheinend geschlechtsneutralen Begrifflichkeiten wie der „funktionalen Verschiedenheit der Geschlechter" oder hinter den „sachlichen Gründen" im Antidiskriminierungsrecht.

Eine „Sisyphusarbeit" hatte es Hedwig Dohm in ihrer brillianten Streitschrift für das Stimmrecht der Frauen genannt, die Argumente der Männer gegen die Freiheit und Gleichheit der Frauen zu widerlegen.[36] Bereits am Ende des vorigen Jahrhunderts und darüber hinaus wurden wichtige rechtshistorische und rechtssoziologische Forschungen zur Kritik des Patriarchalismus durchgeführt — bemerkenswert ist nur, daß sie von der Rechts- und übrigen Wissenschaft nicht rezipiert, ja, soweit es sich um Frauenforschung handelt, nicht einmal registriert wurden. Deshalb sollen sie abschließend kurz erwähnt werden:

— Andreas Heusler hat in seinen „Institutionen des deutschen Privatrechts", einer umfangreichen Untersuchung zur germanischen Rechtsgeschichte (1885/86), Kraut's Begründungen und Motive zur Geschlechtsvormundschaft gründlich widerlegt: „Die Munt war ihrem Begriffe nach kein Schutzverhältnis des Untergebenen, sondern Gewalt im Interesse des Hausherrn . . . Ihr Motiv liegt daher nicht in bestimmten Eigenschaften oder Mängeln der Untergebenen, sondern im Interesse der einheitlichen Leitung des Hauswesens . . ."[37]

Der Ausschluß vom Waffenrecht und die Unfähigkeit, vor Gericht aufzutreten, sind also nicht Motiv sondern Folge der Gewalt des Hausherrn, der ein Interesse daran hat, Vermögen und Arbeitskraft der Frauen in Beschlag zu nehmen.[38]

— Für Marianne Weber's Werk „Ehefrau und Mutter in der Rechtsentwicklung", eine der nach wie vor gründlichsten Studien zur Rechtsgeschichte der Frau, war der Nachweis und die Analyse der verschiedenen Formen des Patriarchalismus im Recht leitendes Thema. Ihre Rechts- und Kulturgeschichte der Ehe beginnt in prähistorischer Zeit, ·enthält eine spannende Auseinandersetzung mit den Mutterrechtstheorien der Zeit und versteht es, in der Darstellung der Rechtsformen der Ehe vom Altertum bis zu den Kodifika-

tionen der Neuzeit „das historische Gewordensein der Rechtsnormen . . . in ihrer rechtspraktischen Bedeutung für die Lage der Frau" herauszuarbeiten. Nicht in allen Punkten können Feministinnen heute mit ihr übereinstimmen, z.B. nicht in der ängstlichen Verteidigung der „legitimen" Ehe als Kulturwert und ökonomische Sicherung der Frau und ihrer ehelichen Kinder gegen die polygamen Triebe des Mannes. Das hindert sie aber nicht daran, in ihrer „Kritik des geltenden Rechts (des BGB) vom Standpunkt der ‚Fraueninteressen' aus" die wunden Punkte, „das ‚System' des Patriarchalismus" zu benennen: „. . . die Persönlichkeitsentwicklung der Frau (findet) da und dann ihre Schranken, wo sie nicht etwa . . . irgendwelche ‚objektiven' Zwecke der Ehe, sondern die ‚Autorität' und die rein subjektiven Ansprüche des Hausherrn gefährdet. Daß noch heute jedes über das häusliche Leben hinausgehende Betäigungsstreben der Frau . . . der Mehrheit deutscher Männer unbequem und vedächtig ist, ist leider eine bekannte Erfahrungstatsache."[39]
– Von unschätzbarem Wert für die Frauenforschung und dennoch nahezu unbekannt ist die Arbeit von Emma Oekinghaus „Die gesellschaftliche und rechtliche Stellung der deutschen Frau" von 1925.
E. Oekinghaus hat die Ergebnisse Heuslers für die Analyse der Frauenrechtsprobleme auf einen Begriff gebracht, der gegenwärtigen Erkentnissen sozialwissenschaftlicher Frauenforschung standhält, ja, rechtstheoretisch darüber hinausweist. Sie beschreibt die Geschichte der Frauenrechte, ausgehend von der vaterrechtlichen Familienverfassung der Sippen bis zur Entwicklung der Kleinfamilie der Gegenwart, als widersprüchliche und noch nicht abgeschlossene Entwicklung und Auseinandersetzung zwischen Gewalt und Recht, Mundialprinzip und Prinzip der Gleichberechtigung. „Die Munt – sprich: das Patriarchat – war kein Schutzverhältnis sondern Gewalt im Interesse des Hausherrn. (Sie) bedeutet politisch: Beherrschung unfreier Menschen, ökonomisch: Verfügung über unbezahlte Arbeit." (!)[40]
„Der Konflikt zwischen der Frau und den bestehenden Normen ist nur dadurch zu lösen, daß die Frau entweder die Sachlichkeit und Allgemeinheit der Normen angreift, oder sich ihnen anpaßt . . . In jedem Fall handelt es sich um den Angriff gegen die soziale Regelung ihrer Stellung zum Manne und diese findet ihre Stütze an der herrschenden Meinung über das Wesen der Frau. Um diesen Kernpunkt dreht sich alles."[41]
Um diesen Kernpunkt „sozialer Regelung", die gegenwärtige Form geschlechtsspezifischer Arbeitsteilung, dreht sich auch heute noch alles. Die Frauenfragen an die Rechtswissenschaft bleiben unbeantwortet, solange Maßstab des Rechts immer noch das männliche Rechtssubjekt ist, solange der mit „privater Willkür" ausgestattete Eigentümer oder der von Familienpflichten „freie" Lohnarbeiter Tatbestandsvoraussetzungen und Sachverhalte prägen.
Mit geschlechtsneutralen Begrifflichkeiten und Abstraktionen von den sozialen Vorgegebenheiten arbeitsteilig ungleicher Verhältnisse zwischen Mann und Frau ist es nicht getan. Das Vakuum an Bemühung und Erkenntnis in der gegenwärtigen Rechtslehre und Rechtstheorie beruht nicht einmal auf der trügerischen Hoffnung verwirklichter Gleichberechtigung und damit einer Lösung, vielmehr auf der Ignorierung und Negierung des Frauenproblems. Als Beispiel sei auf das neueste Buch von U.K. Preuß „Die Internationalisierung des Subjekts" hingewiesen. Hier wurden die ungeheuren Kosten aufgezeigt, die „die Durchsetzung der bürgerlichen Gesellschaft und die Transformation des Individuums zum (Rechts-)Subjekt" verursachte, weil sie „mit

umfangreichen Ausgrenzungen ganzer gesellschaftlicher Gruppen aus dem Subjekt-Status verbunden war."[42] Erwähnt werden die üblichen Randgruppen: Kranke, Irre, Arbeitsscheue etc. Doch daß bürgerliche „Rechtssubjektivität ihren spezifischen historischen Sinn" in der Ausgrenzung von Frauen bekommen hat, ist wohl immer noch nur ein Thema für Juristinnen-Berichte.

Anmerkungen

1 M. Horkheimer, 1936, Bd. 2, S. 70
2 U.K. Preuß, 1979, S. 330
3 a.a.O.,
4 Vgl. im einzelnen U. Gerhard, 1980, S. 36 f.
5 E. Huber, 1975, Bd. 2, S. 790
6 Frauen-Zeitung 1850, Nr. 51 (Nachdruck 1980)
7 F. Wieacker, 1967, S. 353
8 K. F. Eichhorn, 1845, S. VII
9 C.F. v. Gerber, 1863, S. 81/82
10 Gerber, S. 573
11 G. Beseler, 1873, S. 480/481
12 W. Th. Kraut, Bd. 1, 1835, S. 30/31
13 W. Th. Kraut, Bd. 2, 1847, S. 320
14 Bd. 2, S. 291 f. u. 322
15 C.J.A. Mittermaier, 1847, B.d 2, S. 347
16 J.G. Fichte, 1867, S. 337
17 Vgl. M. Weber, 1904, G. Bäumer, 1921, H. Schröder, o.J., U. Gerhard, 1978
18 Mittermaier, Bd. 2, S. 347/48
19 G. Puchta, 1856, S. 586
20 J.F.L. Göschen, 1839, S. 40
21 Vgl. Göschen, Puchta und B. Winscheid, 9. Aufl. 1906, Bd. 3.
22 G. Puchta, S. 586
23 G. Planck, 1899, S. 17/18
24 B. Mugdan, Motive Bd. IV, 1899, S. 86
25 „Neue Bahnen" 1876, Nr. 2
26 „Gesetz-Paragraphen", 1876, S. 2, 3
27 „Gesetz-Paragraphen", S. 3
28 E. Kempin, S. 9–11
29 Vgl. hierzu ausführlich U. Gerhard, S. 154 ff.
30 M. Weber, S. 318
31 „Gesetz-Paragraphen", S. 13
32 1849, Nr. 5, S. 68
33 Vgl. C. Bulling, 1896, S. 100f. u. E. Pretorius, 1907, S. 50 f.
34 In: Handbuch der Frauenbewegung, 1901, II. Teil, S. 145
35 E. Lüders, 1904, S. 26
36 H. Dohm, 1876, S. 69
37 A. Heusler, I. S. 119
38 a.a.O., II. S. 508–511
39 M. Weber, S. 498
40 E. Oekinghaus, S. 7
41 a.a.O., S. 25
42 U.K. Preuß, S. 99 f.

Natascha Ungeheuer, 1978
Erstmals veröffentlicht für das Russell-Tribunal 1978

Sabine Mönkemöller, Jurastudentin

Anstelle einer Literaturzusammenstellung

Neugierig und mit keinen größeren Schwierigkeiten rechnend hatte ich mir vorgenommen, von oder über Juristinnen verfaßte Bücher zu lesen, um sie anschließend vorzustellen.
Das Material fiel jedoch nicht gerade üppig aus.
Noch am leichtesten findet man Bücher über die Gleichberechtigung der Frau und deren rechtliche und historische Voraussetzungen. So z.B. Marianne Feuersängers Buch: „Die garantierte Gleichberechtigung – Ein umstrittener Sieg der Frau"[1]. Zweiunddreißig Jahre nach Entstehung des Grundgesetzes, in einer Zeit der zunehmenden politischen Unsicherheiten und wirtschaftlichen Stagnation, muß es weiterhin bedeutend bleiben, sich die Kämpfe um die rechtliche Gleichstellung der Frau ins Gedächtnis zu rufen. Historische und rechtliche Hintergrundinformationen, die damaligen Argumente sowohl der Verfechter(innen) als auch der Gegner der Gleichberechtigung helfen uns heute z.B. besser, zu verstehen, worum es bei der Forderung nach „gleichem Lohn für gleiche Arbeit" geht – ein Thema, das infolge der steigenden Arbeitslosigkeit an Brisanz noch gewinnt. Auch Themen wie „Frau und Bundeswehr" werden mit Hintergrundwissen angesprochen. Den Lesern wird vor Augen geführt, daß auch und gerade aufgrund des Einsatzes kompetenter Frauen, wie Elisabeth Selbert, Helene Weber, Helene Wessel, Friede Nadig, Marie-Elisabeth Lüders u.a. Art. 3 Abs. 2 Grundgesetz eindeutig abgefaßt und einstimmig beschlossen wurde. Bisher hat dieser Verfassungsgrundsatz den versuchten Anfechtungen standhalten können. Auch wenn es erhebliche Verzögerungen bei der Verwirklichung dieses Grundsatzes gegeben hat, sind Rückschläge nie zu Rückschritten geworden.
Für die Bewahrung des bisher Erreichten sind Frauen verantwortlich und für die Weiterentwicklung müssen sich primär Frauen einsetzen, denn es handelt sich hier um ihre ureigenen Interessen, die es zu verwirklichen gilt. Nützliche Sachkenntnisse und Motivation vermittelt die Autorin den Lesern; am Ende bleibt die Aufforderung an jede Frauengeneration, politisch mitzuwirken, um dem Bemühen der Vorgängerinnen gerecht zu werden. Zwar haben Juristinnen besondere Möglichkeiten an dieser Aufgabe mitzuwirken, nicht immer nur förderliche Anstöße kamen bisher von Gerichten, speziell vom Bundesverfassungsgericht[2]; aber nicht nur sie werden mit dem vorliegenden Buch angesprochen, sondern jede Frau erhält hier Ermutigung, den Weg weiter zu gehen, den die Frauen der ersten Stunde beschritten haben. Der oft propagierte Rückzug ins Private ist verantwortungslos; diese Erkenntnis wird einem bei der Lektüre des Buches eindringlich klar.
Da das vorliegende Buch persönlich geschriebene Berichte beinhaltet, erschien es mir sinnvoll, Berichte von Frauen aus der Justiz zu suchen, die subjektive ihre Erfahrungen niedergeschrieben haben.
Das Naheliegende war, in der Bibliographie „Thema Frau"[3] von Bock/Witych nachzuschlagen. Von der gesuchten Art fand ich dort jedoch nichts. Als nächstes ging ich Buchbesprechungen in juristischen Zeitschriften durch und suchte nach Aufsätzen, die möglicherweise einen Hinweis auf erschienene Literatur geben könnten. Aber außer ein paar Abhandlungen über Standesfragen und das damit zusammenhängende juristische Selbstverständnis lies sich nichts finden. Ein Bericht in der „Kritischen Justiz" von 1980 behandelt die Diskriminierung der Frau innerhalb der Justiz in Deutschland bis 1945[4], aber

dies ist zwangsläufig eine Betrachtung von außen und im nachhinein.
Die massiven Repressionen, die speziell Frauen im Dritten Reich erfahren
mußten, gibt es nicht mehr; aber stellen sich der Frau seit 1945 überhaupt
keine beruflichen Schwierigkeiten – wegen ihres Geschlechts – mehr innerhalb der Justiz? Dieser Schluß drängt sich auf, da die Frau innerhalb der
Rechtspflege offenbar kein Thema ist. Also hat die vielbemühte Stunde Null
„auch" in diesem Bereich stattgefunden, ein Neuanfang, der jeder Diskriminierung ein Ende gesetzt hat? Leider wird diese Vermutung durch einen Blick
auf die Realität widerlegt.
Noch 1964 beschäftigte sich Dr. Arnold Saacke in seinem Buch „Der Jurist
und seine Berufschancen"[5] ganz selbstverständlich mit der Frage, ob Frauen
intelligenzmäßig zur Ausübung eines juristischen Berufes überhaupt in der
Lage seien; das Vorurteil, sie seien es nicht, lehnt er dann zwar entschieden
ab, gleich darauf zweifelt er aber, ob eine Frau in einem juristischen Beruf
ihre Erfüllung finden könne. Weiterhin meint er feststellen zu können, daß die
meisten Frauen das einmal begonnene Studium eher aus Pflichtgefühl denn
aus Liebe zur Sache betrieben.
Ist es also nicht mehr zeitgemäß, die Befähigung der Frau in der Öffentlichkeit anzuzweifeln, so stützt man(n) seine Ablehnung gegen Frauen in der
Justiz einfach auf verwaschenere, angeblich auf Erfahrung beruhende Argumente. Gehe ich einmal so weit und unterstelle, daß die Aussage bezüglich des
fehlenden Engagements der Frauen richtig ist, so stellt sich doch unmittelbar
daran die Frage, wie denn das wissenschaftliche Interesse der männlichen Studenten aussehe?
Ich glaube kaum, daß Dr. Saackes implizite Aussage zu den männlichen
Studenten nach einer Überprüfung an der Realität noch aufrecht zu halten
wäre.
Seit dem Erscheinen dieses Buches sind 17 Jahre vergangen und im Gegensatz zu dem damals knapp 10 % betragenden Anteil der weiblichen Studenten liegt der Anteil heute um ein Dreifaches höher. Kann von einer Änderung
des statistischen Wertes auch auf eine Veränderung der allgemeinen Einstellung gegenüber Juristinnen geschlossen werden? Hierauf können vor allem betroffene Juristinnen antworten.
Daß es möglich ist, über den Berufsalltag ansprechend zu berichten, beweist
Frau Dr. Just-Dahlmann[6], die bis 1979 in Mannheim als Oberstaatsanwältin
arbeitete und seit 1980 als Direktorin des Amtsgerichts Schwetzingen tätig
ist.
Offensichtlich ist es aber nicht die Intention der Autorin, in ihrem „Tagebuch
einer Staatsanwältin" über ihre Stellung als Frau in der Justiz zu berichten,
sondern sie beabsichtigt, die Arbeit einer Staatsanwältin verständlich und anschaulich darzustellen; deshalb erfährt der Leser über ihre Situation innerhalb
der Staatsanwaltschaft nur wenig. Allerdings spricht Frau Dr. Just-Dahlmann
humorvoll die alltäglichen Vorurteile an, die einer Frau in ihrer Position nicht
nur von Seiten der Kollegen entgegengebracht werden. Hätte die Autorin
nicht zu Beginn ihrer Berufslaufbahn die Stärke aufgebracht, sich gegen „gut
gemeinte" Warnungen – wie: „Wenn Sie zur Justiz gehen, müssen Sie sich . . .
mit Sittlichkeitsdelikten, sogar mit Homosexualität befassen!" – durchzusetzen, so wäre auch dieses Buch nie geschrieben worden, denn man hatte
„mit allen Mitteln der Überredungskunst" versucht, diese Frau von ihrem
Plan, zur Staatsanwaltschaft zu gehen, abzuhalten.
Heute werden Vorurteile im allgemeinen nicht mehr so offen ausgesprochen,

aber wie ist z.B. die Bemerkung eines Staatsanwalts zu verstehen, daß die äußerst charmanten und attraktiven Damen seines Dezernats „leider" auch an Leichenöffnungen teilnehmen müßten. Zeigt sich an dieser im März 1981 vernommenen Äußerung nicht noch immer eine ähnliche Einstellung wie die, die man vor 30 Jahren gegenüber Frau Dr. Just-Dahlmann verlauten ließ. Im Gegensatz zu der Staatsanwältin schreibt Peggy Parnass als Außenstehende über Prozeßverläufe aus der Sicht der Beobachterin. Peggy Parnass, laut Eigenbeschreibung Jüdin, Linke, Schwedin, alle Berufe ausübend, die etwas mit Sprache zu tun haben, beschreibt in ihrem Buch, „Prozesse 1970 bis 1978"[7], informativ und fesselnd zugleich sowohl Prozesse mit politisch brisantem Inhalt, wie den Wallraff-Prozeß, das Verfahren gegen die Strafverteidiger Groenewold oder die Verhandlung über die Verbrechen des NS-Täters Dr. Ludwig Hahn, als auch Fälle von „Bagatelldelikten" wie z.b. den Warenhausdiebstahl. Sie hat jede einzelne Verhandlung mit großem Engagement und persönlichem Interesse beobachtet, geschildert und kommentiert. „Eine junge Frau, Erika T., 27, brachte kurz vor Weihnachten 1973 ihren sechsjährigen Sohn um. Ihr einziges Kind, das sie über alles liebte". So beginnt eine der Reportagen; zwei Sätze, die einen derartigen Widerspruch beinhalten, daß man sich gedrängt fühlt, weiter zu lesen, um die Gründe dieser Unvereinbarkeit von Handlung und Gefühl zu erkennen, vielleicht sogar zu verstehen.
Mit Sensationspresse, die leider nur allzu oft das erschreckende Pendant zur juristischen Berichterstattung darstellt, haben diese Reportagen trotz oder vielleicht wegen des subjektiven Stils nichts gemeinsam, denn einseitige Darstellungen oder gar platte Verteufelungen der Angeklagten oder der Gerichte sind in diesem Buch nicht zu finden.
Ich meine, daß dieses Buch auch in den hier zu behandelnden Rahmen, „Frauen in der Justiz", paßt, denn Peggy Parnass berichtet eben aus der Sicht einer Frau, wenn ihr z.B. auffällt, daß über eine verzweifelte Frau, die sich und ihren Kindern das Leben nehmen wollte, ausschließlich Männer zu Gericht sitzen, oder wenn sie positiv hervorhebt, daß zum ersten Mal in der Hamburger Justizgeschichte eine Frau Vorsitzende des Schwurgerichts ist.
Würde man einer Juristin, die selbst über ihre Eindrücke aus der Justiz und ihre eigene Rolle in der Institution berichtet, vorwerfen, es sei geschmacklos, über sich selbst zu schreiben? Oder verbietet das hohe Amt oder das Standesrecht solch journalistische und subjektive Darstellungen, oder liegt es vielleicht nur an der Eingefahrenheit der juristischen Sprache, daß kaum „Insider" einer breiten Öffentlichkeit ihre Eindrücke aus und über die Justiz vermitteln?
Die hier vorliegende Berichtsammlung von Juristinnen müßte also auf Interesse stoßen.

1 Marianne Feuersänger, Die garantierte Gleichberechtigung – Ein umstrittener Sieg der Frau; Herderbücherei 777, Freiburg, u.a. 1980
2 Ines Reich-Hilweg, Männer und Frauen sind gleichberechtigt, EVA, Frankfurt/M., 1979
3 Ulla Bock/Barbara Witych, Thema Frau, AJZ-Druck u. Verlag, Bielefeld 1980
4 Stefan Bajohr/Katrin Rödiger-Bajohr, Die Diskriminierung der Juristin in Deutschland bis 1945; in: KJ 1980, S. 39 ff.
5 Arnold Saacke, Der Jurist, Studium und Berufschancen, Verlag Moderne Industrie, München, 1964, S. 31/32.
6 Barbara Just-Dahlmann, Tagebuch einer Staatsanwältin, Radius-Verlag, Stuttgart 1979
7 Peggy Parnass, Prozesse 1970 bis 1978; Zweitausendeins, 10. Aufl., Frankfurt/M. 1981.